VITZNAU

Hans Staffelbach

VITZNAU-RIGI

(Zahnradbahn/Chemin de fer à crémaillère/Rack Railway)

Erste Bergbahn Europas
Premier chemin de fer de
montagne en Europe
First Mountain Railway in Europe

und/et/and

WEGGIS-RIGI KALTBAD

(Luftseilbahn/Téléphérique/Aerial Cableway)

Orell Füssli

Titelfoto: Triebwagen Nr. 5 bei Freibergen
Buchrückseite: Luftseilbahn Weggis–Rigi Kaltbad

Couverture: L'automotrice No 5 à Freibergen
Verso de la couverture: Téléphérique Weggis–Rigi Kaltbad

Front cover: Motor coach Nr. 5 at Freibergen
Back cover: Aerial Cableway Weggis–Rigi Kaltbad

Vorderes Vorsatzblatt: Vitznau 1872
Hinteres Vorsatzblatt: Hotel Rigi Kulm 1848

Feuille de garde avant: Vitznau 1872
Feuille de garde arrière: Hôtel Rigi Kulm 1848

Front endpaper: Vitznau 1872
Back endpaper: The Rigi Kulm Hotel 1848

Übersetzung:
Linda Blesi-Allin
Dieter W. Portmann
Marie-Thérèse Zwyssig-Fandrich

2. ergänzte und überarbeitete Auflage
Lektor: Armin Ochs
Herstellung: Peter Schnyder/Walter Voser

© Orell Füssli Verlag Zürich und Schwäbisch Hall 1984
Umschlag: Heinz von Arx, Zürich
Lithos: Repro Singer AG, Zürich
Satz und Druck: Orell Füssli Graphische Betriebe AG Zürich
Einband: Buchbinderei Burkhardt AG, Zürich
Printed in Switzerland
ISBN 3 280 01501 4

Inhalt

Table des matières

Contents

Zum Geleit

Am 21. Mai 1971 konnte die Vitznau-Rigi-Bahn, ein Werk des kühnen Bergbahnpioniers Ing. N. Riggenbach, ihre Hundertjahrfeier begehen. Sie hat als erste Bergbahn der Schweiz und Europas eine Entwicklung eingeleitet, die dem Tourismus bis weit über unsere Grenzen hinaus kräftige Impulse verlieh. An diesem Werk entzündeten sich der Eifer, die Initiative und Begeisterung für den Bau zahlreicher weiterer Bergbahnen der verschiedensten Systeme, und von diesem ersten technisch-touristischen Erfolg ausgehend, nahm der Fremdenverkehr eine neue, ungeahnte Entwicklung.

Die kleine, von Vitznau am historischen See der vier Waldstätte ausgehende Touristenbahn stellt eine in sich abgeschlossene, von allem Anfang an funktionstüchtige technische Leistung Ing. N. Riggenbachs dar, die sich über all die Jahrzehnte hinweg bis heute glänzend bewährt hat.

Die Vitznau-Rigi-Bahn hat als hervorragendes technisches Werk des 19. Jahrhunderts schon immer und im Jubiläumsjahr 1971 zu Recht erneut die Augen aller technisch Interessierten, vorab vieler Fachleute, aber auch der Jugend auf sich gezogen. Von Generationen ist diese Bahn bewundert worden. Für viele, die Berg und Bahn in gleicher Weise lieben, ist sie zu einem Anziehungspunkt geworden, zu dem sie immer wieder gerne zurückkehren.

Die Aufmerksamkeit, die breiteste Kreise – nicht nur einige Eisenbahnamateure – dieser Bergbahn schenken, rechtfertige daher die Veröffentlichung eines Bildbandes zum Ausklang des Rigibahn-Jubiläumsjahres, selbst heute in unserer schnellebigen, so ganz anderen Zeit.

Das lebhafte Interesse, welches der ersten Ausgabe des Bildbandes über die Vitznau-Rigi-Bahn entgegengebracht wurde, und die sehr erfreuliche Aufnahme, welche diese Veröffentlichung im In- und Ausland gefunden hat, gaben Verwaltungsrat und Direktion der Rigi-

Préface

Le 21 mai 1971 fut fêté le centenaire du Chemin de fer Vitznau-Rigi, œuvre due à l'audacieux pionnier des chemins de fer de montagne, l'ingénieur N. Riggenbach. Ce fut le premier chemin de fer de montagne de Suisse et d'Europe à connaître un essor qui allait avoir un impact puissant, loin au-delà de nos frontières. C'est grâce à cette réalisation que s'enflammèrent l'ardeur, l'initiative et l'enthousiasme qui conduisirent à la construction de nombreux autres chemins de fer de montagne conçus selon les systèmes les plus différents. Ce premier succès technique et touristique fut le début d'un développement nouveau et inespéré des communications.

Ce petit chemin de fer touristique, partant de Vitznau, sur les rives de l'historique lac des Quatre-Cantons, représente avant tout une performance technique et fonctionnelle, qui a su rester brillante au cours de toutes ces décennies jusqu'à nos jours.

En tant que chef-d'œuvre technique du siècle dernier, le Chemin de fer Vitznau-Rigi a toujours suscité l'admiration de tous les intéressés du point de vue technique, celle des gens du métier avant tout, mais aussi celle de la jeunesse, surtout à l'occasion de l'année jubilaire (1971). Cette admiration dure depuis des générations. Ils sont nombreux à aimer la montagne autant que le train et, pour eux, il est devenu un but d'excursion qu'ils ont toujours autant de plaisir à retrouver.

L'attention que les milieux les plus larges – et pas seulement quelques amateurs de chemins de fer – vouent à ce train de montagne, justifia la publication d'un volume pour le jubilé de 1971. Cette ouvrage garde son importance en cette époque où la vie change rapidement.

En raison du vif intérêt accordé à cette première édition du Chemin de fer Vitznau-Rigi et du bon accueil du public, tant en Suisse qu'à l'étranger, le conseil d'administration et la direction de la So-

Foreword

The centenary of the Vitznau-Rigi Railway fell on May 21, 1971. The railway was the work of that enterprising pioneer of mountain railways, Niklaus Riggenbach. As the first mountain railway in Switzerland and Europe, it was one of the major contributions to the development of tourism far and wide beyond the borders of Switzerland alone. The railway sparked off the energy, initiative and enthusiasm of many people elsewhere to build mountain railways to a variety of systems and, starting from this first successful technical aid to scaling mountains, enabled tourism to expand into new and previously inaccessible regions.

This railway, built for the benefit of tourists starting the ascent from Vitznau, on the shores of the historic Lake of Lucerne, was one of the culminating achievements of the engineer, N. Riggenbach. It has enjoyed a resounding success from the very start right up to the present day.

The Vitznau-Rigi Railway deservedly, and very appropriately in this centenary year 1971, again and again aroused the interest of a wide circle of admirers for this outstanding engineering achievement of the last century, not only among the technically-minded, but among young people as well. The railway has never ceased to capture the imagination of one generation after another. It has always held a special place in the affections of the many lovers of mountains and railways who seize every opportunity to come back to have another look at it.

The special regard in which this particular railway has always been held in many parts of the world – by no means confined to amateur railway enthusiasts – has therefore been the justification for publishing an illustrated book to mark the Jubilee Year of the Rigi Railway, even in the different and rapidly-changing conditions of our own times.

bahn-Gesellschaft wie auch dem Verlag Orell Füssli in Zürich Anlaß, eine bis 1983 nachgeführte, erweiterte und mit zahlreichen neuen Photos ergänzte zweite Auflage in Auftrag zu geben.

Der Verfasser dankt dem Direktor der Bahngesellschaft, Herrn Werner Willi, und seinen Mitarbeitern wie auch Fräulein Heidi Bürgi, Vitznau, und Herrn Candid Lang, Walchwil, die sich um verschiedene neue Aufnahmen bemühten, für die vielfältige Unterstützung, die sie all seiner Arbeit entgegenbrachten.

Dem Verlag danke ich für die Bemühungen um die Gestaltung der zweiten Auflage. Möge auch diese Ausgabe bei den zahlreichen Freunden des Berges und der Bahnen an der Rigi* eine wohlwollende Aufnahme finden.

Vitznau, 21. Mai 1971 und Frühjahr 1984

Hans Staffelbach

ciété du Chemin de fer du Rigi, ainsi que la maison d'édition Orell Füssli de Zurich, décidèrent de procéder à une deuxième édition, élargie et revue jusqu'en 1983, accompagnée de nombreuses nouvelles photographies.

Comme auteur je tiens à remercier le directeur de la Société du Chemin de fer, M. Werner Willi, et ses collaborateurs, de même que Mlle Heidi Bürgi de Vitznau, et Monsieur Candid Lang, Walchwil, qui se sont chargées de plusieurs photos récentes. Tous ont contribué à mon travail par la diversité de leur assistance.

Mes remerciements vont également à la maison d'édition pour le soin apporté à la présentation de la deuxième édition qui, je l'espère, saura aussi gagner la faveur d'un public bienveillant, parmi les nombreux amis de la montagne et du Chemin de fer du Rigi.

Vitznau, le 21 mai 1971 et printemps 1984

Hans Staffelbach

Both the lively interest provoked by the first edition of a pictorial record of the Vitznau–Rigi Railway and the generous reception received following its publication at home and abroad gave rise to the commissioning of a revised version by the management and directors of the Rigi Railway Company together with Orell Füssli Press in Zurich. The second edition has been updated to 1983, expanded and enhanced by many new illustrations.

The author would like to express his thanks to the Managing Director of the railway company, Mr. Werner Willi, his staff, and Miss Heidi Bürgi at Vitznau, and Mr. Candid Lang, Walchwil, was responsible for tracking down many of the new illustrations. The diverse support rendered to me by all the above-mentioned was greatly appreciated.

My thanks also go out to Orell Füssli Press for their efforts in producing this second edition. May the countless admirers of the Rigi mountain and its railways also grant this edition a benevolent reception.

Vitznau, May 21, 1971 and spring 1984

Hans Staffelbach

---

* *Für die Rigi sind – auch nach Duden – die männliche und die weibliche Form gleichberechtigt. Während die einen konsequent die Rigi schreiben, bedienen sich andere ebenso ausschließlich des männlichen Artikels. In dieser Schrift wurde der Einheitlichkeit halber durchwegs die weibliche Form angewendet.*

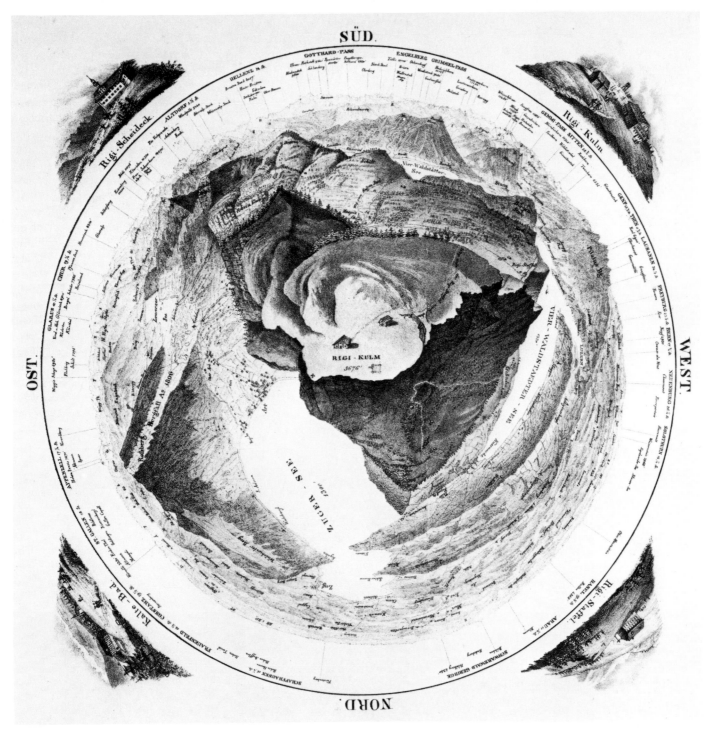

Originelles Rigi-Panorama aus der Vogelschau, 19. Jahrhundert.

Panorama circulaire original vu à vol d'oiseau, XIXe siècle.

Original full-circle bird's-eye panorama, 19th century.

Der Wandel der Zeit
La marche du temps
The Changing Times

Vom Kerzenlicht zum Laserstrahl

Wer sich immer für die Geschichte, die Anfänge und die spätere Entwicklung der ersten Bergbahn Europas interessiert, darf nicht übersehen, daß auch diese Pionierleistung hineingestellt ist in die Verhältnisse einer bestimmten Epoche. Die Gründung der Rigibahn-Gesellschaft fällt in das Jahr 1869. Sie liegt also weit zurück in der sogenannten «guten alten Zeit».

Wir leben heute im Zeitalter der Elektronik und damit des Computers und der spektakulären Raumfahrt, der Massenmedien, der Kerntechnik und des Jet-Verkehrs. Diese wenigen Hinweise zeigen, daß das Bahnunternehmen, das wir uns anschicken, näher kennenzulernen, begleitet wurde von einer Zeit immenser Entfaltung der Technik. Diese Spanne der zehn Jahrzehnte könnte wohl in die Worte «Vom Kerzenlicht zum Laserstrahl» zusammengefaßt werden.

So eindrucksvoll die Persönlichkeit und die Leistungen des Gründers der Vitznau–Rigi-Bahn sind, so eindrücklich ist auch der Wandel der Zeit in der Epoche von 1871 bis 1971. Die schweizerische Bevölkerung, die 1850 nur 2 393 000 Seelen umfaßte, nahm bis 1900 auf 3 300 000 und bis 1970 gar auf 6 269 783 Seelen zu. Wohl hatte sich das Netz der schweizerischen Eisenbahnen bis 1870 bereits auf über 1000 km ausgedehnt. Die erste Zahnradbahn des Landes nahm aber doch ein volles Jahrzehnt vor der Eröffnung der Gotthardbahn ihren Betrieb auf, zu einer Zeit also, als unsere Großeltern noch beim Kerzenlicht oder der Petroleumlampe ihr Abendbrot aßen.

Es waren die Jahre, als die Firma Gebrüder Sulzer ihre ersten einfachen Dampfmaschinen erstellte. 1871 wurde auch die Schweizerische Lokomotiv- und Maschinenfabrik in Winterthur gegründet, deren erste von diesem Unternehmen überhaupt erstellte Lokomotiven für die junge Rigibahn bestimmt waren. Die

De la lumière des bougies aux rayons laser

Ceux que l'histoire du premier chemin de fer de montagne européen intéresse, ses débuts comme ses développements ultérieurs, ne peuvent pas oublier que même cette œuvre de pionnier reste en rapport avec une certaine époque. La Société du Chemin de fer du Rigi a été fondée en 1869. Cette fondation remonte donc bien au cœur de ce qu'on a appelé «le bon vieux temps».

Nous vivons aujourd'hui à l'âge de l'électronique qui nous a apporté les computers et les spectaculaires vols spatiaux, l'âge des mass media, de la technique nucléaire et du trafic des jets. Ces quelques exemples nous montrent que la réalisation du chemin de fer dont nous nous proposons l'étude pour mieux la connaître, fut accompagnée d'une formidable explosion de la technique. L'espace des dix dernières années pourrait très bien se résumer ainsi: «De la lumière des bougies aux rayons laser».

La personnalité et les performances du fondateur du «Vitznau–Rigi-Bahn» ne nous paraissent pas moins impressionnantes que la marche du temps en cette époque 1871–1971. La population suisse qui, en 1850, ne comptait que 2 393 000 âmes, s'élevait en 1900 à 3 300 000 pour arriver en 1970 à 6 269 783.

En 1870 le réseau des chemins de fer en Suisse dépassait à peine les 1000 km.

Le premier chemin de fer à crémaillère du pays entra pourtant en fonction une bonne décennie avant l'ouverture du tunnel du Gothard, à l'époque où nos grands-parents mangeaient encore leur tranche de pain du soir à la lumière des bougies ou des lampes à pétrole.

C'étaient les années où la firme Sulzer Frères construisait ses premières machines à vapeur. En 1871 fut aussi fondée à Winterthour la Fabrique Suisse de Locomotives et de Machines, dont les toutes premières locomotives réalisées

From candlelight to laser beams

Anyone who is interested in the history of the origins and later developments of the first mountain railway in Europe, must not overlook the fact that this pioneer effort came to fruition in the conditions prevailing in a particular era. The Rigi Railway Company was founded in the year 1869, far back therefore in what we now are apt to call "the good old times".

Now we are living in an age of electronics, an age which has brought computers, the spectacular achievements of space travel, mass media, atomic science and jet aircraft. These few items alone show that the railway undertaking, which we shall be trying to describe in more detail has been in existence during an age of large-scale technical development. This period of ten decades may well be summed up in the phrase "from candlelight to laser beams".

The outstanding personalities and achievements of the founders of the Vitznau–Rigi Railway are matched by the changes which have occurred in the century 1871–1971. The population of Switzerland, which in 1850 was 2,393,000, had increased to 3,300,000 in 1900 and by 1970 reached 6,269,783. Over 1,000 km of railway had been built in Switzerland by 1870. The first rack railway in the country, however, was started a good ten years before the Gotthard railway was opened, at a time therefore when our grandparents were still eating their dinner by the light of a candle or oil lamp.

Those were the years when Sulzer Brothers were building their first steam engines. The first locomotive built by SLM Winterthur was for the young Rigi Railway. The water turbine was replacing the waterwheel. First the textile mills and then the engineering industry established their main factories in those places up and down the country where hydraulic power was available.

Wasserturbine ersetzte das Wasserrad. Die Textil- und alsdann die Maschinenindustrie setzten an verschiedenen Wasserläufen des Landes ihre Schwerpunkte.

Alpenübergänge wurden erstellt oder ausgebaut. Der Telegraph und das Telephon hatten noch kaum ihren Einzug gehalten. In den vierziger Jahren wurden die ersten Gaswerke erstellt. Der handgeschriebene Akt der Behörden und von Hand verfaßte Geschäftsbriefe waren die Regel. Die Schreibmaschine hielt erst viel später in den Kanzleien und Kontoren Einzug. Elektrizitätswerke gab es um 1870 noch keine. Mit zu den ersten Werken dieser Art gehörten Thorenberg (1886) und Rathausen (1896), beide in der Nähe von Luzern. Die in den achtziger Jahren einsetzende Entwicklung der Starkstromtechnik führte in der Folge nicht nur zu der heutzutage fast völligen Ausnützung aller schweizerischen Wasserkräfte durch viele bedeutende Großkraftwerke und Kraftwerkgruppen, sie gab auch Anlaß zur mächtigen Entwicklung der Elektroindustrie. Dem Bogenlicht der Jahrhundertwende folgten die Glühlampe, das Fluoreszenz- und Neonlicht. Heute liefern nicht weniger als vier Atomkraftwerke in unserem Lande elektrische Energie und machen ihrerseits die sprunghafte Entwicklung der Technik seit den ersten Fahrten der Vitznau-Rigi-Bahn deutlich.

Der Fußgänger, der Pferdezug und bald auch der Radfahrer beherrschten die holprigen Naturstraßen. Die Revolution des Verkehrs durch das Aufkommen des Motorfahrzeugs auf der Straße und des Propeller- und Düsenflugzeugs in der Luft folgte erst viel später. Es war noch eine ruhige Zeit stiller und stetiger Entwicklung der schweizerischen Wirtschaft und Industrie, als Ing. Riggenbach in Olten seine Modelle für eine künftige Zahnradbahn zusammenstellte.

Zürich, Basel, Olten, Baden, Winterthur und St. Gallen, um nur diese Plätze zu nennen, welche als erste der jungen Textil- und Maschinenindustrie ihre Tore öffneten, entwickelten sich in der Folge zu bedeutenden Zentren der schweizerischen Technik.

Diese wenigen Gegenüberstellungen

par cette entreprise étaient justement destinées au jeune «Rigibahn». La turbine remplaça la roue hydraulique. C'est ainsi que l'industrie textile et l'industrie des machines d'alors établirent leurs principaux centres sur les différents cours d'eau du pays.

On ouvrit ou aménagea des passages à travers les Alpes. Le télégraphe et le téléphone en étaient à leurs premiers balbutiements. Les actes officiels comme la correspondance commerciale écrits à la main étaient de règle. La machine à écrire fit son entrée bien plus tard dans les chancelleries et les comptoirs. En 1870, les usines électriques étaient encore inexistantes. Thorenberg (1886) et Rathausen (1896), toutes deux de la région de Lucerne, figurèrent parmi les premières de ce genre. Dans les années 80, le développement de la technique des courants forts ne fut pas seulement à la base de l'utilisation actuelle presque totale des forces hydrauliques helvétiques par de nombreuses usines génératrices ou groupes d'usines génératrices de grande importance. Ce fut aussi une époque primordiale dans le développement de l'industrie électrique. L'ampoule, la lumière fluorescente et au néon succédèrent à la lampe à arc. Pas moins de quatre centrales nucléaires alimentent aujourd'hui notre pays en électricité et marquent nettement l'évolution changeante de la technique depuis la randonnée inaugurale du Chemin de fer Vitznau-Rigi.

Le piéton, le cycliste et le char attelé dominaient en ce temps les routes naturelles et cahoteuses. La révolution du trafic à l'apparition de l'automobile sur les routes et de l'avion à hélices puis à réaction dans les airs ne survint que beaucoup plus tard. Les temps étaient encore bien calmes, le développement de l'industrie et du commerce suisses encore bien tranquilles et stables, quand l'ingénieur Riggenbach à Olten travaillait à ses plans d'un futur chemin de fer à crémaillère.

Zurich, Bâle, Olten, Baden, Winterthour et St-Gall, pour ne citer que ces villes, furent les premières à ouvrir leurs portes à la jeune industrie des textiles et

Alpine roads were built or improved. The telegraph and telephone had only just been invented. The first gasworks were built in the 'forties of the last century. Most official documents and business letters were still hand-written. Not until very much later did the typewriter come to invade offices and business houses. Even in 1870 there were no electricity generating stations. The first of their kind were those at Thorenberg (1886) and Rathausen (1896), both of them in the vicinity of Lucerne. The development of high-voltage transmission of electric power during the 'eighties led on to the harnessing of water power throughout Switzerland, a process which has now reached saturation point, in order to supply the many large power stations and subsidiary generators. But besides this, it led to the rise of an extensive electrical industry. The primitive glow-light at the turn of the century was supplanted by the electric light bulb, fluorescent lighting and the neon tube. Today no less than four atomic power stations provide Switzerland with electric energy. They themselves are a clear indication of the rapid development made by technology since the early days of the Vitznau-Rigi Railway.

In those early days, the pedestrian, the cyclist and the horse-carriage shared the use of the primitive road system. The transport revolution which has taken place following the coming of the motor car on the roads and the propeller and jet aircraft in the air followed many years after. It was still a quiet period of silent and steady progress in Swiss trade and industry when the engineer Riggenbach in Olten built his model of the future rack railway.

Zurich, Basle, Olten, Baden, Winterthur and St. Gall, to mention only those places as the first where the new textile and engineering factories were located, became as a result the leading centres of Swiss technical progress.

These few brief contrasts of conditions a century ago and now may serve to bring out more vividly the modest, unpretentious circumstances in which Riggenbach made his momentous invention

einstiger und heutiger Zustände mögen verdeutlichen, wie bescheiden die Verhältnisse zu Ing. Riggenbachs Zeiten waren und wie bedeutungsvoll daher seine Erfindung der «kletternden Lokomotive» war. Daß sie sich im folgenden so ausgezeichnet bewährte, hat dem schweizerischen Tourismus neue Akzente gesetzt.

Dozent Dr. J. Leuggers Bonmot mag, auf den Verkehr von gestern und heute bezogen, abschließend mit zwei Worten alles sagen, was in der so ereignisreichen Zeit von 1871 bis 1983 enthalten ist. Er hat sie einmal unter dem Titel zusammengefaßt: «Vom Peitschenknall zum Ultraschall».

des machines et devinrent ainsi les grands centres de la technique suisse. Ces quelques comparaisons entre les moyens de jadis et ceux d'aujourd'hui mettent en lumière la modestie de l'époque de l'ing. Riggenbach et font ainsi mieux ressortir l'importance de l'invention de la «locomotive varappeuse» qui donna au tourisme helvétique un accent nouveau.

Le Professeur Dr J. Leugger réussit à résumer l'époque de 1871 à 1983, riche en événements dans le domaine des communications et transports, en deux mots: «Vom Peitschenknall zum Ultraschall» (du coup de fouet aux ultrasons).

of the "climbing locomotive". The fact that it went on to render such outstanding service in time gave a new impetus to tourism.

We may quote Professor Dr. J. Leugger's epigram, apply it to the traffic of yesterday and today, and close this account with the two terms which epitomise the whole transition period between 1871 and 1983, summed up with the phrase: "From the crack of the horsewhip to the crack of the supersonic".

Die Rigi

Am Rande des Mittellandes und am Eingang zu den Vor- und Hochalpen liegt «wie eine Vorburg am Wege zum Gotthard»* die erhabene Rigi: Erholungslandschaft der Einheimischen, Treffpunkt der Gäste aus aller Welt. Umgeben vom Vierwaldstätter-, Zuger- und Lauerzersee, den Kantonen Schwyz und Luzern zugehörig, steigt diese Aussichtskanzel im Herzen der Schweiz aus einer Grundfläche von ca. 90–120 km², mitten aus geschichtsgetränkter Landschaft, bis auf eine Höhe von 1800 m ü. M. Sie bietet

* Max Huber-Escher: Ansprache auf Rigi Kaltbad am 1. August 1952.

Le Rigi

A la lisière de la Suisse centrale et au début des reliefs alpins et préalpins se trouve le majestueux Rigi, «comme un premier château fort sur le chemin du Gothard»*. Les gens du pays viennent se reposer dans ce paysage qui est aussi le lieu de rendez-vous des touristes du monde entier. Le Rigi est entouré des lacs de Zoug, de Lauerz et des Quatre-Cantons; il appartient aux cantons de Schwytz et de Lucerne. Cette chaire panoramique occupe au cœur de la Suisse une surface d'environ 90 à 120 km² et

* Max Huber-Escher: Discours à Rigi Kaltbad le 1er août 1952.

The Rigi

At the edge of Central Switzerland and the approach to the alpine regions stands the majestic Rigi like "a preliminary fortress on the way to the Gotthard"*. It is a sports and leisure resort for both locals and guests from all over the world. It belongs to the Cantons of Schwyz and Lucerne and is surrounded by three lakes in all – the Lake of Lucerne, the Lake of Zug and the Lake of Lauerz. In the heart of Switzerland this magnificent mountain with its breathtaking view in all directions, towers up from a base area of

* Max Huber-Escher: Speech made at Rigi Kaltbad on August 1st, 1952.

dort eine Fernsicht und einen Rundblick, die nach Karl Baedekers «Handbuch für Reisende», Band «Schweiz» von 1895, «an Schönheit von keiner anderen in den Alpen erreicht wird». Mit gar zwei Sternchen ausgezeichnet, berichtet der ebenso bekannte wie berühmte Reiseführer auf sechs Seiten genauestens über diesen Berg. Aussichtspunkt und Ferienland zugleich, findet dort dieser «schweizerische Olymp» seine volle Würdigung.

Von Küßnacht im Westen bis auf die Linie Vitznau/Goldau aus Nagelfluh bestehend, weiß der Gebirgszug von da bis Brunnen im Osten auch mit solidem Kalkstein aufzuwarten. Gegen tausend Pflanzenarten, belebt von einer vielfältigen Tierwelt, gehören zum Bild der reichen Rigi-Flora.

Seit Jahrzehnten haben bekannte Denker und Dichter, Musiker und Künstler mit Feder und Pinsel die Schönheiten dieses bekannten Berges zum Ausdruck gebracht. Zu diesen gehören nicht nur der englische Maler und Freund unseres Landes, J. M. W. Turner, sondern auch die Schriftsteller und Musiker A. Daudet, A. Dumas Vater, J. W. von Goethe, V. Hugo, F. Mendelssohn, M. Twain und C. M. von Weber, um nur diese zu nennen.

Stellvertretend für sie alle, die die Rigi in Poesie und Prosa lobten, möge der Schweizer Dichter Carl Spitteler (1845–1924) zu Worte kommen. Er lebte seit 1893 in Luzern und hatte von seinem Wohnsitz an der Haldenstraße die Rigi

s'élève jusqu'à une altitude de 1800 m, au milieu d'un site chargé d'histoire. Dans son ouvrage sur la Suisse intitulé «Handbuch für Reisende» (1895), Karl Baedeker souligne que le sommet du Rigi offre une vue circulaire panoramique dont «la beauté sans pareille ne peut être retrouvée nulle part ailleurs dans les Alpes». Ce guide connu et renommé réserve six de ses pages à un rapport détaillé sur cette montagne qui fut même doté de deux étoiles. Cette Olympe suisse y est très estimée à la fois comme site panoramique et comme séjour vacancier.

La chaîne de montagne est constituée de poudingues calcaires de Küssnacht à l'est jusqu'à la ligne Vitznau/Goldau. De là jusqu'à Brunnen à l'ouest, elle se présente aussi avec des pierres calcaires. Près de mille sortes de plantes contribuent à l'image de la riche flore du Rigi, animée d'une faune également variée.

Depuis des décennies, penseurs et poètes, musiciens et artistes se sont servis de leur plume et de leur pinceau pour décrire les beautés de cette montagne célèbre. Nous trouvons parmi eux non seulement ce peintre anglais ami de notre pays, J. M. W. Turner, mais aussi des auteurs et des musiciens tels que A. Daudet, A. Dumas (père), J. W. von Goethe, V. Hugo, F. Mendelssohn, M. Twain et C. M. von Weber, pour n'en citer que quelques-uns.

Laissons parler le poète suisse Carl Spitteler (1845–1924) au nom de tous ceux qui ont rendu hommage au Rigi en

90–120 km² to a height of 1,800 m in the midst of a historically significant landscape. The beauty of the panorama seen from the peak was described in Karl Baedeker's "Traveller's Guide", volume "Switzerland" of 1895, as being "incomparable to any other seen in the Alps". This well-known guide devotes not only six pages but also two stars to a precise description of the mountain. Switzerland's Mount Olympus, both viewpoint and holiday region, is given its due praise there.

From Küssnacht in the west up to the line Vitznau/Goldau, the mountain is made up of nagelfluh, but from this point onward up to Brunnen in the east, it also consists of chalk. Approximately one thousand species make up the rich flora found on the Rigi, and this is brought to life by a varied and interesting fauna.

For many decades famous philosophers and poets, musicians and artists have sought to express the beauty of this well-known mountain with their pens and brushes. Among them we find not only the English painter J. M. W. Turner, but also the following writers and composers: A. Daudet, A. Dumas the Elder, J. W. von Goethe, V. Hugo, F. Mendelssohn, M. Twain and C. M. von Weber, to name but a few.

In the name of all who have ever sung the Rigi's praises in verse or in prose, let us quote the Swiss poet Carl Spitteler (1845–1924). From 1893 onwards he lived

Panorama von Rigi Kulm (zeitgenössischer Stich).   Panorama du Rigi Kulm (eau-forte contemporaine).   Panorama of Rigi Kulm (contemporary etching).

stets vor Augen. Nobelpreisträger für Literatur des Jahres 1919 hat Spitteler in seinem genialen Epos «Olympischer Frühling» die Rigi-Landschaft in einer Herbststimmung mit treffenden Worten geschildert. Den gleichsam auf diesen Berg zum Olymp ziehenden Göttern widmet er die folgenden eindrucksvollen Verse:

«Je länger über weiche Wasen, rauhe Rigen,
In schrägen Schraubenzügen sie dem Tal entstiegen,
Je flinker förderten die Schritte, deren Flug
des Leibes leichte Last auf Schwingen spielend trug.
Öfter und öfter durch des Nebels Heiternis,
grüßt eines nahen Berggewaltigen Schattenriß,
Indes vor ihrem Fuß ein wühlend Schleierwallen,
Ein heimatloses Wolkensteigen, Wolkenfallen
Den Pfad verdüsterte. Doch aus den Wolken taute
Ein feines Sprühgold, das ein nahes Feuer braute.
Sieh, da erklärte sich in strahlendem Azur,
Plötzlich ein Gärtchen fleckenloser Himmelsflur.
Und still und ruhig rollte durch die blumige Blöße
Das goldne Sonnenrad in selbstzufriedner Größe.»

poésie et en prose. Il vécut à Lucerne à partir de 1893. A son domicile de la Haldenstrasse, il avait le Rigi constamment devant les yeux. Dans sa géniale épopée «Le printemps olympien», le lauréat du prix Nobel de littérature de 1919 décrivit le paysage du Rigi dans ses couleurs automnales, en employant des termes très pertinents. Aux dieux qui résident sur cette montagne comme sur l'Olympe, il dédia les mots suivants:

«Plus ils s'éloignaient de la vallée, au-dessus de pelouses douces, de rochers pentus et de lacets sinueux, plus leur mouvement devenait agile et leurs corps semblaient s'alléger. De plus en plus souvent, à travers les percées du brouillard, on aperçut la silhouette d'une cime gigantesque. Tandis que, tout au fond de la vallée, un voile flottant se dégageait au ras du sol dans un mouvement de nuages montant et descendant, le sentier s'obscurcissait. Pourtant, une fine bruine dorée se dispersait des nuages, semblant allumer un feu voisin. Soudain, un petit coin d'azur éblouissant apparut, calme et paisible, et un rayon de soleil s'aventura. Le firmament resplendissait de toutes ses couleurs dans sa grandeur euphorique.»

in Lucerne, and his home in Haldenstrasse afforded a permanent view of the Rigi. In 1919 Spitteler won the Nobel Prize for Literature, and in his masterpiece "Olympian Spring" he successfully captured the autumn atmosphere on the Rigi. He dedicates the following moving words to the Gods processing up this mountain towards Olympus:

"The farther they ascended from the valley, over soft cushions of grass and rough ridges, in crooked spiral processions, the nimbler hastened the steps, whose flight of the body easily carried the lighter burden on wings. More and more often, through the calm of the mist is seen the silhouette of a near mountain giant. While at their feet a billowing veil of cloud, errant swirls of mist rise and descend, wrapping the path in gloom. Yet out of the cloud gold beams darted, beams that came from a fire near at hand. See! then appeared a spotless expanse of the Heavens, a little garden of gleaming azure-blue. And silently and calmly the golden wheel of the sun rolled on its way through the flower-covered clearing in self-satisfied magnitude."

Ing. Niklaus Riggenbach, eine kraftvolle Persönlichkeit (1817–1899)

Wir Menschen der Gegenwart, die von Eindruck zu Eindruck, von Text zu Text und von Bild zu Bild hasten und das Leben, mitgetragen vom breiten Strom der täglichen Ereignisse, nur so durcheilen, sind uns leider zuwenig bewußt, daß Technik, Wissenschaft und Kultur von heute auf den Leistungen bedeutender Vorgänger, die Zeitgenossen von gestern und vorgestern waren, begründet sind.

Ein solch starker Pfeiler der Brücke vom 19. ins 20. Jahrhundert war der Basler Ingenieur Niklaus Riggenbach, dessen Name als der eines bekannten und verdienstvollen Pioniers der Bergbahnen in die Geschichte der Schweizer Bahnen eingegangen ist. Unter den verschiedenen markanten Gestalten und hervorragenden Männern der Schiene und Zahnstange, wie Dr. h. c. R. Abt, Oberst E. Locher, Ing. N. Riggenbach und Ing. E. Strub, um nur diese Persönlichkeiten

L'ingénieur Niklaus Riggenbach, une personnalité de poids (1817–1899)

Nous, humains qui vivons aujourd'hui, qui courons d'impressions en impressions, de textes en textes, d'images en images, qui passons notre vie pressés par le temps, entraînés par l'énorme courant des événements quotidiens, nous ne savons pas à quel point la technique, la science et la culture d'aujourd'hui sont le fruit de prédécesseurs illustres, les confédérés d'hier et d'alors.

Un Bâlois, l'ingénieur Niklaus Riggenbach, fut une de ces têtes de pont qui réalisa le passage du XIXe au XXe siècle. Dans l'histoire des chemins de fer suisses, son nom rappelle un des pionniers les plus célèbres et les plus utiles aux chemins de fer de montagne. Parmi les figures les plus marquantes et les hommes les plus en avance sur leur temps dans le rail et la crémaillère, comme le Dr h. c. R. Abt, le colonel E. Locher, l'ingénieur N. Riggenbach et

Niklaus Riggenbach, a Powerful Personality (1817–1899)

Most people today experience life as a rapid series of impressions, hurriedly reading through one item of print after another, or glancing quickly at a succession of pictures. Driven along on the broad tide of daily life rapidly surging past, we unfortunately tend to forget the achievements of certain outstanding individuals of the past generation or two, achievements which have contributed so much to the technical, scientific and cultural developments of our own day.

One of those powerful supporters of the bridge which carried civilisation forward from the nineteenth into the twentieth century was the engineer Niklaus Riggenbach from Basle, whose name has been permanently enshrined in Swiss railway history as one of the best-known and most successful pioneers of mountain railways. Among a group of several outstanding figures who made their mark

Ing. Niklaus Riggenbach, Pionier der Bergbahnen, 1817–1899.

L'ing. Niklaus Riggenbach, pionnier des chemins de fer de montagne, 1817–1899.

Ing. Niklaus Riggenbach, the mountain railway pioneer, 1817–1899.

zu nennen, war Riggenbach wohl der eigenwilligste.

Geboren am 21. Mai 1817 in Gebweiler im Elsaß, unweit von Günsbach, wo der Urwalddoktor und Nobelpreisträger Dr. Albert Schweitzer seinerzeit die Volksschule besuchte, verlebte Niklaus vorerst eine unbeschwerte Jugendzeit. Sein Vater, Niklaus Riggenbach-Landerer, betrieb dort eine Rübenzuckerfabrik. In Gebweiler und Basel ging Niklaus zur Schule.

l'ingénieur E. Strub, pour ne citer que ceux-ci, ce fut sans conteste Riggenbach le plus original.

Né le 21 mai 1817 à Gebweiler en Alsace, non loin de Günsbach où le médecin de brousse, prix Nobel, le docteur Albert Schweitzer, avait en son temps fréquenté l'école, Niklaus vécut d'abord une enfance aisée. Son père dirigeait une fabrique de sucre de betteraves. Niklaus fréquenta l'école de Gebweiler, puis celle de Bâle.

as the developers of rack railways, such as Dr. h.c. R. Abt, Colonel E. Locher and the engineers N. Riggenbach and E. Strub, to mention but a few, Riggenbach was undoubtedly the most resolute of them all.

He was born on May 21, 1817 at Gebweiler in Alsace, not far from Günsbach, where later the famous jungle doctor and Nobel Prize winner Dr. Albert Schweitzer was to go to school. Niklaus' early years passed uneventfully. His father, Niklaus

15

Mit der Aufhebung der von Napoleon verfügten Kontinentalsperre schwand der geschäftliche Erfolg Vater Riggenbachs. Dem finanziellen Ruin folgte der allzu frühe Tod des bisher so Erfolgreichen. Die Mutter verlegte nun, zusammen mit acht Kindern, den Wohnsitz nach Basel. Hier, in seiner Vaterstadt, sollte Niklaus in einem Tuchgeschäft eine kaufmännische Lehre absolvieren. Der vor allem technisch begabte Junge war von dieser Tätigkeit jedoch nicht befriedigt. Auch später in einer großen Basler Bandfabrik zog Niklaus, des Kopierens der Geschäftsbriefe müde, lieber in die Fabrikhallen zu den emsig surrenden Maschinen. Schließlich kam er zu Bandwebstuhlschreiner Börlin (1833 bis 1836), mit der Auflage, täglich die Werkstätte zu reinigen und aufzuräumen.

Im Jahre 1836 ging er auf die Wanderschaft, zuerst nach Lyon in eine Präzisionswerkstätte, in der Walzen für die Seidenwebereien hergestellt wurden. In seiner Autobiographie erzählt Riggenbach von einem hier tätigen alten, blinden Kriegsveteranen, der das Ergebnis Riggenbachschen Bemühens mit den Worten begutachtete: «Mon garçon, il faut encore donner un coup de main, le cylindre n'est pas encore parfait!» Anschließend wurde er Werkführer in einer Seidenstoffweberei.

Ein Jahr später, 1837, zog er nach Paris, um in einer mechanischen Werkstätte sein Brot zu verdienen. Abends besuchte er die Vorlesungen über Mathematik, Mechanik und Physik am Conservatoire des Arts et Métiers. In der Weltstadt Paris empfing er die entscheidenden Eindrücke für die Gestaltung seines ganzen späteren Lebens. Bei der Eröffnung der Bahnlinie Paris–St-Germain zugegen, war er von der schnaubenden Dampflokomotive und von diesem neuen Verkehrsmittel dermaßen beeindruckt und fasziniert, daß er sich entschloß, Lokomotivbauer zu werden. Im Jahre 1839 suchte die Kesslersche Maschinenfabrik, Karlsruhe, in der Seinestadt tüchtige junge Mitarbeiter. Riggenbach sagte mit einigen Kollegen zu und zog im Juni 1840 nach Karlsruhe. Nach einer nur sehr kurzen Tätigkeit in Basel

Avec la levée du blocus continental de Napoléon, les fructueuses affaires du père Riggenbach dépérirent. Après la ruine financière, c'est une mort prématurée qui terrassa cet homme qui avait été si chanceux jusqu'alors. La mère vint s'établir à Bâle avec ses huit enfants. Là, dans sa ville d'origine, Niklaus dut faire un apprentissage de vendeur dans une draperie. Ce jeune homme doué avant tout pour la technique n'était toutefois pas satisfait de son activité. Plus tard, fatigué de copier de la correspondance commerciale dans une grande fabrique bâloise, il donna la préférence aux grandes halles des fabriques, pleines de machines bourdonnant laborieusement. Il échoua finalement chez le menuisier constructeur de machines à tisser Börlin (1833–1836), avec la tâche de nettoyer et ranger les ateliers quotidiennement.

En 1836, il partit en premier lieu pour Lyon dans une usine de précision où on faisait des cylindres pour le tissage de la soie. Dans son autobiographie, Riggenbach raconte comment un vétéran de la guerre, aveugle, avait apprécié le résultat de ses efforts: «Mon garçon, il faut encore donner un coup de main, le cylindre n'est pas encore parfait.» Puis il devint contremaître dans une usine de tissage de la soie.

Un an plus tard, en 1837, il vint à Paris pour gagner son pain dans un atelier de mécanique. Le soir, il suivait les cours de mathématique, de mécanique et de physique au Conservatoire des Arts et Métiers. C'est dans cette ville universelle qu'il reçut les impressions qui devaient marquer le reste de sa vie. A l'inauguration de la ligne de chemin de fer Paris–St-Germain, il fut tellement impressionné et fasciné par la locomotive à vapeur et ce nouveau moyen de transport qu'il décida de devenir constructeur de locomotives. En 1839, la «Kesslersche Maschinenfabrik» de Karlsruhe cherchait à Paris des jeunes collaborateurs entreprenants. Riggenbach s'engagea avec quelques collègues et il déménagea à Karlsruhe en juin 1840. Après un très court séjour à Bâle (1842–1844), nous retrouvons Riggenbach à Karlsruhe où il devint bientôt directeur et mena à bien la

Riggenbach-Landerer managed a sugar-beet factory there. Niklaus spent his school years at Gebweiler and Basle.

With the collapse of Napoleon's Continental System, designed to cut off Britain's trade with the Continent, his father's flourishing business came to an end, bringing him to financial ruin and a premature death in 1822. His mother then decided to move to Basle with her eight children. Here in the town of his ancestors, Niklaus was given an opening as a draper's apprentice. But this line of business did not appeal at all to the mechanically-minded young man. Later on, when he had changed his employment to work in a large ribbon factory in Basle, Niklaus was employed to copy the business correspondence but this, too, soon bored him so that he began to spend as much time as possible in the machine room, fascinated by the whirring mechanism. Finally he worked from 1833 to 1836 with Herr Börlin, a maker of ribbon-weaving looms, where his duties were to tidy up and sweep out the workshop.

In 1836 he decided to emigrate and his first job after leaving Basle was at Lyons in a precision engineering works where the rollers for the silk-weaving factories were produced. In his autobiography, Riggenbach relates the time when he met an old, blind war veteran, who appraised the result of Riggenbach's efforts with the words: "My boy, you will have to have some help before this cylinder has reached perfection!" Later he became a foreman in a factory where silk material was woven.

A year later, in 1837, he moved to Paris in order to work in an engineering workshop. In the evenings he studied mathematics, mechanics and physics at the Conservatoire des Arts et Métiers. And it was in Paris, then the centre of the civilised world, that he was to gain those experiences which launched him on the career that occupied him for the rest of his life. When he was present at the opening of the railway from Paris to St-Germain, he was so excited at seeing the hissing steam locomotives, and at this new form of transport altogether, that he

(1842–1844) finden wir Niklaus Riggenbach erneut in Karlsruhe, wo er bald zum Geschäftsführer aufstieg und an der Konstruktion von nicht weniger als 150 Lokomotiven beteiligt war. Eine dieser Lokomotiven war die Maschine «Limmat» der am 9. August 1847 eröffneten Schweizerischen Nordbahn, der sogenannten Spanisch-Brötli-Bahn. Ing. Riggenbach war berufen, diese Maschine in die Schweiz zu bringen und sie auf der Strecke Zürich–Schlieren zu erproben.

construction de près de 150 locomotives. Parmi celles-ci se trouvait la «Limmat» du Chemin de fer suisse du Nord mis en service le 9 août 1847, connu sous le nom de «Spanisch-Brötli-Bahn». L'ingénieur Riggenbach fut chargé de conduire cette machine en Suisse et de la tester sur la ligne Zurich–Schlieren.

En novembre 1847, il épousa la petite-fille du conseiller municipal Socin de Bâle. Le seul enfant de ce mariage, Bernard (1848–1895) ne suivit pas les traces

decided he wanted to be a builder of locomotives. In 1839 the Kesslersche Maschinenfabrik of Karlsruhe was advertising in the city on the Seine for keen young men to work for them. Riggenbach, with some of his colleagues, immediately applied and moved to Karlsruhe in June 1840. After working for a short time in Basle from 1842 to 1844, he went back to Karlsruhe where he rapidly rose to become works manager, and where he was engaged in the construction of no

Die Centralbahnwerkstätte in Olten (im Vordergrund Ing. N. Riggenbach) in den sechziger Jahren des letzten Jahrhunderts.

L'atelier du Chemin de fer de la Suisse Centrale à Olten (au premier plan l'ing. N. Riggenbach) dans les années soixante du siècle dernier.

The Olten workshops of the Swiss Central Railway (Ing. N. Riggenbach in the foreground) as they were in the 'sixties of last century.

17

Im November 1847 schloß er die Ehe mit einer Enkelin des Ratsherrn Socin aus Basel. Einziges Kind dieser Ehe blieb der Sohn Bernhard (1848-1895), der zum Leidwesen des Vaters beruflich nicht in seine Fußstapfen trat. Als Pfarrer und Universitätslehrer war Bernhard freilich der Stolz seiner Eltern.

In der Schweiz war man inzwischen auf den tüchtigen Lokomotivbauer aufmerksam geworden. Im Februar 1853 wählte ihn das Direktorium der eben gegründeten Schweizerischen Centralbahn-Gesellschaft zum Chef der Maschinenwerkstätte. In dieser Eigenschaft führten ihn Dienstreisen vorerst nach England und Österreich. Drei Jahre später, 1856, wurde er Maschinenmeister und Chef der neuen Hauptwerkstätte der Centralbahn in Olten. Unter der tüchtigen und bewährten Leitung Riggenbachs stieg diese Werkstätte bald zur eigentlichen Maschinenfabrik auf, wurden doch hier schon nach wenigen Jahren Lokomotiven, Eisenbahnbrücken und anderes mehr hergestellt.

Hier nun reifte seine Idee, Geländerampen durch Zahnstange und Zahnrad zu überwinden, zur Tat. Ausgehend von den praktischen Erfahrungen im Bahnbetrieb auf der Tunnelstrecke der alten Hauensteinlinie (mit einer Rampe von 26‰), gelangte Riggenbach zur Überzeugung, daß solche und noch viel größere Steigungen am besten durch den Einbau einer Zahnstange in Gleismitte und eines entsprechenden Zahnrades am Triebfahrzeug der Bahn überwunden werden könnten.

Die Idee einer solchen Zahnradbahn hatte freilich ihren Vorläufer. Nach Ing. Roman Abt soll ein gewisser John Blenkinsop in Leeds schon 1811 für seine erste Zahnradlokomotive der Welt, also lange vor der Inbetriebnahme der ersten Stephensonschen Dampflokomotive auf der Strecke Stockton-Darlington im Jahre 1825, ein Patent für ein Triebfahrzeug mit Zahnrad und Zahnstange erhalten haben.

Die Überlegungen des Praktikers Riggenbach wurden endlich auch von der technischen Wissenschaft gestützt. Zwei Lehrer der jungen Eidgenössischen

de son père, au grand regret de celui-ci. Comme pasteur et professeur à l'Université, il fit néanmoins l'orgueil de ses parents.

Entre-temps, on s'était aperçu en Suisse de la valeur de ce constructeur de locomotives. En février 1853, la direction de la Société du Chemin de fer de la Suisse Centrale nouvellement fondée le choisit comme chef des ateliers de machines. C'est à ce titre qu'il se rendit tout d'abord en Angleterre et en Autriche. Trois ans plus tard, en 1856, il devint conducteur de machines et chef des ateliers principaux de la «Centralbahn» à Olten. Sous la direction sérieuse et compétente de Riggenbach, cet atelier devint bientôt une véritable usine de machines où, déjà après quelques années, on produisit des locomotives, des ponts de chemin de fer, etc.

C'est là que son idée de vaincre les pentes de terrain au moyen d'une roue dentée et d'une crémaillère fut mise à exécution. A partir d'expériences pratiques sur le tronçon du tunnel de la vieille ligne de Hauenstein (avec une inclinaison de 26‰), il acquit la certitude que le meilleur moyen de venir à bout d'une telle rampe ou d'inclinaisons encore plus fortes consistait à construire une crémaillère au milieu de la voie, tout en munissant la voiture motricé d'une roue dentée appropriée.

Il est vrai que l'idée d'un chemin de fer à crémaillère avait déjà connu des précurseurs. Selon l'ingénieur Roman Abt, un certain Blenkinsop avait déjà déposé un brevet pour une voiture motrice à crémaillère à Leeds en 1811, c'est-à-dire bien avant la mise en service de la première locomotive du petit Stephenson sur le tronçon Stockton–Darlington en l'an 1825.

Les réflexions du praticien reçurent aussi l'appui de théoriciens techniques. Deux maîtres de la jeune Ecole polytechnique fédérale de Zurich, le professeur Carl Culmann (connu avant tout comme créateur de la statique graphique) et le Professeur Franz Reuleaux, plus tard directeur de l'Académie industrielle à Berlin, lui donnèrent de multiples conseils visant à améliorer son système.

less than 150 locomotives. One of these was the "Limmat", which hauled the first train at the opening of the Swiss Northern Railway, the so-called "Spanish Bun" Railway on August 9, 1847. Riggenbach was called upon to arrange for the transport of the locomotive to Switzerland and to test it on the section from Zurich to Schlieren.

In November 1847 he married a granddaughter of Herr Socin, a member of the Basle Cantonal Government. The only child of this marriage was a son, Bernhard (1848–1895) who, to his father's regret, did not follow him in his career. Nevertheless, as an ordained minister and university lecturer, Bernhard was always a source of pride to his parents.

Meanwhile the enterprising locomotive builder had aroused the interest of many businessmen in Switzerland. In February 1853 the Directors of the newly-formed Swiss Central Railway appointed him as Workshops Manager. In this capacity he travelled to England and Austria. Three years later, in 1856, he became Locomotive Engineer and Chief of the principal workshops of the Central Railway in Olten. Under Riggenbach's energetic and sound leadership, the works soon developed into an engineering factory of repute where, after a few years they were turning out locomotives, railway bridges and other items.

And here it was that his ideas for overcoming steep gradients by means of a rack-and-pinion system developed. At first he obtained some practical experience in railway working on the tunnel section of the old Hauenstein line (with a gradient of 1 in 38½) which convinced Riggenbach that gradients of this nature, and even steeper ones, were best negotiated by means of a rack rail laid between the running rails which could be engaged by a pinion on the driving vehicle.

A rack railway of this type had, of course, been thought of before. In 1811 John Blenkinsop had laid down cast iron rails at a colliery near Leeds with evenly-spaced projections, on which a primitive steam locomotive worked, driving a toothed wheel engaging with the projec-

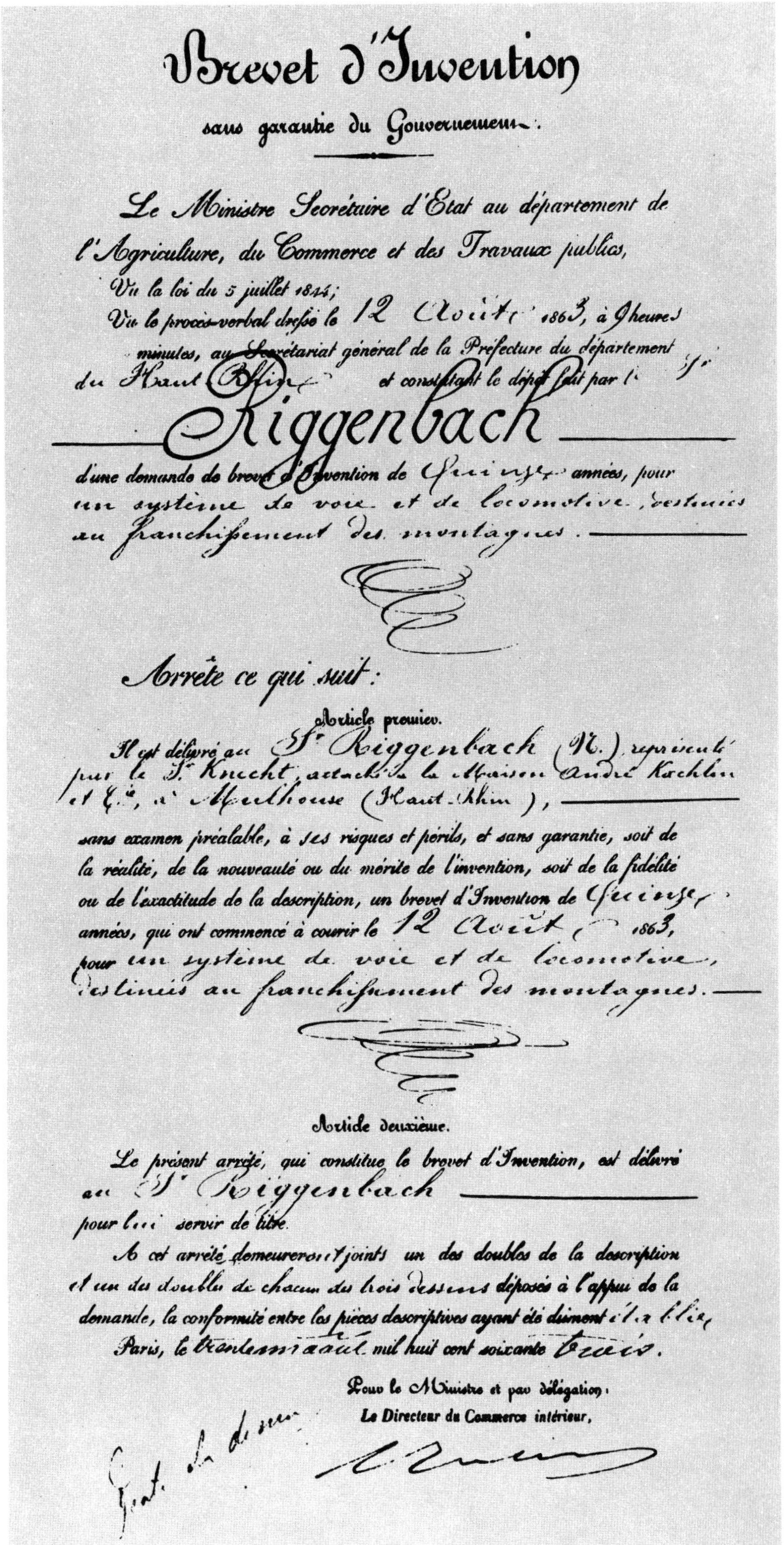

Brevet d'Invention

sans garantie du Gouvernement.

Le Ministre Secrétaire d'État au département de l'Agriculture, du Commerce et des Travaux publics,

Vu la loi du 5 juillet 1844;

Vu le procès-verbal dressé le 12 Août 1863, à 9 heures minutes, au Secrétariat général de la Préfecture du département du Haut-Rhin et constatant le dépôt fait par le Sr

Riggenbach

d'une demande de brevet d'Invention de *quinze* années, pour un système de voie et de locomotive, destinés au franchissement des montagnes.

Arrête ce qui suit :

Article premier.

Il est délivré au Sr Riggenbach (N.) représenté par le Sr Knecht, attaché à la Maison André Koechlin et Cie, à Mulhouse (Haut-Rhin),

sans examen préalable, à ses risques et périls, et sans garantie, soit de la réalité, de la nouveauté ou du mérite de l'invention, soit de la fidélité ou de l'exactitude de la description, un brevet d'Invention de *quinze* années, qui ont commencé à courir le 12 Août 1863, pour un système de voie et de locomotive, destinés au franchissement des montagnes.

Article deuxième.

Le présent arrêté, qui constitue le brevet d'Invention, est délivré au Sr Riggenbach pour lui servir de titre.

A cet arrêté demeureront joints un des doubles de la description et un des doubles de chacun des trois dessins déposés à l'appui de la demande, la conformité entre les pièces descriptives ayant été dûment établie.

Paris, le trente-un août mil huit cent soixante-trois.

Pour le Ministre et par délégation,
Le Directeur du Commerce intérieur,

Französisches Patent Ing. N. Riggenbachs für eine Zahnradbahn vom 12. August 1863.

Brevet français de l'ing. N. Riggenbach, daté du 12 août 1863, pour un chemin de fer à crémaillère.

French patent taken out by the engineer N. Riggenbach for a rack railway dated August 12, 1863.

[handwritten report in old German cursive]

10' — X — 10'

Seite 16 aus dem handschriftlichen Bericht Ing. O. Grüningers an Ing. N. Riggenbach, datiert New York, 17. Juni 1869, über die erste, von Silvester Marsh erstellte Bergbahn der Welt, die Mount-Washington-Bahn im Staate New Hampshire.

Page 16 du rapport manuscrit de l'ing. O. Grüninger à l'ing. N. Riggenbach, daté de New York, 17 juin 1869, concernant le premier chemin de fer de montagne construit par Silvester Marsh, soit celui du Mont Washington dans l'Etat du New Hampshire.

Page 16 from the hand-written report by Ing. O. Grüninger to Ing. N. Riggenbach dated from New York June 17, 1869, on the first mountain railway in the world, built by Silvester Marsh, and running up Mount Washington in the State of New Hampshire.

Ing. Adolf Naeff, 1809–1899, Oberst, Bruder von Bundesrat Dr. W. Naeff (1802–1881).

Ing. Adolphe Naeff, 1809–1899, colonel, frère du conseiller fédéral Dr W. Naeff (1802–1881).

Adolf Naeff, 1809–1899, colonel and engineer, brother of Federal Councillor Dr. W. Naeff (1802–1881).

Ing. Olivier Zschokke, 1826–1898, Oberst i. Gst., Ständerat 1877–1886, Nationalrat 1886–1897.

Ing. Olivier Zschokke, 1826–1898, colonel d'état-major, conseiller aux Etats de 1877 à 1886, conseiller national de 1886 à 1897.

Olivier Zschokke, 1826–1898, colonel on the General Staff and engineer, member of the Council of States 1877–1886, member of the Federal Assembly 1886–1897.

Technischen Hochschule in Zürich, die Professoren Carl Culmann, bekannt vor allem als Schöpfer der graphischen Statik, und Franz Reuleaux, später Direktor der Gewerbe-Akademie in Berlin, gaben ihm vielfache Anregungen zur Verbesserung seines Systems.

Sein Gesuch um die Gewährung eines Patents fand im eigenen Lande freilich kein Verständnis. Er wandte sich daher nach Paris. Am 12. August 1863 erteilte ihm Frankreich das Patent Nr. 59625, das heißt, lange bevor er von ähnlichen Bestrebungen des Amerikaners Silvester Marsh Kenntnis erhalten hatte. Erst einige Jahre später machte sich Marsh in den White Mountains, New Hampshire (USA), an den Bau einer Zahnradbahn auf den Mount Washington (1917 m). Ing. Otto Grüninger, ein enger Mitarbeiter Riggenbachs, hatte Gelegenheit, an Ort und Stelle die erste Bergbahn der Welt, eröffnet 1869, genauer kennenzulernen. In einem durch zahlreiche instruktive Zeichnungen ergänzten, noch heute erhaltenen handschriftlichen Bericht vom 17. Juni 1869 hat Ing. Grüninger die Beobachtungen für seinen Chef Ing. Riggenbach festgehalten.

Den eigentlichen Anstoß zum Bau der

Bien entendu, dans sa patrie, ses efforts pour protéger son invention se heurtèrent à l'incompréhension. Il se tourna donc vers Paris où il obtint le brevet no 59625 le 12 août 1863, soit bien avant d'avoir appris que l'américain Silvester Marsh travaillait dans la même direction. Ce n'est en effet que plusieurs années après que Marsh commença la construction d'un train à crémaillère sur le mont Washington (1917 m) dans les White Mountains de l'Etat du New Hampshire (USA). L'ingénieur Otto Grüninger, proche collaborateur de Riggenbach, eut l'occasion de se rendre sur place afin d'étudier le premier chemin de fer de montagne du monde, inauguré en 1869. Aujourd'hui encore, on peut consulter le rapport manuscrit complété d'un grand nombre de dessins instructifs que l'ingénieur Grüninger établit le 17 juin 1869 pour le compte de son chef Riggenbach.

La construction du Chemin de fer Vitznau-Rigi reçut une impulsion favorable lors de la visite de John Hitz aux usines du Chemin de fer de la Suisse Centrale à Olten. Le consul général suisse à Washington attira l'attention de Riggenbach sur le fait que le Rigi, alors

tions on the rail. This happened some years before George Stephenson ran his first steam locomotive between Stockton and Darlington in 1825.

The practical experience gained by Riggenbach now received support from scientific engineers. Two lecturers from the new Federal Technical High School in Zurich, Professor Carl Culmann, famous as the innovator of graphical statics, and Professor Franz Reuleaux, who later became Director of the Industrial Academy in Berlin, made a number of suggestions for improving Riggenbach's system.

But the application to have his invention officially patented in Switzerland found virtually no supporters. So off he went to Paris and on August 12, 1863, he received the French Patent No. 59,625 long before he learnt of similar efforts on the part of the American Silvester Marsh. It was some years later that Marsh started work on building a rack railway up Mount Washington (1,917 metres) in the White Mountains of New Hampshire. Otto Grüninger, a close engineering colleague of Riggenbach's, had the opportunity of seeing at first hand the first mountain railway in the world,

Vitznau–Rigi-Bahn gab der schweizerische Generalkonsul John Hitz aus Washington, der bei einem Besuch der Centralbahnwerkstätte in Olten Riggenbach auf die schon damals in aller Welt bekannte Rigi als einen für die Erprobung einer solchen Zahnradbahn besonders geeigneten Berg aufmerksam machte.

Der Große Rat des Kantons Luzern erteilte am 9. Juni 1869 den Ingenieuren Riggenbach, Naeff und Zschokke die Konzession für den Bau und Betrieb einer Zahnradbahn von Vitznau bis an die Kantonsgrenze auf Rigi Staffelhöhe. In den Jahren 1869 bis 1871 wurde die Vitznau–Rigi-Bahn als erste Bergbahn des Landes und Europas erstellt. Sie konnte am 21. Mai 1871, dem Geburtstage Riggenbachs, in Anwesenheit von vier Mitgliedern des Bundesrates und zahlreicher weiterer bedeutender Persönlichkeiten der Öffentlichkeit feierlich vorgestellt und am 23. Mai 1871 dem Betrieb übergeben werden. Als bedeutsame und erfolgreiche technische Leistung und als Markstein in der Geschichte der Eisenbahnen und des Tourismus wurde sie in aller Welt gepriesen und bekannt. Ihr durchschlagender Erfolg machte sie zum Ausgangspunkt für den Bau zahlreicher weiterer Zahnradbahnen in der Schweiz und im Ausland.

Verschiedene Studienreisen, die eine schon 1865/66 nach Amerika, führten den erfolgreichen Ingenieur nach allen Kontinenten mit Ausnahme Australiens. Das lebhafte Interesse, das nun, angefacht durch den Erfolg der Vitznau–Rigi-Bahn, überall sich zeigte, gab Anlaß zur Gründung der Internationalen Gesellschaft für Bergbahnen mit Sitz und Werkstätten in Aarau durch Ing. Riggenbach. Dieses Unternehmen mußte leider schon nach wenigen Jahren wieder aufgelöst werden.

Der inzwischen berühmt gewordene Mann mußte in seinem ereignis- und erfolgreichen Leben auch Mißerfolge und Ungemach ertragen. Besonders getroffen wurde er vom allzu frühen Tod seines verheißungsvollen Sohnes Bernhard und seiner Gattin. Zu diesem Kummer kam im späteren Alter eine wachsende Schwerhörigkeit, die den einst so geselli-

déjà connu dans le monde entier, représentait une montagne particulièrement désignée pour les essais d'un tel chemin de fer à crémaillère.

Le Grand Conseil du canton de Lucerne accorda le 9 juin 1869 aux ingénieurs Riggenbach, Naeff et Zschokke la concession pour la construction et l'exploitation d'un chemin de fer à crémaillère de Vitznau jusqu'à la frontière cantonale, à Rigi Staffelhöhe. La construction du premier chemin de fer de montagne de Suisse et d'Europe, le «Vitznau–Rigi-Bahn», se poursuivit de 1869 à 1871. Il fut présenté au public de façon solennelle le jour de l'anniversaire de Riggenbach, le 21 mai 1871, en présence de quatre conseillers fédéraux et de plusieurs autres personnalités importantes et fut mis en service le 23 mai 1873. Cette importante réussite de la technique fut connue et prônée dans le monde entier et considérée comme un tournant de l'histoire des chemins de fer à crémaillère en Suisse et à l'étranger.

Couronné de succès, l'ing. Riggenbach entreprit divers voyages d'étude dans tous les continents, à l'exception de l'Australie. Le premier eut déjà lieu en Amérique en 1865/66. Grâce au succès du «Vitznau–Rigi-Bahn», le vif intérêt qui surgissait de toutes parts aboutit à la création par Riggenbach de la Société internationale des Chemins de fer de montagne, ayant son siège et ses usines à Aarau. Cette entreprise fut malheureusement dissoute après peu d'années déjà.

Au cours de sa vie riche d'expérience et de succès, Riggenbach, devenu célèbre entre-temps, dut aussi subir des échecs et des malheurs. Il fut particulièrement touché par la mort prématurée de son fils Bernard et de son épouse. A cela vint s'ajouter au cours de sa vieillesse une surdité croissante qui affecta particulièrement ce travailleur infatigable si sociable de nature.

Riggenbach était un lutteur et un génie, mais il était aussi un véritable chrétien, ayant de l'estime pour son prochain et pour les gens simples. Il agit aussi toujours en bienfaiteur des intérêts publics les plus divers. L'histoire de son temps et de son pays lui conservera cette image.

which was opened in 1869. Grüninger wrote his observations in the form of many pages of instructive drawings with hand-written text embodied in the report dated June 17, 1869, to Riggenbach, his chief. These records have been preserved down to the present day.

The actual impulse for the construction of the Vitznau–Rigi Railway was given by the Swiss Consul-General in Washington, Herr Hitz, who, in the course of a visit to the Central Railway's workshops in Olten, mentioned to Riggenbach that the Rigi, which was then known all over the world, would be an eminently suitable mountain on which to try out his ideas of a rack railway.

On June 9, 1869, the Grand Council of the Canton of Lucerne gave a concession to the engineers Riggenbach, Naeff and Zschokke for the construction and operation of a rack railway from Vitznau to the Cantonal border at Rigi Staffelhöhe. During the years 1869 to 1871 the Vitznau–Rigi Railway was built and became the first mountain railway in the country and on the Continent of Europe. On May 21, 1871, which also happened to be Riggenbach's birthday, the opening ceremonies took place in the presence of four members of the Swiss Federal Government and many other prominent personalities; public work started two days later. From all over the world came tributes to the importance of this technical masterpiece, which would represent a milestone in the history of railways and tourism. Its resounding success led to the building of several other rack railways in Switzerland and elsewhere.

A number of study trips, following the first one to America in 1865/66, took the successful engineer to every Continent except Australia. The widespread enthusiasm aroused by the success of the Vitznau–Rigi Railway led Riggenbach to found the International Association of Mountain Railways with its headquarters and workshops in Aarau. After only a few years' existence, this Association had to wind up its activities.

Meanwhile, the man who had achieved so much success in his life also had to experience setbacks and misfor-

Die wichtigsten Zahnradbahnen des 19. Jahrhunderts im Gefolge der Vitznau–Rigi-Bahn
  (mit maximaler Neigung und Eröffnungsjahr)
Les plus importants chemins de fer à crémaillère du XIXe siècle suivant la construction du «Vitznau–Rigi-Bahn»
  (avec pente maximale et entrée en service)
The most important rack railways of the 19th century built subsequently to the Vitznau–Rigi Railway
  (with ruling gradient and opening date)

Ostermundigen (Steinbruch)[1]	10%	(1 in 10)	1871	Laufen (Steinbruch)[1]	6%	(1 in 16.7)	1877
Wien–Kahlenberg	10%	(1 in 10)	1874	Petropolis (Brasilien)	19%	(1 in 5.3)	1882
Pest–Schwabenberg	10,3%	(1 in 9.7)	1874	Corcovado (Brasilien)	30%	(1 in 3.3)	1883
Rüti (Maschinenfabrik)	10,2%	(1 in 9.8)	1874	Königswinter–Drachenfels	26%	(1 in 3.9)	1883
Arth–Rigi	20%	(1 in 5)	1875	Brünigbahn[1]	12%	(1 in 8.3)	1888
Rorschach–Heiden[1]	9%	(1 in 11.1)	1875				

[1] Gemischtes System (Adhäsions- und Zahnradstrecken) / Système mixte à crémaillère et à adhésion / Mixed rack and adhesion system

gen, unermüdlich Tätigen besonders bedrückte.

Ein Kämpfer und genialer Kopf, war Riggenbach zugleich ein Mann wahrhaft christlicher Lebensauffassung, der, seinem Nächsten und den einfachen Menschen besonders zugetan, immer wieder als Wohltäter und auch für die öffentlichen Interessen in verschiedensten Richtungen wirkend, in die Geschichte seiner Zeit und seiner Region eingegangen ist.

Zu den Ehrungen und den verschiedenen Auszeichnungen, die ihm zukamen, gehören die Erteilung des Ehrenbürgerrechtes durch die Gemeinden Olten, Aarau und Trimbach, der Ehrenmitgliedschaft des Schweizerischen Ingenieur- und Architektenvereins und schließlich die Aufnahme in die ruhmvolle Schar der Ritter der französischen Ehrenlegion.

Hochgeschätzt, von allen, die ihn kannten, verehrt, starb Niklaus Riggenbach, der einfache Mechaniker, als den er sich immer wieder bezeichnete, am 25. Juli 1899 hochbetagt nach einem Leben des Kampfes und unermüdlicher Arbeit.

Sein Grab im heutigen Stadtpark von Olten wird immer wieder von denjenigen besucht, welche die Bedeutung und die Leistungen dieser Persönlichkeit kennen und dankbar sich ihrer erinnern.

Parmi les honneurs et les distinctions qu'il reçut, on trouve les titres de bourgeois d'honneur des communes d'Olten, d'Aarau et de Trimbach, de membre d'honneur de la Société suisse des Ingénieurs et Architectes sans oublier son entrée dans la célèbre confrérie des chevaliers de la Légion d'honneur.

Apprécié, honoré par tous ceux qui le connaissaient, Niklaus Riggenbach, le simple mécanicien, comme il se reconnaissait toujours, mourut le 25 juillet 1899, après une vie de lutte et de travail acharné.

Ceux qui connaissent l'importance du travail qu'a accompli cette personnalité viennent encore visiter sa tombe, située dans l'actuel parc communal d'Olten.

tune. The most serious of all were the deaths at far too early an age of his son Bernhard, who had shown so much promise, and of his wife. To these sad events was added the affliction of growing deafness in his later years, a considerable handicap to this invariably so genial character of untiring energy.

Combining dogged determination and a clear head, Riggenbach was at the same time a man of truly Christian integrity, with a special care for his neighbours and for the lower ranks of society, who again and again during his life showed a never-failing compassion and a readiness to work for the public interest in several different directions.

Among the many honours and decorations which were showered upon him from various quarters was the granting of honorary citizenship of Olten, Aarau and Trimbach, honorary membership of the Swiss Association of Engineers and Architects, and finally being made a Chevalier in the ranks of fame in the French Legion of Honour.

Universally admired by all with whom he came into contact, Niklaus Riggenbach, the simple mechanic as he insisted on calling himself, died on July 25, 1899, after a life of courageous struggle and tireless activity.

His grave in the public park of the town of Olten is still frequently visited by his many admirers who come to pay tribute to the memory of this outstanding personality who accomplished so much.

Die Zahnradbahn Vitznau–Rigi Staffelhöhe–Rigi Kulm (VRB)

Der Bahnbau 1869–1871

Phantastische Projekte

Wer sich für die Geschichte der ersten Bergbahn an der Rigi interessiert, darf nicht übersehen, daß schon Jahre vor der Erstellung der Vitznau-Rigi-Bahn Projekte für den Bau einer *Luftballonbahn nach Rigi Kulm,* das eine ausgehend von Arth am See, das andere mit Talstation in Immensee, an die Öffentlichkeit gelangten. Am bekanntesten ist das Projekt von Friedrich Albrecht, Architekt in Winterthur, aus dem Jahre 1859: *«Die Luftbahn auf den Rigi, System einer Communication mit Höhen, mit Anwendung der Luftballone als Lokomotive».*

Mit Wasserstoff gefüllte Ballone sollten auf einer von vier Schienen gebildeten Gleitbahn Gondeln emporziehen, die Platz für 20 bis 30 Personen samt Gepäck bieten würden. Wassertanks hätten als Ballast für die Talfahrt zu dienen. Dieses unrealistische Projekt blieb aber Ideenskizze auf dem Papier.

Erst Jahrzehnte später haben Luftseilbahnen moderner Prägung in verschiedenen Anlagen auch an der Rigi Einzug gehalten.

Der Bau der ersten Zahnradbahn

Die erste Bergbahn des Landes, die auf dem Gebiete des Kantons Luzern erstellte Vitznau-Rigi-Bahn (Strecke Vitznau–Kaltbad–Staffelhöhe), ist ein Kind des ersten Eisenbahngesetzes (1852), das die Konzessionshoheit den Kantonen zusprach. Zusammen mit den Ingenieuren Olivier Zschokke in Aarau und Adolf Naeff aus St. Gallen als Mitgründern beschloß Ing. N. Riggenbach 1869 den Bau dieser Bahn. In diesen beiden Persönlichkeiten hatte Riggenbach zwei besonders aktive, angesehene und erfahrene Mitarbeiter gefunden. Ing. O. Zschokke (1826–1898) war Oberst im Generalstab, Ständerat von 1877 bis 1886 und Mitglied

Le Chemin de fer à crémaillère Vitznau–Rigi St.–Kulm (VRB)

La construction de la ligne, 1869–1871

Projets fantastiques

Les passionnés de l'histoire du premier chemin de fer du Rigi ne doivent pas oublier que bien des années avant la construction du «Vitznau-Rigi-Bahn», des projets d'une *ligne à ballons gonflables Rigi Kulm* avaient déjà été rendus publics. Ils prévoyaient un tronçon partant d'Arth au bord du lac et un autre ayant Immensee comme station de départ. Le plus connu est le projet de Frédéric Albrecht, architecte à Winterthour, datant de 1859: *«La ligne à ballons gonflables sur le Rigi, système de communication avec les hauteurs, grâce à l'utilisation de ballons comme locomotive».*

Des ballons gonflés à l'hydrogène pouvant transporter de 20 à 30 personnes et leur bagage, devaient mettre en mouvement des gondoles montées sur une voie à quatre rails. Des réservoirs pleins d'eau auraient servi de ballast pour la descente. Ce projet irréaliste demeura à l'état d'esquisse sur le papier.

Ce n'est que des décennies après que des téléphériques de conception moderne firent également leur apparition dans différentes installations sur le Rigi.

La construction de la première ligne à crémaillère

Le premier chemin de fer de montagne, le «Vitznau-Rigi-Bahn» (tronçon Vitznau–Kaltbad–Staffelhöhe) construit sur le territoire du canton de Lucerne, est un enfant de la loi sur les chemins de fer de 1852 qui donne aux cantons le droit d'accorder des concessions. L'ingénieur N. Riggenbach décida de construire cette ligne en 1869 avec la collaboration des ingénieurs Oliver Zschokke d'Aarau et Adolf Naeff de St-Gall comme membres fondateurs. Il avait trouvé dans ces deux personnalités deux collaborateurs particulièrement actifs, bien considérés et ex-

The Rack Railway Vitznau–Rigi Staffelhöhe–Rigi Kulm (VRB)

Building the Railway 1869–1871

Fantastic Plans

Anyone interested in the history of the first mountain railway up the Rigi will be aware that, many years before the Vitznau–Rigi Railway became a reality, proposals had been published for the construction of a *"balloon railway"* to *Rigi Kulm,* one starting at Arth am See and another from Immensee. The best known was the project of Friedrich Albrecht, an architect from Winterthur, dated 1859 under the title: *"The air-borne railway on the Rigi – A System of Transport for Mountains using air-balloons for Motive Power".*

Balloons filled with hydrogen would haul gondolas moving on a track of four smooth rails up the gradient, each gondola seating 20 to 30 passengers with room for their baggage. Water tanks would serve as ballast for use on the descent. This impracticable project got no further than a number of drawings.

It was many decades later that aerial cable railways as we know them now in various parts of the world also came to the Rigi.

Building the first Rack Railway

The first mountain railway in Switzerland, built on the territory of the Canton of Lucerne, was the Vitznau–Rigi Railway, or more precisely the section from Vitznau to Kaltbad and Staffelhöhe. This owed its origin to the first Railway Law of 1852, which placed the responsibility of giving concessions for building railways with the Cantonal governments. Together with the engineers Oliver Zschokke from Aarau and Adolf Naeff from St. Gall, Riggenbach formally decided to make a start on building the railway in 1869. Riggenbach was fortunate in securing the co-operation of these two personalities with a reputation for en-

Projekt des Winterthurer Architekten Friedrich Albrecht für eine Ballon-Rigibahn.

Projet de l'architecte Friedrich Albrecht, Winterthour, pour une ligne du Rigi à ballon.

The project for a balloon railway up the Rigi by the Winterthur architect Friedrich Albrecht.

des Nationalrates von 1886 bis 1897, während Ing. A. Naeff (1809–1899), Oberst, ein Bruder von Bundesrat Dr. W. Naeff war. Die von den Initianten angeregte und vom Großen Rat des Kantons Luzern am 9. Juni 1869 erteilte Konzession für den Bau und Betrieb einer Zahnradbahn von Vitznau nach Rigi Staffelhöhe, an der Kantonsgrenze Luzern/Schwyz gelegen, fand schon am 24. Juli 1869 die Zustimmung der Bundesbehörden.

Zur Verwirklichung des kühnen Vorhabens war, entsprechend den budgetierten Baukosten, ein Aktienkapital von Fr. 1 250 000.– (2500 Aktien zu Fr. 500.–) vorgesehen. Der «Prospectus und Einladung zur Unterzeichnung von Actien der Rigibahn-Gesellschaft» vom September 1869 begründet das Vorhaben wie folgt:

«Schon seit Jahren haben sich Techniker und Finanzmänner mit der – anfänglich etwas ungewohnt klingenden – Idee einer Eisenbahn auf den Rigi beschäftigt, und sie können heute nach län-

périmentés. L'ingénieur O. Zschokke (1826–1898) était colonel d'état-major, conseiller aux Etats de 1877 à 1886 et conseiller national de 1886 à 1897, alors que l'ingénieur A. Naeff (1809–1899), colonel, était le frère du conseiller fédéral, le Dr W. Naeff. Les promoteurs demandèrent la concession pour la construction et l'exploitation d'un chemin de fer à crémaillère de Vitznau jusque sur les hauteurs du Rigi (Rigi Staffelhöhe), à la frontière des cantons de Lucerne et de Schwytz. Elle leur fut accordée par le Grand Conseil du canton de Lucerne le 9 juin 1869 et reçut déjà l'approbation des autorités fédérales le 24 juillet 1869.

On avait prévu un capital-actions de fr. 1 250 000 (2500 actions à fr. 50.–) correspondant au devis de construction budgeté. Le «Prospectus et Invitation à souscrire aux actions de la Société du Rigibahn» de septembre 1869 justifie ce grand projet comme suit:

ergy, integrity and experience. Zschokke (1826–1898) was a Colonel on the Swiss General Staff, a member of the Council of States (Upper House) in the Federal Parliament from 1877 to 1886 and a member of the Nationalrat from 1886 to 1897, while the engineer A. Naeff (1809–1899) was a Colonel and a brother of Dr. W. Naeff, a Member of the Swiss Federal Government. On June 9, 1869, the three pioneers submitted their application for a concession to the Cantonal Grand Council of Lucerne for the construction and operation of a rack railway from Vitznau to Rigi Staffelhöhe on the border of the Cantons of Lucerne and Schwyz, and on July 24 the Federal Government gave its approval to the scheme.

In order to finance the bold planning of the many engineering works involved, a capital of Fr. 1,250,000 had been subscribed in the form of 2500 shares of 500 francs each (25 francs to the British

geren genauen Vorarbeiten und Studien, nach Ausarbeitung von Plänen und Berechnungen, mit einem fertigen Project vor das Publicum treten und letzterm eine Betheiligung an diesem sicherlich nutzbringenden Unternehmen anbieten.

Die projectierte Bahn führt von Vitznau am Luzerner See bis an die Schwyzer-Grenze, oberhalb des Kaltbades, auf den Grat des Berges, mit den dem Verkehr entsprechenden End- und Zwischenstationen, wozu die Conzession erworben ist.

Die Bahn wird so angelegt, daß eine Weiterführung nach dem Kulm leicht vorgenommen werden kann, sobald der Gesellschaft eine Fortsetzung erwünscht scheint und die Concession von den kompetenten Behörden erteilt worden ist.

Daß ein derartiges Verkehrsmittel auf den Rigi sich einer großen Benützung zu erfreuen haben würde, wurde wohl niemals bezweifelt; dagegen aber schienen weder die Männer vom Fach, noch das größere Publicum darüber einig:

1) ob der Betrieb einer solchen Bahn überhaupt möglich, und wenn möglich, ob derselbe auch sicher gemacht werden könne;

2) ob die Erstellung einer solchen Bahn nicht zu theuer kommen und deshalb das verwendete Capital nur ungenügend lohnen würde.

Glücklicherweise wurde erstere Frage von den strebsamen Amerikanern erledigt, indem dieselben seit bald einem Jahre eine Bergbahn auf den Mount Washington im Betriebe haben, die trotz bedeutend größerer Steigungen (37,7%) und kleinerer Radien der Curven, als bei der Rigibahn vorgesehen, zur vollen Befriedigung ihrer Ersteller arbeitet.

[...]

Durch äußerst practische und einfache Bremsvorrichtungen kann der Zug bergauf oder bergab auf je 6 Zoll zum Stillstehen gebracht werden. Die Sicherheit des Betriebs ist deshalb eine vollständige.»

Das Gründungskomitee, zu dem neben den Konzessionsinhabern Naeff, Riggenbach und Zschokke bekannte Persönlichkeiten aus Basel und Luzern zählten, übernahm vorweg die Hälfte des Aktienkapitals. Der Erfolg der Aktienzeichnung war ein außerordentlich guter, wurden doch schon am ersten Zeichnungstag statt der verfügbaren 1250 Stück 2398 Aktien gezeichnet. Sitz der Aktiengesellschaft war Luzern.

Mitte September 1869 wurde mit den Bauarbeiten im Gelände begonnen. Nach dem Bauvertrag sollte die Bahn innert acht Monaten erstellt und betriebsbereit gemacht werden. Vorab wurden die für die Bahn notwendigen Terrainkäufe getätigt, was ohne allzu große Schwierigkeiten möglich war.

Depuis des années nos techniciens et financiers ont travaillé à cette idée, paraissant inhabituelle au premier abord, de construire un chemin de fer sur le Rigi; et ils peuvent aujourd'hui, après de longues études et travaux préliminaires, après la mise au point des plans et des calculs, présenter un projet au public et lui adresser les plus vives recommandations pour cette entreprise assurément très utile.

La ligne projetée conduit de Vitznau sur le lac de Lucerne jusqu'à la frontière schwytzoise, au-dessus du «Kaltbad», sur le sommet de la montagne, avec les stations terminales et intermédiaires correspondantes, dont la concession a été déjà obtenue.

La ligne est prévue de façon à permettre une extension vers le Kulm, dès que la société l'estimera désirable et que la concession sera obtenue des autorités compétentes.

Le fait qu'un tel moyen de transport sur le Rigi connaîtra un franc succès n'a encore jamais été mis en doute. Cependant les gens du métier comme le grand public sont d'un accord unanime sur les points suivants:

1) l'exploitation d'une telle ligne est-elle possible, et si elle est possible, est-elle sûre?

2) la construction d'une telle ligne ne va-t-elle pas coûter trop cher et empêcher ainsi un rendement suffisant du capital?

Heureusement, le zèle des Américains balaie ces questions, car ils ont en service depuis bientôt une année une ligne semblable sur le Mount Washington, qui malgré les fortes déclinations (37,7%) et les courbes de faible rayon, comme cela est prévu pour la Rigibahn, donne entière satisfaction à ses promoteurs.

[...]

Grâce à un système de freinage extrêmement simple et pratique, le train peut s'arrêter en montée ou en descente sur 6 pouces à peine. La sécurité du fonctionnement est donc totale.»

Le comité de fondation, comprenant outre les dépositaires de la concession Naeff, Riggenbach et Zschokke, des personnalités connues de Bâle et Lucerne, fournit au départ la moitié du capital-actions. Le succès de cette émission fut étonnant: 2398 actions furent déjà émises le premier jour au lieu des 1250 disponibles. Le siège de la société des actionnaires fut établi à Lucerne.

Les travaux sur le terrain commencèrent à la mi-septembre 1869. Selon le contrat de travail, la ligne devait être construite et prête à être mise en service dans un délai de huit mois. On s'occupa tout d'abord de l'achat des terrains nécessaires au chemin de fer, ce qui fut possible sans trop de difficultés.

Au début de l'année 1870, les travaux

sovereign). The "Prospectus and Application for Share Certificates of the Rigi Railway Company" dated September 1869 describes the great venture as follows:

"For many years past technicians and financiers have been considering the possibilities of building a railway up the Rigi. Now, after very thorough preparation of designs and calculations, they are in a position to submit a definite scheme for approval by members of the public and to invite them to participate in what will certainly prove a profitable undertaking.

The projected railway will run from Vitznau on the Lake of Lucerne up to the Cantonal boundary with Schwyz, some distance above Kaltbad, on the mountain ridge with terminal and intermediate stations as required for traffic purposes and for which the company has now acquired a concession.

The railway is to be laid in such a way that it can be extended without difficulty to the summit (Kulm) as soon as the company deems it appropriate and the concession is obtained from the competent authorities.

No one will deny that this form of transport on the Rigi has an assured future from all the traffic it will attract; nevertheless technical experts and the public at large still seem to entertain doubts:

(a) as to whether the operation of such a railway is at all possible and if so, whether it will be sufficiently safe, and

(b) whether the construction of such a railway will not be found to involve too great an expenditure and hence, whether the capital invested will not produce more than an insignificant return.

Fortunately the first question has been settled by the enterprise of Americans who have been operating a mountain railway up Mount Washington for nearly a whole year and which is working to the complete satisfaction of its promoters despite the very much steeper gradients (37.7%) and the smaller radius of the curves compared with those proposed for the Rigi Railway.

(...)

Thanks to completely practical and simple braking equipment, a train can be brought to a halt within a distance of six inches. Safety in working is therefore assured."

The founding Committee, composed of the three engineers who had the concession, Riggenbach, Naeff and Zschokke, besides prominent personalities from Basle and Lucerne, immediately took up half the share capital. The success of the promotion was complete as the 1,250 shares which remained on offer were over-subscribed on the first day

Anfangs 1870 stockten die Arbeiten, da es nicht gelingen wollte, bei der kalten Witterung genügend Arbeiter zu finden. Bis Ende März 1870 war der Einschnitt bei der großen Felswand (Plattenwand) oberhalb Vitznau sozusagen fertig, und der 66,5 m lange Schwandentunnel bei km 1,5 war zu zwei Dritteln seiner Länge durchbrochen. Im März 1870 konnten die ersten Zahnstangen und Querschwellen geliefert werden. Zu gleicher Zeit waren auch die großen schweißeisernen Träger der 67,5 m langen Brücke im Schnurtobel (das Geleise liegt dort 30 m über dem Bachlauf), bedeutendstes Bauwerk der damaligen Bahnanlage, bei der Centralbahnwerkstätte in Olten zur Ablieferung auf den Bauplatz

cessèrent, faute d'ouvriers acceptant de travailler par les grands frimas. A la fin de 1870, l'incision dans la grande paroi rocheuse (Plattenwand) au-dessus de Vitznau était pratiquement terminée et le tunnel de Schwanden, d'une longueur de 66,5 m et situé au kilomètre 1,5, était percé aux deux tiers. C'est aussi en mars que les premières traverses et crémaillères purent être livrées. Au même moment, les gros piliers d'acier soudés, destinés au pont du Schnurtobel de 67,5 m de long, attendaient dans les ateliers du «Centralbahn» d'Olten d'être livrés au chantier. Le pont du Schnurtobel se trouve à 30 m au-dessus du niveau de l'eau et représentait alors l'ouvrage principal de toute l'installation. Le premier

of issue by 2,398 applicants. The company's offices were registered at Lucerne.

In mid-September 1869 work on preparing the ground was started. According to the building contract, the railway had to be laid and ready for operation within eight months. Prior to this, it was necessary to purchase the land required, and this was possible without any great difficulty.

Early in 1870 work came to a standstill as it was impossible to find sufficient workers to carry on during the winter cold. By the end of March 1870 the section including the cutting into the rock face (Plattenwand) above Vitznau was virtually complete and the Schwanden tunnel, 66.5 metres long and 1½ km up the

Vitznau, Ausgangspunkt der Rigi-Bahn, mit Schifflandesteg nach einem alten Stich.

Vitznau, point de départ du Chemin de fer du Rigi, avec débarcadère, d'après une ancienne eau-forte.

Old etching showing Vitznau, starting point of the Rigi Railway with the landing stage on the lake.

bereit. Die erste Schnurtobelbrücke aus genieteten Blechträgern, zwei Hauptträger mit polygonaler Anordnung der T-Träger und vorab zwei, später fünf Stützen, stellte eine besondere Leistung Ing. Riggenbachs und seiner Mitarbeiter dar. *Mark Twain* hat ihr in seiner Erzählung «Die Rigibesteigung» für immer ein literarisches Denkmal gesetzt, wenn er schreibt:

«Nichts hindert die Aussicht oder den Durchzug: Es ist, als betrachte man die Welt im Vogelflug. Um genau zu sein: Es gibt immerhin eine Stelle, an der die schöne Gemütsruhe verfliegt, nämlich dort, wo der Zug über die Schnurtobelbrücke fährt – eine luftige Stahlkonstruktion, die wie ein loser Spinnenfaden im Altweibersommer über einem tiefen Abgrund durch den Äther schwebt. Man hat gar keine Schwierigkeiten, sich all seiner Sünden zu erinnern, derweil die Bahn diese steile Brücke hinabfährt. Man bereut sie auch, obschon das nicht nötig wäre, denn bei der Ankunft in Vitznau ist man überzeugt, daß die Brücke absolut sicher ist.»

Nicht weniger als 600 Arbeiter standen nun im Einsatz. Um möglichst rasch voranzukommen, arbeitete man gelegentlich auch während der Nacht und an Sonntagen. Bei Staffelhöhe, der vorläufigen Endstation der Bahn an der Kantonsgrenze Luzern/Schwyz, wurde genügend Terrain gesichert, damit neben der Station auch ein Stall für 14 Pferde – für die Weiterbeförderung von Fahrgästen nach Rigi Staffel und Rigi Kulm – erstellt werden konnte.

Am 18. Mai 1870 traf die erste, von Ing. Riggenbach in seiner Werkstätte in Olten gebaute Dampflokomotive mit stehendem Kessel – die «Stadt Luzern» – in Vitznau ein, und schon drei Tage später, am Geburtstage Ing. Riggenbachs, konnte auf der verfügbaren Versuchsstrecke von etwa 300 m ein Probezug eingesetzt werden. Für diese Fahrten, die zur vollen Zufriedenheit ausfielen, wurden zwei Güterwagen mit je 48 Eichenschwellen und 72 Personen verwendet. Bei dieser Gelegenheit streifte das Kamin der Lokomotive einen blühenden Birnbaum, so daß sich ein wahrer Blütenregen auf den Meister, sein Werk und seine Gäste ergoß. Dies wurde als gutes Omen gewertet, sicher zu Recht, kann man doch heute, nach über einem Jahr-

pont du Schnurtobel était constitué de poutres en tôles rivetées, de deux piliers principaux formés de poutres en T agencées en polygone et, tout d'abord de deux, puis de cinq appuis. Il représentait pour l'ingénieur Riggenbach et ses collaborateurs une performance de premier ordre. Mark Twain dans son récit «La montée au Rigi» nous a laissé un souvenir littéraire ineffable en écrivant:

«Pas un seul obstacle ne s'oppose à la vue ou au passage: on croirait voir le monde à vol d'oiseau. Pour être exact: il y a pourtant un endroit où cette douce euphorie disparaît, là où le train traverse le pont du Schnurtobel, une construction aérienne faisant penser à une toile d'araignée de la St-Martin suspendue dans l'éther au-dessus du gouffre. Quand le train descend sur ce pont abrupt, chacun voit défiler tous ses péchés avec une étonnante rapidité. On va même jusqu'à se repentir, bien que cela soit superflu, vu qu'arrivé à Vitznau, on doit bien se rendre à l'évidence: ce pont est parfaitement sûr.»

Pas moins de 600 ouvriers s'attelèrent à cette tâche. Pour accélérer encore les travaux, on travaillait parfois même la nuit et le dimanche. A Staffelhöhe, on réserva assez de terrain à la station terminale provisoire, située à la frontière des cantons de Schwytz et de Lucerne, pour pouvoir aménager une écurie abritant 14 chevaux, permettant aux voyageurs de continuer leur chemin jusqu'à Rigi Staffel et Rigi Kulm.

Le 18 mai 1870 la première locomotive à vapeur à chaudière verticale construite par Riggenbach, la «Ville de Lucerne», fit son entrée à Vitznau et, trois jours plus tard, le jour de l'anniversaire de Riggenbach, un premier essai fut tenté sur le parcours expérimental disponible d'une longueur de 300 m environ. Pour ces essais qui donnèrent entière satisfaction, on prit un convoi de deux wagons de marchandises, chargés de 48 solives de chêne et de 72 personnes. A cette occasion, la cheminée de la locomotive effleura un poirier en fleurs qui arrosa le maître, son œuvre et ses invités d'une pluie de pétales blanc. On le prit pour un bon présage et à juste titre: ne peut-on pas dire aujourd'hui, plus de cent ans après, que le petit train a fait ses preuves?

A partir du 7 juillet 1870, le tronçon

line had been bored for two-thirds of its length. In March 1870 the first rack sections and sleepers were delivered. At the same time the large welded iron girders for the 67.5-metre viaduct over the Schnurtobel torrent (where the tracks lie 30 metres above the bed of the stream), forming at that time the most important engineering feature of the whole railway, had been completed at the Olten works of the Swiss Central Railway and were waiting to be delivered. The first viaduct over the Schnurtobel, built of riveted iron plates, two main supporting pillars with T-girders arrranged in polygon fashion and, at first, two, later five, stays, represented an unusual engineering problem for Riggenbach and his colleagues. In his account of climbing the Rigi, *Mark Twain* has recorded his impressions for all time where he writes:

"There is nothing to interrupt the view or the breeze; it is like inspecting the world on the wing. However, to be exact, there is one place where the serenity lapses for a while; this is while one is crossing the Schnurtobel Bridge; a frail structure which swings its gossamer frame down through the dizzy air, over a gorge, like a vagrant spiderstrand. One has no difficulty in remembering his sins while the train is creeping down this bridge: and he repents of them, too; though he sees, when he gets to Vitznau, that he need not have done it, the bridge was perfectly safe."

By now no less than 600 labourers were at work. In order to make as much progress as possible, work sometimes continued right through the night and on Sundays. Near Staffelhöhe, the provisional terminus of the railway at the Cantonal border between Lucerne and Schwyz, enough land was purchased so that a stable could be built alongside the station in which 14 horses could be accommodated, for the convenience of tourists wishing to travel on to Rigi Staffel and Rigi Kulm.

On May 18, 1870, the first steam locomotive with vertical boiler arrived at Vitznau. This locomotive had been built by Riggenbach in his Olten workshops and christened "Stadt Luzern" (Town of Lucerne). Three days later, on Riggenbach's birthday, a trial run could be made on the first section of line avail-

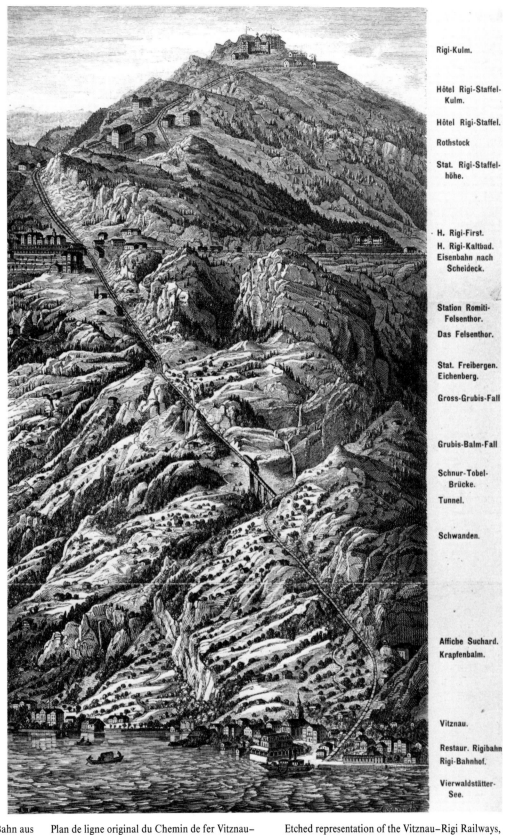

Rigi-Kulm.

Hôtel Rigi-Staffel-Kulm.

Hôtel Rigi-Staffel.

Rothstock

Stat. Rigi-Staffel-höhe.

H. Rigi-First.
H. Rigi-Kaltbad.
Eisenbahn nach Scheideck.

Station Romiti-Felsenthor.

Das Felsenthor.

Stat. Freibergen.
Eichenberg.

Gross-Grubis-Fall

Grubis-Balm-Fall

Schnur-Tobel-Brücke.

Tunnel.

Schwanden.

Affiche Suchard.
Krapfenbalm.

Vitznau.

Restaur. Rigibahn
Rigi-Bahnhof.

Vierwaldstätter-See.

Origineller Streckenplan der Vitznau–Rigi-Bahn aus der ersten Zeit des Bahnbetriebes.

Plan de ligne original du Chemin de fer Vitznau–Rigi, datant des premiers temps de l'exploitation.

Etched representation of the Vitznau–Rigi Railways, shortly after it started its operations.

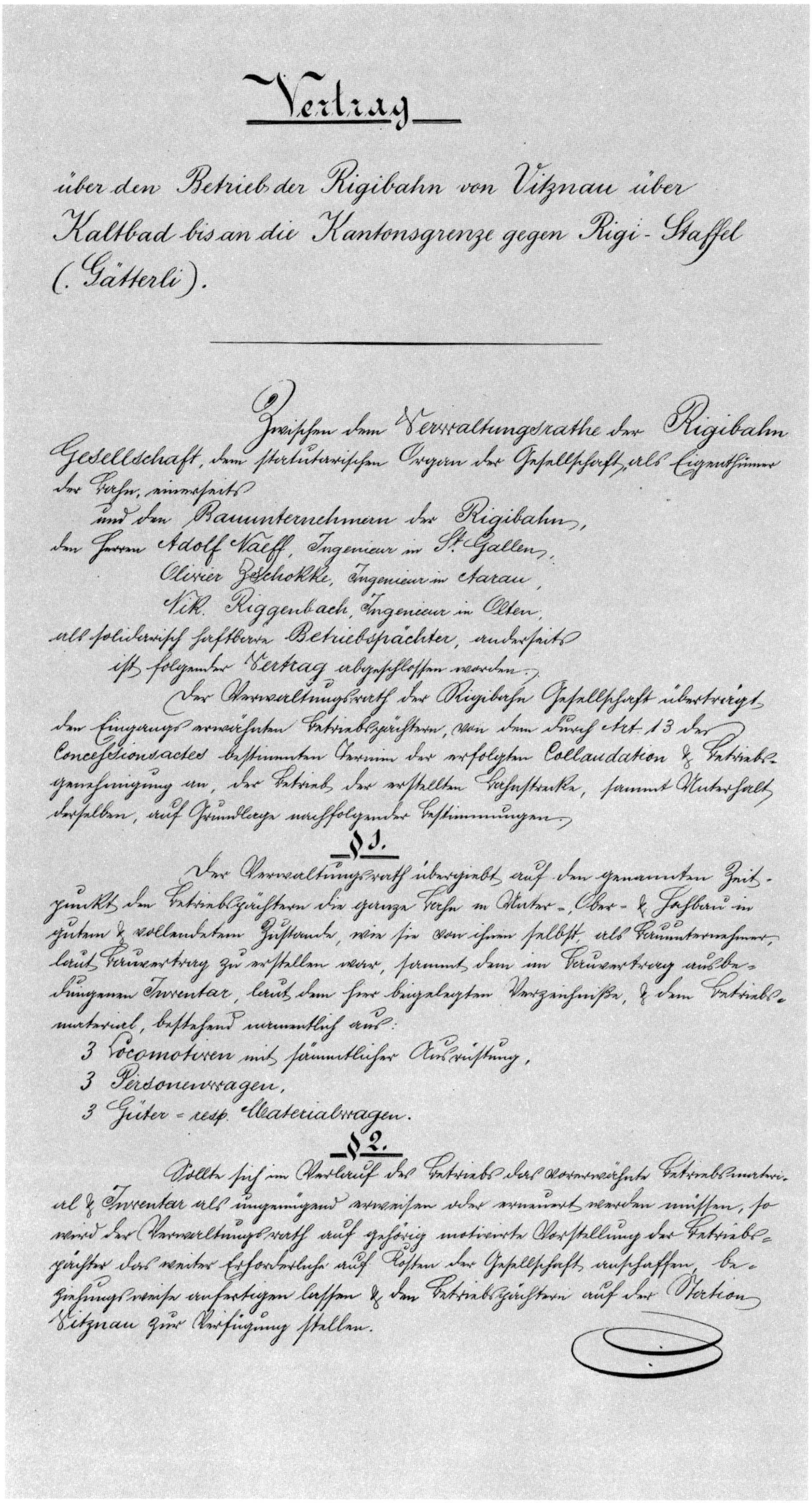

Vertrag

über den Betrieb der Rigibahn von Vitznau über Kaltbad bis an die Kantonsgrenze gegen Rigi-Staffel (Gätterli).

Zwischen dem Verwaltungsrathe der Rigibahn Gesellschaft, dem statutarischen Organe der Gesellschaft, als Eigenthümer der Bahn, einerseits

und den Bauunternehmern der Rigibahn, den Herren Adolf Naeff, Ingenieur in St. Gallen,

Olivier Zschokke, Ingenieur in Aarau,

Nik. Riggenbach, Ingenieur in Olten,

als solidarisch haftbaren Betriebspächtern, andererseits

ist folgender Vertrag abgeschlossen worden.

Der Verwaltungsrath der Rigibahn Gesellschaft überträgt, den hieneben verzeichneten Betriebspächtern, von dem nach Art. 13 der Concessionsactes bestimmten Termin der erfolgten Collaudation & Betriebsgenehmigung an, den Betrieb, der erstellten Bergstrecke, sammt Unterhalt derselben, auf Grundlage nachfolgender Bestimmungen.

§1.

Der Verwaltungsrath übergibt, auf den genannten Zeitpunkt, den Betriebspächtern die ganze Bahn in Unter-, Ober- & Hochbau in gutem & collaudirtem Zustande, wie sie von ihnen selbst, als Bauunternehmer, laut Bauvertrag zu erstellen war, sammt dem im Bauvertrag ausbedungenen Inventar, laut dem beigelegten Verzeichnisse, & dem Betriebsmaterial, bestehend namentlich aus:

3 Locomotiven mit sämmtlicher Einrichtung,

3 Personenwagen,

3 Güter- resp. Materialwagen.

§2.

Sollte sich im Verlauf des Betriebs das vorverzeichnete Betriebsmaterial & Inventar als ungenügend erweisen oder vermehrt werden müssen, so wird der Verwaltungsrath auf gehörig motivierte Vorstellung der Betriebspächter das weiter erforderliche auf Kosten der Gesellschaft anschaffen, beziehungsweise erstellen lassen & den Betriebspächtern auf der Section Vitznau zur Verfügung stellen.

Ausschnitt aus dem Betriebsvertrag vom 20. Dezember 1870 zwischen der Rigibahn-Gesellschaft, Luzern, und den Betriebspächtern der Rigibahn, A. Naeff, N. Riggenbach und O. Zschokke.

Extrait du contrat d'exploitation du 20 décembre 1870 entre la Société du Chemin de fer du Rigi et les exploitants de cette ligne, A. Naeff, N. Riggenbach et O. Zschokke.

Extract from the operating agreement dated December 20, 1870 between the Rigi Railway Company, Lucerne, and the operating concessionaires of the Rigi Railway, A. Naeff, N. Riggenbach and O. Zschokke.

hundert, ruhig sagen, die Bahn habe sich bewährt.

Vom 7. Juli 1870 an wurde die Strecke Vitznau–Schwandentunnel täglich mehrmals mit Material- und Dienstzügen befahren. Die Stationsanlage in Vitznau war am 25. Juli 1870 vollendet. Politisch bedingte Schwierigkeiten führten dann noch zu einer Verzögerung in der Materialablieferung, blieben doch rund 5000 m Schienen im Zusammenhang mit dem Deutsch-Französischen Krieg längere Zeit in Pont-à-Mousson zurück. Zwei der noch fehlenden fünf Personenwagen wurden im Kriege eingesetzt und konnten erst 1871 wieder beigebracht werden.

Die Hochbauten in Vitznau und die bescheidenen Unterwegsstationen waren alle in einfachster Weise als Holzbauten im Stile der damaligen Zeit erstellt. Die meisten von ihnen haben das erste Jahrhundert überdauert.

Vitznau–Schwandentunnel fut emprunté plusieurs fois par jour par des trains de marchandises et de service. La station de Vitznau fut achevée le 25 juillet 1870. Des difficultés d'origine politique provoquèrent alors un retard dans les livraisons de matériel, quand environ 5000 m de rails restèrent longtemps immobilisés à Pont-à-Mousson à cause de la guerre franco-allemande. Deux des cinq wagons de voyageurs qui manquaient encore furent réquisitionnés pour la guerre et ne purent être récupérés qu'en 1871.

Les édifices de Vitznau comme les modestes stations intermédiaires étaient construits simplement en bois dans le style de l'époque. La majeure partie d'entre eux ont survécu au nouveau siècle.

L'inauguration de la ligne fut allègrement fêtée le 21 mai 1871 en présence de plus de soixante-dix invités. Le «Luzerner Zeitung», dans son édition du 23 mai 1871, en rendit compte ainsi:

able, extending for about 300 metres. For these trial runs, which went off satisfactorily in every way, two goods wagons each loaded with 48 oak logs and 72 passengers were attached. In the course of the trials, the chimney of the locomotive struck a pear tree in full bloom so that a shower of blossom fell on the driver, his engine and the passengers. This was considered to be a good augur, and rightly so as it happened, regarding the trouble-free working of the railway for more as a century.

As from July 7, 1870, trains ran up the section from Vitznau to the Schwanden tunnel several times a day for moving equipment and for service purposes. The station buildings in Vitznau were completed on July 25. Then political difficulties interfered causing the delivery of the materials to be slowed down. As a result of the outbreak of the Franco-Prussian War, some 5,000 metres of rail were

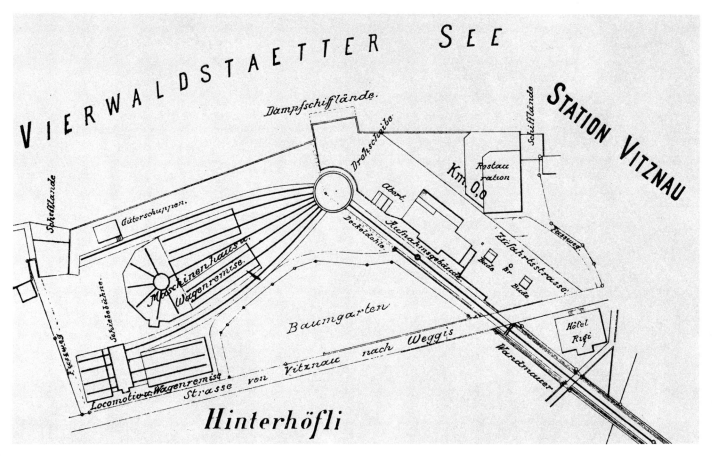

Katasterplan der Stationsanlagen am See in Vitznau um 1871.

Plan du cadastre de la station au bord du lac à Vitznau, vers 1871.

Survey of the layout for the lakeside station at Vitznau in 1871.

Am 21. Mai 1871 konnte die Bahn in betont feierlicher Weise in Anwesenheit von über siebzig geladenen Gästen eröffnet werden. Die «Luzerner Zeitung» vom 23. Mai 1871 berichtete darüber wie folgt:

«Luzern. *Die Eröffnungsfeier der Fahrten auf der Rigibahn* ist wohl gelungen. Sonntag mittags fuhren nacheinander zwei festlich bekränzte Züge, bestehend aus je einer Lokomotive und einem vorgeschobenen Personenwagen, von Vitznau nach Kaltbad hinauf. Hr. Direktor Riggenbach selbst führte im ersten Zug als Passagiere die HH. Verwaltungsräte der Rigibahn, die HH. Bundesräte Knüsel, Dubs, Schenk und Naeff, die Repräsentanten der alten und neuen Luzerner Regierung, die Abgeordneten der Nordost- und Centralbahn, der Dampfschiffahrts-Gesellschaft auf dem Vierwaldstättersee. Ein zweiter Zug folgte mit Gasthofbesitzern, Handelsleuten aus Luzern...»

Die Weltpresse feierte die Inbetriebnahme dieser Bahn als säkulares Ereignis, als Markstein in der Geschichte der Verkehrstechnik und des Fremdenverkehrs. So sicher der Bahnbetrieb sich auch abwickelte, so sehr hielt man noch alle Vorsicht für geboten. Die Bremser der Personenwagen saßen des besseren Überblicks wegen auf dem Wagendach, und in zweckmäßig bestimmten Ablösungen schritten dem Zuge auf der ganzen Strecke, mit einem langen Bergstock versehen, Bahnwärter voraus, die auf weidendes Vieh, Steine im Geleise und unvorhergesehene Situationen zu achten hatten.

Endstation war für einmal Rigi Staffelhöhe, obgleich die Gründer von allem Anfang an die Fortsetzung des Bahnbaus bis nach Rigi Kulm anstrebten. Auf diese sicher eigenartige Tatsache hat Bundesrat Schenk am Eröffnungstag in seinem Trinkspruch besonders hingewiesen. Er zählte alle die Wunder auf, die dem Fahrgast der Rigibahn vor Augen treten.

«Das größte und interessanteste Wunder der Bahn befindet sich am Ende derselben. Wenn der Fremde hinauffährt bis zum Gätterli, wo die Bahn ganz plötzlich aufhört, und er sich dann nach dem Grunde dieses merkwürdigen Abbrechens erkundigt, so wird man ihm antworten: Hier ist eben die Grenze zwischen den souveränen Kantonen Schwyz und Luzern, welche der Bahn ein ‹Bis hieher und weiter nicht!› zuruft.»

«Lucerne. *L'inauguration du Rigibahn* fut très réussie. Dimanche à midi, deux trains joyeusement décorés, chacun composé d'une locomotive poussant un wagon, montèrent de Vitznau à Kaltbad. M. le Dir. Riggenbach en personne conduisait le premier convoi avec pour passagers messieurs les conseillers fédéraux Knüsel, Dubs, Schenk et Naeff, les représentants de l'ancien et du nouveau gouvernement lucernois, les envoyés de la «Nordost- und Centralbahn», de la Société des bateaux à vapeur du lac des Quatre-Cantons. Le second convoi suivit avec à son bord les hôteliers et commerçants de Lucerne...»

La presse mondiale salua cette mise en service avec les mots d'événement du siècle et de tournant de l'histoire des transports et communications et du tourisme. L'exploitation de la ligne s'effectuait en toute sécurité, mais on en prenait pas moins toutes les précautions possibles. Les freineurs étaient assis sur le toit des wagons pour mieux voir et les gardes-voies marchaient devant le train, affublés d'une longue canne, se relayant dans un ordre précis, prêts à intervenir que ce soit à cause du bétail, d'une pierre sur la voie ou de toute autre situation imprévue.

La station terminale se trouvait à Rigi Staffelhöhe, quoique dès le début les fondateurs aspirèrent à continuer la construction de la ligne jusqu'au sommet (Rigi Kulm). Le jour de l'inauguration, le conseiller fédéral Schenk souligna ce fait particulier dans son discours tout en faisant l'inventaire de toutes les merveilles qui s'offraient aux yeux des voyageurs du Chemin de fer du Rigi.

«La beauté la plus grande et la plus intéressante du parcours se trouve à son extrémité même. Quand le voyageur étranger arrive au Gätterli, où la voie s'arrête soudain et que celui-ci s'étonne de cette rupture étrange, on lui répond: ‹Vous êtes justement à la frontière des cantons souverains de Schwytz et de Lucerne.› Cela signifie: Le voyage se termine ici. Les voyageurs reconnaîtront que c'est vraiment la plus étonnante des situations mais difficilement la plus belle.»

detained for a long time at Pont-à-Mousson. Two of the five additional passenger vehicles were commandeered for war purposes and were only released in 1871.

The buildings in Vitznau and the unpretentious intermediate stations were of the simplest wooden construction designed in the same style as other buildings at that time. Most of them lasted through the first century of the railway's existence.

On May 21, 1871, the railway was ready for the elaborate opening ceremony in the presence of seventy invited guests. The "Luzerner Zeitung" of May 23, 1871, reported the proceedings as follows:

"Lucerne. *The ceremonial opening of the Rigi Railway for the running of trains* took place with conspicuous success. On Sunday afternoon two festooned trains followed each other, each consisting of a locomotive pushing a passenger vehicle from Vitznau up to Kaltbad. Herr Riggenbach, the Manager, himself drove the first train in which were seated the other passengers including the Directors of the Rigi Railway, Federal Councillors Knüsel, Dubs, Schenk and Naeff, representatives of the old and the new Lucerne governments, delegates from the North-Eastern and Central Railways and the Lake of Lucerne Steamship Company. A second train followed with hotel proprietors and businessmen from Lucerne..."

The world press recorded the inauguration of this railway as a tremendous achievement and a milestone in the history of transport engineering and tourism. But though railway traffic developed very favourably it was felt that every precaution must still be taken. The brakesman on the passenger vehicle sat on the roof in order to have a better view, while other track workers were organised to maintain a close watch on the track before a train was due, each man patrolling a section of the route and armed with a climbing stick for the purpose of chasing off stray cattle, removing stones in the track and guarding against any other unexpected hazard.

"The upper terminus was first located at Rigi Staffelhöhe, though from the start the promoters made every effort to have the railway extended up to the summit. Herr Schenk, the Federal Councillor,

Saison 1871

G. Braun	als	Oberlocomotivführer
H. Böhmer	"	Locomotivführer
J. Gygax	"	"
A. Schmied	"	"
David Zimmerman	"	Heitzer
Jos. Zimmermann I	"	"
J. Bieri	"	"
Justus Suter	"	Conducteur
Jos. Waldis	"	"
Jos. Zimmermann II	"	"
Eberhard	"	Schmied
Alois Küttel	"	Kohlenrüster
Joh. Kaufmann, Knabe	"	Putzer
Hyronimus Zimmermann	"	Putzer
Hans Küttel	"	"
Caspar Zimmermann	"	"

Oberlocomotivführer	1
Locomotivführer	3
Heitzer	3
Conducteur	3
Schmied	1
Kohlenrüster	1
Putzer	4
Total	16 Mann

Erste Seite des Personalbuches über das Depot- und Fahrpersonal vom Sommer 1871.

Première page du registre du personnel, se rapportant au personnel de dépôt et de train en été 1871.

First page of the rule book for the employees concerning the workshop and train staff for the summer period, 1871.

Dieses Wunder wird von den Reisenden als das wunderbarste, aber schwerlich als das schönste erklärt werden.»

Da die Strecke Staffelhöhe–Staffel-Kulm auf dem Boden des Kantons Schwyz liegt, hatte der Kantonsrat von Schwyz über die Konzessionserteilung zu bestimmen (Eisenbahngesetz von 1852). Er versagte diese der luzernischen Rigibahn-Gesellschaft und erteilte sie am 23. Juni 1870 einem Arther Initiativkomitee für eine zu gründende Aktiengesellschaft, die spätere Arth-Rigi-Bahn.

Der Bahnbau wurde von Ing. Riggenbach und seinen Mitarbeitern im Auftrage des Arther Komitees bis nach Rigi Kulm fortgesetzt, so daß der Bahnbetrieb Vitznau-Kaltbad-Rigi Kulm am 27. Juni 1873 aufgenommen werden konnte. In einem Betriebs-Vertrag vom 29. November/9. Dezember 1871 wurde das Pachtverhältnis für die Strecke Staffelhöhe-Rigi Kulm erstmals geregelt. Der Pachtzins wurde damals auf 50% der Bruttoeinnahmen festgesetzt.

Der Weitblick der Gründerpersönlichkeiten zeigte sich auch darin, daß sie, kaum hatte die Bahn ihren Betrieb recht aufgenommen, dem Verwaltungsrat – zehn Jahre vor der Eröffnung der Gotthardbahn – die Anlage einer Doppelspurstrecke von 1,9 km Länge zwischen Freibergen und Kaltbad in Vorschlag brachten. Mochte auch die Topographie des Geländes zur Anlage einer solchen zweiten Spur einladen, die Höhe der Anlagekosten von über Fr. 290 000.– hätte an sich doch gegen eine solche Maßnahme sprechen können. Der Bau des zweiten Gleises mit den durch Schiebebühnen ermöglichten Übergängen von der Einspur in die Doppelspur bei Freibergen und in Rigi Kaltbad hat sich in der Folge als große Betriebserleichterung und als vorzügliche Maßnahme für die Hebung der Leistungsfähigkeit der Bahn erwiesen.

Ein erster Teil der Doppelspurstrecke konnte im Sommer 1873, das ganze Gleis auf den Sommer 1874 betriebsbereit gemacht werden.

Der Gleisoberbau hat im Laufe der Jahre einige Verbesserungen erfahren

Comme le tronçon Staffelhöhe–Staffel-Kulm se situait en territoire schwytzois, il appartenait au canton de Schwytz de statuer sur la délivrance de la concession (loi sur les chemins de fer de 1852). Il la refusa à la société lucernoise du «Rigibahn» et l'accorda le 23 juin 1870 à un comité d'initiative d'Arth pour la fondation d'une société par actions, la future «Arth-Rigi-Bahn».

La construction jusqu'à Rigi Kulm fut poursuivie par Riggenbach et ses collaborateurs sous le mandat du comité d'Arth de sorte que la mise en service de la ligne Vitznau-Kaltbad-Rigi Kulm put avoir lieu le 27 juin 1873. Lors du premier contrat d'exploitation, daté respectivement du 29 novembre et du 9 décembre 1871, le bail pour le tronçon Staffelhöhe-Rigi Kulm fut fixé à 50 % des entrées brutes sur cette section.

Les personnalités fondatrices voyaient loin: la ligne avait à peine été mise en service qu'elles proposaient au conseil d'administration – et ce, disons avant l'ouverture du Gothard – de construire un tronçon à voie double de 1,9 km entre Freibergen et Kaltbad. Bien que la topographie du terrain eût permis une deuxième ligne, le haut coût de construction dépassant fr. 290 000.– était de nature à faire renoncer à ce projet. La construction de la deuxième voie avec les plates-formes roulantes nécessaires à la jonction entre les tronçons à voie simple et ceux à voie double, à Freibergen et à Kaltbad, s'est avérée par la suite une excellente mesure pour alléger le trafic et améliorer le rendement de la ligne.

La première partie de la double voie put être mise en service en été 1873, la seconde en été 1874.

La superstructure a subi au cours des ans quelques améliorations: mise en place de rails plus lourds, remplacement des traverses de bois par des traverses d'acier, etc.

Finalement, la réflexion de Riggenbach à cette époque est intéressante. Si on avait voulu relier Vitznau à Rigi Kulm avec une voie d'adhésion et une pente maximale de 2,5 %, la ligne aurait dû alors mesurer 70 km environ. La ligne à crémaillère existante n'en mesure que 7.

had something to say about this peculiar situation when he made his speech after luncheon on the opening day. He related all the wonderful features which the traveller on the Rigi Railway could see in the course of his journey.

"The greatest and most interesting of all the railway's marvels is to be found at the terminus. When the tourist travels up to the Gätterli where the railway terminates so suddenly and then enquires as to the reason for this strange interruption, he is told: 'Here is the frontier between the independent Cantons of Schwyz and Lucerne, representing an impassable barrier – thus far and no further!' This marvellous situation will certainly be considered by the traveller the most wonderful of all, but hardly the most attractive."

As the section from Staffelhöhe–Staffel-Kulm lay on Schwyz territory, the Cantonal Council of Schwyz had to decide to whom the concession should be given, as they were required to do in accordance with the 1852 Railway Law. They refused to give it to the Rigi Railway Company of Lucerne, and on June 23, 1870, awarded it to a provisional committee in Arth promoting the company which later became the Arth–Rigi Railway.

At the request of the Arth Committee, construction of the extension of the railway to Kulm (summit) was undertaken by Riggenbach and his colleagues, so that through working from Vitznau and Kaltbad to Rigi Kulm could be started on June 27, 1873. The first lease arrangements for the section between Staffelhöhe and Rigi Kulm were settled by agreement dated November 29 and December 9, 1871, which fixed the rent charge to be paid at 50 per cent of the gross receipts of the section of line concerned.

The far-sightedness of the founding members of the railway was demonstrated by the fact that, hardly had serious operations been started, when they already suggested to the Board of Directors – and note that this took place ten years before the Gotthard railway was opened – to lay a second track, 1.9 km in length between Freibergen and Kaltbad. Although the topography of the land at this region may have been favourable for

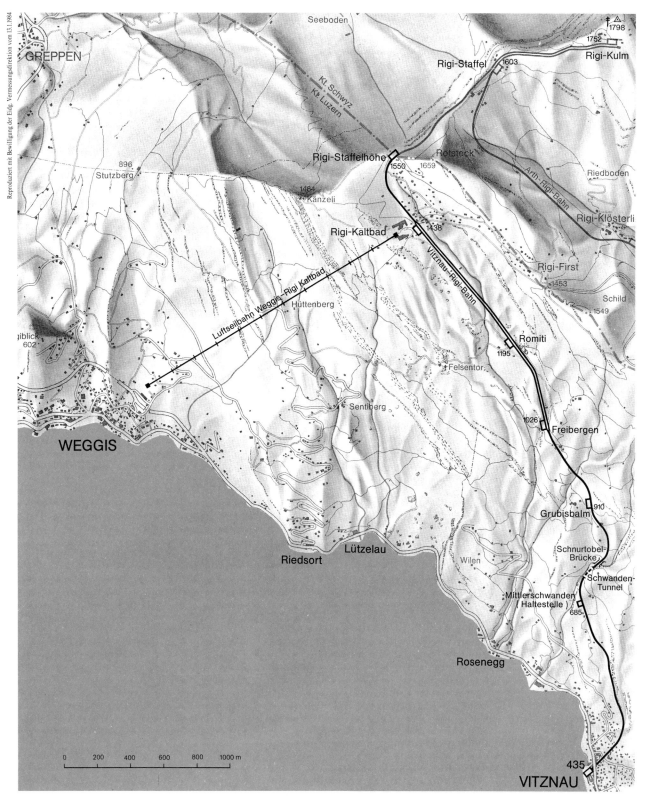

GREPPEN

Seeboden

† 1798
1752
Rigi-Kulm

Rigi-Staffel 1603

Rigi-Staffelhöhe 1550

Rotstock 1659

Kt. Schwyz
Kt. Luzern

Arth-Rigi-Bahn

Riedboden

Rigi-Klösterli

896
Stutzberg

1464
Känzeli

Rigi-Kaltbad 1438

Vitznau-Rigi-Bahn

Rigi-First
1453

Schild
1549

...iblick
602

Luftseilbahn Weggis-Rigi Kaltbad

Hüttenberg

Romiti 1195

Felsentor

WEGGIS

Sentiberg

1026 Freibergen

Riedsort

Lützelau

Wilen

910 Grubisbalm

Schnurtobel-Brücke

Schwanden-Tunnel

Mittlerschwanden
(Haltestelle)
685

Rosenegg

0   200   400   600   800   1000 m

435
VITZNAU

Orientierungsplan, Stand 1971.
(Entnommen der Exkursionskarte von Weggis und
Umgebung, mit freundlicher Erlaubnis des Kur-
vereins Weggis.)

Plan d'ensemble 1971.

Map showing railway and cableway in 1971.

35

(Einbau schwererer Schienen, Ersatz der Holzschwellen durch Eisenschwellen und anderes mehr).

Interessant ist schließlich die Feststellung Riggenbachs: Wollte man Rigi Kulm ab Vitznau mit einer Adhäsionsbahn bei Steigungen von höchstens 2,5% erreichen, so würde dies eine Bahnlinie von etwa 70 km Länge bedingen. Die bestehende Zahnradbahn ist aber nur etwa 7 km lang. Um das Ziel in der gleichen Zeit wie die Zahnradbahn zu erreichen, müßten Züge einer Adhäsionsbahn mit 90 km/h fahren, was nicht möglich sei. Die Zahnradbahn biete daher Vorteile der geringeren Bauzeit wie auch der bescheideneren Kosten.

De plus, pour atteindre le but dans le même temps que le train à crémaillère, le train normal aurait dû rouler à 90 km/h, ce qui n'était pas possible. Le chemin de fer à crémaillère avait donc les avantages d'exiger un temps de construction restreint et des frais plus modestes.

laying two tracks, the estimated cost of 290,000 francs might well have discouraged the possibility of carrying out the plan. The construction of the second track and the traversers enabling trains to be shifted from one track to the other at Freibergen and Kaltbad subsequently paid off as a valuable aid in increasing the railway's capacity.

The first section of double track was ready for operation in the summer of 1873 and the whole of it by the following summer.

The track superstructure has, in the course of the years, been improved from time to time, including the use of heavier rails, replacement of wooden by iron sleepers, etc.

Finally it may be of interest to record here Riggenbach's calculation that if it was intended to have an adhesion railway from Vitznau to Rigi Kulm which would mean a ruling gradient not exceeding 1 in 40, this would have involved building a railway 70 km long. The rack railway that was built instead is only 7 km long. To reach the upper terminus within the same time as the rack railway, trains on an adhesion railway would have had to achieve speeds of 90 km/h which would have been out of the question. The rack railway therefore had the advantage of being built more quickly and at a very much lower cost.

Die technischen Verhältnisse der Gleisanlage 1871

Zahnradbahn – System Riggenbach – Leiterzahnstange

1,435 m	Normalspur, wie SBB
53 kg	Zahnstangengewicht pro lfm
52 kg	Eisenschwellengewicht (Länge 2,3 m) pro lfm
14 kg	Schienengewicht per lfm
20 kg	später
170 kg	Oberbau-Gewicht pro lfm
3 m	Länge der Zahnstangensegmente mit 30 eingenieteten Zähnen
1,75 kg	Zahngewicht
68 500	Anzahl Zähne auf der Strecke Vitznau–Rigi Kulm (ohne Doppelspur)
5093 m	Bahnlänge Vitznau–Staffelhöhe
1761 m	Bahnlänge Staffelhöhe–Rigi Kulm
6854 m	Bahnlänge total
1883 m	Länge der Doppelspur Freibergen–Rigi Kaltbad
25 %	Maximalsteigung (1 in 4)
19 %	Mittlere Steigung (1 in 5,3)
180 m	Radius
441 m	Höhe der Station Vitznau
1751 m	Höhe der Station Rigi Kulm
1310 m	Höhenunterschied
50–80 m	Abstand der Betonfixpunkte gegen das Wandern des Gleises (Hangabtrieb) je nach Geländesituation

Les données techniques des installations de la voie 1871

Chemin de fer à crémaillère – Système Riggenbach – ligne à crémaillère

1,435 m	Voie normale, comme CFF
53 kg	Poids de la crémaillère pour 1 m
52 kg	Poids des traverses métalliques (2,3 m de long) pour 1 m
14 kg	Poids des rails pour 1 m
20 kg	plus tard
170 kg	Poids de la superstructure pour 1 m
3 m	Longueur des éléments de crémaillères à 30 dents rivées
1,75 kg	Poids d'une dent
68 500	Nombre de dents pour le tronçon Vitznau–Rigi Kulm (sans double voie)
5093 m	Longueur de la ligne Vitznau–Staffelhöhe
1761 m	Longueur de la ligne Staffelhöhe–Rigi Kulm
6854 m	Longueur totale
1883 m	Longueur de la double voie Freibergen–Rigi Kaltbad
25 %	Déclivité max. (1 in 4)
19 %	Déclivité moyenne (1 in 5,3)
180 m	Rayon
441 m	Altitude de la station Vitznau
1751 m	Altitude de la station Rigi Kulm
1310 m	Différence d'altitude
50–80 m	Distances des points de fixation de la voie en béton (selon les conditions du terrain)

Technical details of the track layout 1871

Rack Railway – Riggenbach System – Ladder Rack Rail

1,435 m	Standard Gauge (as on Federal Railways)
53 kg	Weight of rack rail per running metre
52 kg	Weight of iron sleeper (length 2.30 metres) per running metre
14 kg	Weight of running rail per running metre
20 kg	later
170 kg	Weight of superstructure per running metre
3 m	Length of rack rail section with 30 rivetted teeth
1.75 kg	Weight of tooth
68 500	No. of teeth on the section Vitznau–Rigi Kulm (excluding second track)
5093 m	Length of route Vitznau–Staffelhöhe
1761 m	Length of route Staffelhöhe–Rigi Kulm
6854 m	Total length of route
1883 m	Length of second track Freibergen–Rigi Kaltbad
25 %	Ruling gradient (1 in 4)
19 %	Average gradient (1 in 5.3)
180 m	Radius of curves
441 m	Height above sea level of Vitznau station
1751 m	Height above sea level of Rigi Kulm station
1310 m	Difference in height
50–80 m	Distance of concrete securing blocks to prevent track displacement

Technische Entwicklung der Bahn von 1871–1971

Die erste Zahnradbahn Europas war nicht nur einer festen, gleichbleibenden Aufgabe im Herzen der Zentralschweiz verpflichtet. Sie war zugleich hineingestellt in eine Zeit mächtiger technischer und wirtschaftlicher Fortschritte und des raschen Wachstums der Bevölkerung. Neue Verkehrsmittel wie Automobil und Flugzeug erhöhten die Beweglichkeit des einzelnen und brachten die Ausweitung des Fremdenverkehrs vom Bergsport einiger weniger zum Massentourismus breitester Schichten.

Diese Wachstumsfaktoren der Umwelt bestimmten in der Folge auch die Verkehrsentwicklung der Vitznau–Rigi-Bahn

Le développement technique de la ligne de 1871 à 1971

Le premier train à crémaillère d'Europe n'avait pas à remplir un seul devoir, bien défini et immuable, au cœur de la Suisse centrale. Il faisait aussi partie d'un temps de grands progrès techniques et commerciaux, accompagné d'une croissance rapide de la population. Les nouveaux moyens de transport, tels l'automobile et l'avion, accrurent la mobilité de chacun. C'est ainsi que le tourisme de masse englobant des couches plus larges de la population fit place aux quelques voyageurs étrangers amateurs de sport de montagne.

Les facteurs de croissance de l'environnement eurent par conséquent un

Technical Development of the Railway from 1871–1971

The first rack railway in Europe was not a self-contained event or an isolated occurrence in the heart of Switzerland. Its conception and development took place during a period of rapid technical and economic expansion in many parts of the world. New means of transport, such as the motor car and the aeroplane, were making it possible for every individual to travel more than ever before and changed the development of tourism from mountain recreation for the select few into a mass tourist movement of many thousands drawn from every class of society.

These growth factors throughout the

im ersten Jahrhundert ihres Bestehens und damit indirekt die technische Verbesserung der Anlagen in Anpassung an die Verhältnisse der neuen Zeit. Die seit 1871 vorgenommenen technischen Neuerungen zur Hebung der Leistungsfähigkeit und zur Rationalisierung des Betriebes betreffen sowohl die festen Anlagen wie das Rollmaterial.

effet sur le développement du trafic du Chemin de fer Vitznau–Rigi dans le premier siècle de son existence et permirent indirectement l'amélioration technique des installations en les adaptant aux conditions des temps nouveaux. Les nouveautés techniques survenues depuis 1871 et ayant pour but un meilleur rendement et la rationalisation de l'exploitation concernent les installations fixes comme le matériel roulant.

world inevitably had their effect on the traffic developments of the Vitznau–Rigi Railway during the first hundred years of its existence and indirectly brought about the technical improvements of the railway's equipment in order to adapt it to the new requirements of the modern age. The technical innovations which have been made since 1871 in order to increase the carrying capacity and to rationalise its operations include not only the fixed installations but also the rolling stock.

Feste Anlagen

Die Elektrifikation

Nach dem Aufkommen der ersten elektrisch betriebenen Bahnen in der Schweiz in den achtziger Jahren des letzten Jahrhunderts sollte es freilich noch Jahrzehnte dauern, bis auch die Vitznau–Rigi-Bahn in den Vorzug dieser Betriebsumstellung gelangte. Die Elektrifikationsfrage wurde allerdings schon im Mai 1894 vom Verwaltungsrat der Bahn erstmals geprüft. Berechnungen und Gutachten zeigten damals, daß eine solche Maßnahme noch keine finanzielle Einsparung gebracht hätte. Einige Jahre später sprach sich der bekannte Direktor der Montreux–Berner Oberland-Bahn, Dr. Ing. Roland Zehnder, für die Einführung des elektrischen Betriebes aus. Die hohen Kohlenkosten der Kriegsjahre gaben erneut Anlaß, auf das Thema zurückzukommen. Die zu erwartenden bedeutenden Elektrifizierungskosten jener Zeit verhinderten aber die Verwirklichung dieses Vorhabens bis in die dreißiger Jahre.

Es ist das besondere Verdienst des damaligen Direktors der Rigibahn, Ing. J. Fellmann-de Sax, die Einführung des elektrischen Bahnbetriebes vorbereitet, und seines Nachfolgers, Ing. H. Lang-Lauper, ehemaliger Leiter der elektrifizierten Versuchsstrecke Seebach–Wettingen der SBB, die Durchführung der Elektrifikationsarbeiten geleitet und zu gutem Ende geführt zu haben.

Die Kosten wurden auf Fr. 565 000.- berechnet. Auf Grund des Bundesbe-

Installations fixes

L'électrification

Après l'apparition en Suisse des premières lignes électrifiées dans les années 80 du siècle passé, bien des décennies passèrent encore jusqu'à ce que le Chemin de fer Vitznau–Rigi puisse bénéficier de cette conversion. Pourtant la question de l'électrification fut déjà soulevée une première fois en mai 1894 par le conseil d'administration. Les calculs et les analyses montrèrent alors qu'une telle mesure n'aurait encore apporté aucune économie financière. Quelques années plus tard, le célèbre directeur du Chemin de fer Montreux–Oberland bernois, l'ingénieur Dr Roland Zehnder, se prononça pour la conversion à l'électricité. La montée des prix du charbon pendant la guerre constitua un argument supplémentaire pour revenir sur ce sujet. A cette époque, les frais de l'électrification semblèrent trop élevés, empêchant la réalisation de ce projet jusque dans les années 30.

Il revient tout particulièrement au directeur du «Rigibahn» d'alors, l'ingénieur J. Fellmann-de Sax, d'avoir préparé l'introduction de la nouvelle exploitation et à son successeur l'ingénieur H. Lang-Lauper, ancien responsable des essais sur le tronçon électrifié Seebach–Wettingen des CFF, d'avoir réalisé et mené à bon terme ces travaux d'électrification.

Le coût de ces travaux s'éleva à fr. 565 000.–. Sur la base de la décision du Conseil fédéral du 21 décembre 1934

Fixed Installations

Electrification

Although the first electrically-driven train in Switzerland was running during the 'eighties of the last century, many years were to elapse before the Vitznau–Rigi Railway was in a position to take advantage of this alternative traction system. The question of electrification had indeed already come up before the Board of Directors for consideration as far back as 1894. Calculations and reports at the time showed that the conversion would not bring any financial benefit. A few years later the much-respected Manager of the Montreux–Oberland Railway, Dr. Eng. Roland Zehnder, gave his opinion in favour of the line being converted to electric traction. The vast increase in coal prices during the years of World War I again caused the question to be taken up. The estimated costs of conversion, which were considered unwarranted at that time, caused the plan to be deferred until the 'thirties.

It was one of the special achievements of the then Manager of the Rigi Railway, the engineer J. Fellmann-de Sax, that he prepared a detailed conversion scheme for electric traction, and of his successor, the engineer H. Lang-Lauper, who had at one time been in charge of the experimental electric stretch of railway between Seebach and Wettingen belonging to the Federal Railways, that he carried the project through and brought it to fruition.

The costs were estimated at 565,000

schlusses vom 21. Dezember 1934 über Krisenbekämpfung und Arbeitsbeschaffung wurde dem Bahnunternehmen ein Beitrag des Bundes und der interessierten Kantone Zürich, Aargau und Luzern von Fr. 160 000.- bewilligt. Zur finanziellen Bewältigung der bedeutenden Aufgabe ist im Jahre 1936 eine 5%-Elektrifikationsanleihe, I. Hypothek, von Fr. 400 000.- zur Zeichnung aufgelegt worden.

Im Anleihensprospekt vom 5. September 1936 wurde unter anderem ausgeführt:

«Die im letzten Jahre neuerdings aufgenommenen eingehenden Studien zwecks Herbeiführung der Traktionsänderung führten zum Ergebnis, daß die Elektrifikation sowohl vom wirtschaftlichen als auch vom betriebstechnischen Standpunkt aus die gegebene Lösung ist und daß die Beschaffung der notwendigen Mittel im Hinblick auf die damit verbundenen weiteren Betriebseinsparungen und auf die Tatsache, daß dadurch größere Vermögenswerte gerettet werden können, auf keine unüberwindlichen Schwierigkeiten stoßen sollte.»

Die Anleihe hatte einen vollen Erfolg. Die 1936 beschlossene Betriebsumstellung auf die «weiße Kohle» wurde so gefördert, daß der elektrische Betrieb am 3. Oktober 1937 aufgenommen werden konnte.

Die Rigibahn hatte mit der Pilatusbahn, die beide im Jahre 1937 den elektrischen Betrieb einführten (die Arth–Rigi-Bahn steht schon seit dem 20. Mai 1907 unter dem Fahrdraht), das Glück, diese Betriebsumstellung zu außerordentlich günstigen finanziellen Bedingungen noch unmittelbar vor dem Zweiten Weltkrieg vornehmen zu können. Wenn man bedenkt, daß im Gesamtaufwand von rund Fr. 570 000.- eine Gleichrichteranlage mit zwei Einheiten zu je 600 kW Leistung für die Erzeugung bahnkonformen Gleichstroms von 1500 V Spannung, die Fahrleitung von Vitznau nach Rigi Kulm (6,8 km) und drei Motorwagen inbegriffen sind, darf – gemessen an den heutigen Preisrelationen – wirklich von einer sehr wohlfeilen Rationalisierungsmaßnahme gesprochen werden.

Energielieferant ist das Elektrizitätswerk Schwyz, das der Bahn in Romiti

concernant les mesures de lutte contre la crise et le chômage, la Confédération et les cantons intéressés de Zurich, d'Argovie et de Lucerne, accordèrent une contribution de fr. 160 000.- aux exploitants. Pour faire face à cette situation financière importante, on émit en 1936 un emprunt d'électrification à 5%, 1re hypothèque, pour un montant de fr. 400 000.-.

Voici un extrait du prospectus d'emprunt du 5 septembre 1936:

«Les études menées l'année passée concernant la conversion des moyens de traction suggèrent toutes l'électrification comme seule solution économique et technique et montrent que sa réalisation ne devrait pas se heurter à des obstacles insurmontables et que les moyens nécessaires à celle-ci sont proportionnés aux économies d'exploitation qui vont en résulter.»

L'emprunt fut un succès complet. La conversion à la «houille blanche» décidée en 1936 fut si bien menée que l'exploitation électrique débuta le 3 octobre 1937. Le «Rigibahn» comme le «Pilatusbahn» qui tous deux se convertirent à l'électricité en 1937 (l'«Arth–Rigi-Bahn» est mû électriquement depuis le 20 mai 1907 déjà) eurent tous deux la chance d'effectuer cette mutation à des conditions extraordinairement avantageuses, juste avant la deuxième guerre mondiale. Quand on pense que dans une somme globale d'environ fr. 570 000.- sont compris à la fois une installation à deux unités de 600 kW, chacune produisant le courant continu nécessaire sous une tension de 1500 V, la ligne électrique de Vitznau jusqu'à Rigi Kulm (6,8 km) et trois voitures motrices, on peut vraiment parler d'une rationalisation très bon marché, par comparaison aux prix actuels.

L'énergie est fournie par l'usine électrique de Schwytz à Romiti Felsentor, sous forme de courant alternatif de 15 kV conduit par un fil circulaire passant par le Rigi. L'année suivante, le parc des voitures motrices électriques s'agrandit encore d'une locomotive électrique No 18 coûtant fr. 87 170.-, de même puissance que les voitures Nos 1–3 de 450 CV chacune affectées au trafic voyageurs et marchandises.

En plus d'assurer une meilleure renta-

francs. Following the measures announced by the Federal Government to relieve the economic crisis and to provide work for the unemployed, a grant of 160,000 francs was made by the Swiss Government and the Cantons most closely concerned, Zurich, Aargau and Lucerne. To cover the remaining financial outlay, a 5 per cent Guaranteed Electrification Loan of 400,000 francs was floated in 1936.

In the prospectus of the loan dated September 5, 1936, it was explained that, among other relevant items:

"Revised comprehensive studies during the last few years into the feasibility of using alternative motive power have led to the conclusion that electrification is the most favourable solution both from economic considerations as well as for creating improved operating conditions, and that the provision of the required finance should not meet with any insuperable difficulty, regarding the immediate operating economies that would result and the fact that it will enable better use to be made of the available assets."

The loan was a complete success. The decision to electrify was taken in 1936 and the changeover was carried out so quickly that electric traction could start on October 3, 1937.

The Rigi Railway and the Pilatus Railway, which were both electrified in the same year, 1937 (electric trains had been running on the Arth–Rigi Railway since May 20, 1907), were fortunate in carrying out their conversions under exceptionally favourable financial circumstances which prevailed in the years immediately prior to the outbreak of World War II. When one considers that the global expenditure of around 570,000 francs included rectifying equipment, consisting of two units, each of 600 kW output, to feed direct current at 1500 volts to the railway, catenary and power cables over the 6.6 km route from Vitznau to Rigi Kulm and three electric motor vehicles, it is clear that, having regard to present price levels, this rationalisation was indeed carried out at just the right period in history.

Electricity is supplied from the Schwyz Electricity Generating Station which feeds alternating current at 15 kV

Entwicklung des elektrischen Bahnbetriebs
Développement de l'électrification
Development of the electrified system

	1940	1960	1970	1983
Energieverbrauch in kWh / Besoins en énergie en kWh / Power consumed (kWh)	241 840	589 479	893 400	858 660
Fahrkilometer / Km effectués / Train – km	24 164	51 032	69 722	73 714
Stromkosten (in Franken) / Coût du courant (francs suisses) / Expenditure on current (francs)	11 517	34 150	73 638	84 991

Felsentor über eine Rigi-Ringleitung Drehstrom von 15 kV abgibt. Ein Jahr später wurde der Park der elektrischen Triebfahrzeuge noch durch die Indienstnahme einer elektrischen Lokomotive Nr. 18 im Kostenbetrage von Fr. 87 170.– von gleicher Leistung wie die Triebwagen Nrn. 1–3 von je 450 PS für den Einsatz im Güter- und Personenverkehr erweitert.

Die dauernde unmittelbare Betriebsbereitschaft, der Wegfall der Rauchplage, die damit gewonnene Sauberkeit im Betrieb, das sanfte, stoßfreie Fahren und die wesentlich kürzere Fahrzeit – sie konnte für die ganze Strecke Vitznau–Rigi Kulm von einer vollen auf etwa eine halbe Stunde reduziert werden – stellen mit dem ökonomischeren Betrieb die verschiedenen, besonders geschätzten Vorzüge einer elektrisch betriebenen Touristenbahn dar. Der Personalbestand konnte in der Folge von 88 Personen auf rund 55 Mitarbeiter gesenkt werden.

Zur Verbesserung der Energieversorgung wurde 1954 in Vitznau eine weitere Quecksilberdampf-Gleichrichteranlage von 900 kW Leistung in Betrieb genommen.

Erst in den Jahren 1962 und 1963 ist das seit 1874 vorhandene bergseitige Geleise der 1,9 km langen Doppelspur Freibergen–Rigi Kaltbad im Hinblick auf die bevorstehende Inbetriebnahme eines weiteren modernen Triebfahrzeugs mit verschiedenen, auf die dauernde Stromversorgung angewiesenen Nebenbetrieben elektrifiziert worden.

Mit der Elektrifikation konnte die Zahl der eingesetzten Dampflokomotiven von 11 um 6 auf 5 und später auf 2 (Nrn. 16 und 17) herabgesetzt werden.

bilité, l'exploitation électrique représentait plusieurs avantages particulièrement appréciables pour un chemin de fer touristique: un fonctionnement sans délai et constant, une plus grande propreté par suite de la suppression de la fumée, un roulement calme et sans heurts et une durée de trajet plus courte. Le parcours total Vitznau–Rigi Kulm passait d'une heure à une demi-heure environ. Il s'ensuivit un abaissement de l'effectif du personnel de 88 personnes à 55 environ.

Pour améliorer l'alimentation en énergie, un nouveau redresseur à vapeur de mercure fut mis en opération en 1954.

Ce n'est que dans les années 1962 et 1963 que le tronçon amont de la voie double Freibergen–Rigi Kaltbad, datant de 1874, fut électrifié sur 1,9 km en vue de l'entrée en service d'un autre véhicule moteur moderne et de plusieurs postes annexes dépendant aussi de ce service de courant.

L'électrification permit de réduire le nombre des locomotives à vapeur de 11 à 5 et plus tard à 2 (Nos 16 et 17).

through the Romiti-Felsentor transformer into the railway's electrical system. A year later the motive power was increased by the acquisition of another locomotive, No. 18, at a cost of 87,170 francs, with the same output as the motor vehicles Nos. 1–3, each with an output of 450 hp, for working both passenger and freight traffic.

The greater service availability, the absence of smoke, the cleaner operation, the quiet, smooth running, the very much shorter running time – half an hour instead of an hour to cover the whole distance from Vitznau to Rigi Kulm – and reduced running costs amounted to an all-round benefit conferring the many advantages of electrical working, a valuable improvement for a tourist railway. Another result was that it was possible to reduce the staff from the original 88 to some 55 at the present time.

To improve the electricity supply another 900-kW mercury-vapour rectifier was installed at Vitznau in 1954.

It was not until the years 1962 and 1963 that the second track laid down nearest the mountain face in 1874 for a distance of 1.9 km between Freibergen and Rigi Kaltbad was electrified. This step was taken following the decision to acquire a second modern motor vehicle together with a number of other secondary works taking their current from the ample supply available.

After electrification the number of steam locomotives was progressively reduced from the original 11 down to 5 and later to 2 (Nos. 16 and 17).

Die neue Schnurtobelbrücke

Einen neuralgischen Punkt auf der ganzen Bahnstrecke bildete seit Jahren die Brücke im Schnurtobel. Unter den geplanten Maßnahmen zur reibungslosen Bewältigung des ständig steigenden Verkehrs stand daher ihr Ersatz durch einen Brückenneubau obenan. Die schlechten Baugrundverhältnisse, die ungünstigen Eigenschaften des aus der Frühzeit der Metallbrücken stammenden Schweißeisens, der wachsende Verkehr, das zunehmende Alter der Brücke von 1871 wie auch die künftig zu erwartenden größeren Verkehrslasten der Bahn und die nachdrücklichen Empfehlungen der Eisenbahnaufsichtsbehörde führten zum Ersatz dieser allen Rigigästen wohlbekannten Brücke mit dem zierlichen Bogengeländer.

Nach jahrelangen Vorarbeiten, Bodensondierungen, Besprechungen unter Fachleuten und Vorstudien für Stahlbrücken mit offener und geschlossener Fahrbahn und für Betonbrücken in verschiedener Ausführung wurde im Jahre 1956 vom Verwaltungsrat der Bahn auf Empfehlung des technischen Experten Ing. R. Becker, damals Chef der Sektion Brückenbau der Kreisdirektion II der SBB, die Erstellung einer Vorspannbetonbrücke (System DIWIDAG) als Kastenträger mit einer Stütze bei 80 m Länge und zwei ungleichen Feldern von 35 und 45 m Länge beschlossen. Besonderes Gewicht wurde dabei auf die Anlage eines durchgehenden Schotterbettes zur Aufnahme des Gleises gelegt. Das Längsgefälle der Brücke von durchgehend 25,26% bedingte zur Sicherung des Schotters gegen Abrutschen den Einbau von 78 Schikanen (Eisenbetonriegel).

Mit den von der Firma Ed. Züblin & Cie. AG übernommenen Bauarbeiten konnte am 8. Juli 1957 begonnen werden. Im Laufe von 16 Monaten (mit einem Unterbruch im Winter 1957/58) wurde mit 20 Arbeitern längs der alten die neue Brücke erstellt und diese in der Nacht vom 6./7. Oktober 1958 ohne Ausfall eines fahrplanmäßigen Zuges beidseitig an das Streckengleis angeschlossen. Die Belastungsproben vom 24. Oktober 1958, bei denen 7 Fahrzeuge der Bahn mit ei-

Le nouveau pont du Schnurtobel

Depuis des années, le pont du Schnurtobel était le point névralgique du parcours. Son remplacement par une nouvelle construction en amont figurait parmi les mesures prévues en vue de surmonter les difficultés du trafic croissant. Le mauvais état des fondations, les performances insuffisantes de l'acier soudable utilisé pour les premiers ponts métalliques, le trafic croissant, l'âge grandissant du pont datant de 1871, comme l'augmentation prévisible du tonnage des convois futurs, tout cela, conjointement aux pressantes recommandations des organes de contrôle des chemins de fer, conduisit au remplacement de ce pont, connu de tous les hôtes du Rigi pour la fine construction de ses parapets en forme d'arcs.

Après des années de travaux préliminaires, de sondage du sol, de consultation de spécialistes et d'études pour des ponts d'acier, ouverts ou fermés, et pour des ponts en béton de différents modèles, le conseil d'administration se rangea en 1956 à l'avis d'un technicien expert, l'ingénieur R. Becker, chef de la section construction des ponts de la direction d'arrondissement II des CFF. On se décida pour un pont en béton précontraint (DIWIDAG) en forme de poutre à caisson, supporté par un pilier pour une longueur de 80 m, donnant deux travées inégales de 35 m et 45 m. L'accent fut mis sur l'installation d'un lit de gravier pour supporter la voie. L'inclinaison du pont d'une valeur moyenne de 25,26% nécessita la pose de 78 chicanes (bancs en béton armé), destinées à empêcher le gravier de glisser.

Les travaux confiés à la firme Ed. Züblin & Cie SA purent débuter le 8 juillet 1957. Pendant une durée de 16 mois, avec une interruption en hiver 1957/58, 20 ouvriers travaillèrent au nouveau pont le long de l'emplacement de l'ancien et, dans la nuit du 6 au 7 octobre, ils le raccordèrent aux deux extrémités sans interruption du trafic régulier. Les essais de charge du 24 octobre 1958 au cours desquels on fit traverser le pont par un train de 7 wagons pesant au total 115 t montrèrent l'exactitude des calculs statiques et

The new Schnurtobel viaduct

Of all the features of the line, the viaduct spanning the Schnurtobel torrent was a major source of difficulty for many years. When the time came to plan the necessary improvements to enable the railway to cope with steadily increasing traffic, one of the items was inevitably the deficiencies of the earlier practice of using welded iron plates, the increasing age of the bridge dating from 1871, the volume of traffic and the even greater volume which could be expected to cross it in future and finally the strong recommendation of the Federal authority responsible for supervising railway working, all led to the decision being taken to replace the viaduct with its decorative bow-wire sides which had excited so many of those who had travelled over it.

Several years were spent during which a detailed geological survey was made, various experts were called in for their opinions and studies carried out of steel bridge constructions with open and solid floors as well as various designs of concrete bridges. In 1956 the Rigi management decided to install a reinforced pre-stressed concrete viaduct on the DIWIDAG system, consisting of box girders and supported for its whole length by a single pillar, 80 metres high, giving two unequal spans of 35 and 45 metres respectively. This was in accordance with the recommendation of the Chief of the Bridge Section of the Federal Railways' second (Lucerne) Division, the engineer R. Becker. It was specially emphasised that the track across the bridge must be laid on a continuous ballast bed. The average gradient of the bridge being 1 in 39, it was necessary to install 78 lateral retaining barriers, consisting of concrete steps, to prevent the ballast from sliding downhill.

Work started on July 8, 1957, by the contractors, Messrs Ed. Züblin & Cie. AG. During the ensuing 16 months, with an interruption during the winter of 1957/58, some 20 labourers erected the new structure alongside the old and during the night of October 6/7th, 1958, it could be connected at both ends to the track, so that there was no interruption

nem Gesamtgewicht von 115 t auf die Brücke gestellt wurden, ergaben nicht nur den Nachweis der Richtigkeit der statischen Berechnung, sondern auch den der tatsächlichen Betriebssicherheit. Die neue Brücke kann so viele Wagen mit Achslasten von 20 t aufnehmen, wie auf ihr Platz finden.

Hier haben neue Männer mit neuen Kräften und neuen Stoffen ein Bauwerk geschaffen, das künftig sozusagen ohne jede Unterhaltsarbeit allen zu erwartenden Verkehrslasten gerecht werden wird und allen, die sich als anerkannte Fachleute um diesen Brückenbau bemüht haben, zur Ehre gereicht.

Dieser Brückenbau ist ein charakteristisches Beispiel der in Epochen sich ablösenden Geschichte der Technik unseres Landes. An die Stelle der zeitgerechten Brücke aus der Centralbahnwerkstätte Ing. Riggenbachs in Olten von 1871 ist eine, den neuesten Stand der Technik vertretende Brücke in Vorspannbeton als Zeuge einer die besten Eigenschaften der Baustoffe Stahl und Beton in neuer Kombination nutzenden Bauweise getreten.

donnèrent surtout la preuve d'une sécurité de fonctionnement totale. Le nouveau pont est capable de résister à autant de wagons que sa longueur peut contenir, moyennant une charge de 20 t par essieu.

Ces hommes nouveaux, avec des forces et des matériaux neufs, ont créé une œuvre qui sera adaptée à toutes les charges futures tout en nécessitant pratiquement aucun travail d'entretien. Ils ont mis à l'honneur tous les gens de métier reconnus qui ont contribué à ce projet.

La construction de ce pont est un exemple caractéristique de l'histoire de la technique de notre pays à travers des époques successives. L'actuel pont en béton précontraint, réalisation moderne d'un haut niveau technique, témoigne d'une nouvelle combinaison avantageuse de construction, réunissant les meilleures qualités de matériaux comme l'acier et le béton. On est bien loin du vieux pont des usines de la «Centralbahn» d'Olten, construit par l'ingénieur N. Riggenbach en 1871.

to the train service at all. On October 24 1958 load tests were carried out by assembling on it 7 of the railway's vehicles with a total weight of 115 tons. The result of the test proved the correctness of the static calculations as well as confirming the safety of the bridge for traffic purposes. The new viaduct is strong enough to bear the weight of as many vehicles with an axle weight of 20 tons as can be accommodated on it.

Here men of the new age with new resources and new materials have contributed to building a new structure which will be able to carry out all the demands that the future will make of it, which will require no more than superficial maintenance and which will stand as an honourable memorial to all those whose expertise brought about the realisation of this project.

The building of this bridge is characteristic of the history of Swiss technical evolution through the years. Where originally there stood what was then the last word in bridge building, the viaduct put together by Riggenbach in the Central Railway's workshops at Olten in 1871, there now stands a viaduct in prestressed concrete representing the latest achievement of modern technical prowess, testifying to the skill of the engineers and embodying the best refinements of steel and concrete in a new form.

Ersatz der Schiebebühnen durch Weichen

Die alten Schiebebühnen am Übergang von der Einspur in die Doppelspur in Freibergen und Rigi Kaltbad stellten an sich zweckmäßige, freilich viel Platz beanspruchende und für die Bedienung zeitraubende, im Winter gar umständliche, oft kaum zu verwendende, arbeitsaufwendige Einrichtungen dar. Um im Zuge der Rationalisierung des Bahnbetriebes einfachere Anlagen zu schaffen, mußten an die Stelle der Schiebebühnen dem Stand der Technik entsprechende Weichen treten.

Am 18. November 1959 konnte die Zahnstangenweiche in Freibergen und im Frühjahr 1961, nach Ausbau der alten Schiebebühne, die elektrisch betriebene

Remplacement des ponts mobiles par des aiguillages

Les anciens ponts mobiles situés aux jonctions constituaient un bon système pour passer de la voie simple à la voie double, à Freibergen et à Rigi Kaltbad. Ils occupaient cependant beaucoup de place et leur fonctionnement faisait perdre un temps considérable. En hiver, ils étaient compliqués et souvent difficiles à manœuvrer. Pour rationaliser l'exploitation du chemin de fer, il fallait des installations plus simples: on remplaça donc les ponts mobiles par des aiguillages conformes à une technique plus moderne.

On acheva l'aiguillage à crémaillère de Freibergen le 18 novembre 1959 et au printemps 1961, après avoir démonté les

Replacement of the traversers by points

The old traversers installed where the main single track had a second track running parallel to it between Freibergen and Rigi Kaltbad constituted an effective system for transferring trains, but took up considerable space; they were slow in operation, difficult and sometimes unworkable in winter, and required a lot of staff to operate them. With the aim of having a system which would be easier for the staff to work and to rationalise train operations generally, it was decided to install points to replace the traversers, to be operated with the most up-to-date control mechanism.

On November 18, 1959, points were installed at Freibergen and in the spring of 1961 at Rigi Kaltbad, both electrically

und entsprechend signalisierte Weichen-anlage mit kleinem Stellwerk auf Rigi Kaltbad dem Betrieb übergeben werden.

Krane und Kiesumschlag am See

Der Brand des Grand-Hotels auf Rigi Kaltbad vom 9. Februar 1961 führte nach Jahren der Prüfung von Bauprojekten zur Erstellung des neuen Hotelzentrums mit Hostellerie, Hallenbad und Apartmenthaus. Alle Baumaterialien sollten von der Rigibahn zugeführt werden. Um diese umfangreichen Transporte und den Umlad der bedeutenden Mengen an Baustoffen, Maschinen und Geräten von rund 23 000 t Gewicht möglichst rationell bewältigen zu können, entschloß sich die Bahn zur Aufstellung von Krananlagen, die noch heute ihre guten Dienste leisten.

Für den Güterumschlag vom Lastwagen auf die Bahn und umgekehrt wurde in Vitznau und Kaltbad je ein Bockkran für Lasten bis zu 6 t installiert. Dazu kam ein Zirkelkran für 2 t zum Umschlag von Kies und Sand vom Güterwagen auf die geleisenahe Baustelle oberhalb der Station Rigi Kaltbad.

So wurde auf dem Depotareal der VRB am See eine einfache Anlage erstellt. Mit einem Förderband kann das Schüttgut von den aus Flüelen eintreffenden Lastschiffen in einen über dem Gütergleis stehenden Silo (Inhalt 120 m³) und von dort durch Öffnen eines Schiebers direkt in die Güterwagen bzw. Container für den Transport auf den Berg entleert werden.

Der Kiesumschlagplatz der Rigibahn wird seither für die meisten Bauarbeiten auf unserem Hausberg eingesetzt, selbst wenn das Material ab Rigi Kaltbad nach Rigi First oder Rigi Scheidegg gebracht werden muß.

Der Stationsneubau Vitznau

Noch vor wenigen Jahren war das Stations- und Verwaltungsgebäude in Vitznau ein im Chaletstil erstellter wunderlicher Zeuge aus alter Zeit, an dem der Holzwurm nagte. Die Billette wurden

Grues et transbordement de gravier au bord du lac

A la suite de l'incendie du Grand-Hôtel Rigi Kaltbad le 9 février 1961, on se prononça, après des années d'examen de projets, pour la construction du nouveau centre hôtelier comprenant hôtellerie, piscine et maison à appartements. Il appartenait au «Rigibahn» d'acheminer tous ces matériaux de construction. Pour pouvoir rationaliser ces transports imposants et le transbordement d'énormes quantités de matériaux de construction, de machines et d'appareils, représentant environ 23 000 t, les responsables de la ligne décidèrent de construire des installations de grues qui sont encore en service aujourd'hui.

Pour le transbordement des camions sur les wagons, et l'inverse, Vitznau et Kaltbad furent chacune dotées d'une grue à chevalet d'une capacité de 6 t. A cela s'ajouta une grue pivotante de 2 t pour le transbordement du sable et du gravier des wagons de marchandises au chantier à proximité de la voie, au-dessus de la station Rigi Kaltbad.

Pour le transbordement des matériaux de construction de grand volume (sable, gravier, etc.) on construisit une installation toute simple sur le terrain de dépôt du VRB au bord du lac. Les marchandises en vrac arrivant de Flüelen sur des bateaux transporteurs sont déversées sur un tapis roulant jusque dans un silo vertical (contenu de 120 m³) se trouvant au-dessus de la voie de marchandise. Là, en ouvrant une coulisse, on fait passer le contenu directement dans les wagons de marchandises ou dans les containers destinés au transport vers l'amont.

La place de transbordement du gravier du Chemin de fer du Rigi est utilisée depuis lors pour la plupart des travaux de construction sur notre chère montagne, même quand il s'agit de transporter du matériel de Rigi Kaltbad vers Rigi First ou Rigi Scheidegg.

operated with the appropriate signalling, the whole electrically controlled from the little signal box at Rigi Kaltbad.

Cranes and gravel transfer by the lake

The fire which destroyed the Grand Hotel at Rigi Kaltbad on February 9, 1961, was followed by discussions lasting several years on various reconstruction projects for building the new hotel centre with guest quarters, covered swimming pool and an apartment block. All the necessary building materials would have to be conveyed by the Rigi Railway. In order to carry out the task as rapidly and cheaply as possible, involving a variety of goods and vast quantities of materials, machines and tools weighing in all some 23,000 tons, the management decided to build cranes at suitable locations which have continued to prove extremely useful.

To facilitate the transfer of freight from lorry to rail wagon and vice-versa, one gantry crane was installed at Vitznau and a second at Kaltbad, each with a lift of 6 tons. In addition a swivelling crane with a 2-ton lift was installed at the building site adjoining the tracks just above Rigi Kaltbad for the transfer of gravel and sand from the rail wagons.

In order to transfer the many different building materials (sand, gravel, etc.) a simple installation was set up on the VRB depot grounds by the lakeside. By means of a conveyor belt, the bulk goods carried on the cargo boats from Flüelen can be emptied into a silo (capacity 120 m³), which stands over the goods track. From there they can be deposited straight into a goods wagon or container by activating a slide, and can then be carried up the mountain.

To this day, the gravel transfer site of the Rigi Railway has been used for most of the construction work on our "local" mountain, even in cases where it is necessary to transport the materials from Rigi Kaltbad to Rigi First or Rigi Scheidegg.

durch ein schmales Fensterchen über eine kleine Marmorplatte direkt auf die Straße verkauft. Die Beamten arbeiteten in engen, unpraktischen Räumen, die Reisenden aber hatten Gelegenheit, in einem überdimensionierten «Bahnhofbuffet» eine Erfrischung einzunehmen. Nebenan mußte sich die Verwaltung zu ebener Erde mit zwei kleinen Büroräumen begnügen. Noch im Jahre 1953 war es Aufgabe des Stationspersonals, regelmäßig die nur über eine Leiter erreichbare Perronuhr aufzuziehen.

Nicht etwa der Wunsch nach Repräsentation, sondern vorab praktische Überlegungen verlangten dringend den Ersatz dieses Gebäudes durch einen den heutigen Anforderungen entsprechenden Neubau. Nach jahrelangen Vorstudien über Standort und Gestaltung eines solchen Bauwerkes entschloß sich der Verwaltungsrat im Zuge dringlicher Erneuerungsarbeiten zum Ersatz des veralteten, jetzt unpraktischen und baufälligen Gebäudes. Der Neubau sollte, auf drei Stockwerke verteilt, einen Dienst- und Ladentrakt mit Kiosk und Verkehrsbüro, einen Verwaltungstrakt im 1. Stock und einen Wohntrakt erhalten. In einem Zwischenstock sollten Nebenräume für die Ladengeschäfte und den Kiosk sowie ein Relaisraum für die Sicherungsanlagen und die Telefonzentrale der Bahn Platz finden.

Mit den Bauarbeiten konnte im Frühjahr 1967 begonnen werden. Der Bau wurde so angelegt, daß die spätere, schon damals vorgesehene Aufhebung des an den Perron anschließenden Niveauüberganges ohne weiteres möglich war. Im Sommer 1968 konnte das neue Gebäude dem Betrieb übergeben werden. Eine geräumige Wartehalle mit der Schalteranlage, das Stationsbüro mit Handgepäck- und Güterraum, das Personal- und ein Sanitätszimmer dienen heute dem Bahnbetrieb. Die Verwaltung verfügt im 1. Stock über eine Reihe zweckmäßiger Büro- und Archivräume. Im zweiten Stock sind neben einer Dienstwohnung mehrere Apartmentzimmer für bahneigene Mitarbeiter und Feriengäste sowie einige Nebenräume zu finden.

La station neuve de Vitznau

Il y a quelques années encore, le bâtiment servant de station et abritant l'administration était une petite curiosité dans le style vieux chalet qui devenait vermoulu. On vendait les billets sur une petite plaque de marbre, à travers un étroit guichet qui donnait directement sur la rue. Les employés devaient se contenter de pièces exiguës et peu pratiques, pendant que les voyageurs se rafraîchissaient dans un «buffet de gare» surdimensionné. L'administration avait pour elle deux petites pièces juste à côté. Jusqu'en 1953, le personnel juché sur une échelle avait encore la tâche de remonter régulièrement l'horloge de la station.

Ce n'était pas pour des questions de prestige mais d'abord pour des raisons pratiques qu'il fallait absolument remplacer cet immeuble par une construction satisfaisant aux exigences actuelles. Après avoir étudié pendant de nombreuses années des projets concernant le site et la conception du nouveau bâtiment et considérant ces rénovations comme urgentes, le conseil d'administration vota le remplacement de l'ancienne bâtisse devenue délabrée et peu pratique. Le nouvel édifice devait comprendre trois étages: un étage pour les services avec magasins, kiosque et bureau d'information, un autre pour l'administration et enfin un dernier pour l'habitation. Un étage intermédiaire abriterait des locaux d'entreposage pour les magasins et le kiosque, ainsi qu'un relais pour l'installation de sécurité du chemin de fer et la centrale téléphonique.

La construction put commencer au printemps 1967. Le site de l'édifice fut choisi de façon à rendre possible la suppression future et déjà prévue à ce moment-là du passage à niveau attenant au quai. Le nouveau bâtiment fut mis en service en été 1968. L'exploitation de la ligne dispose maintenant d'une salle d'attente spacieuse avec guichets, d'un bureau de station avec des locaux pour les bagages et les marchandises et d'autres pièces réservées au personnel et à l'infirmerie. Au premier étage, l'administration a à sa disposition une suite de bureaux et de locaux d'archives appropriés. Au se-

The new station at Vitznau

Up till a few years ago the station and buildings at Vitznau, which also accommodated the railway management staff, consisted of a curiously-designed chalet built in the old traditional style but which was suffering from attacks by woodworm. Tickets were sold through a tiny window across a small marble slab directly to the passengers standing in the roadway. Staff had to work in cramped, awkwardly shaped offices, while passengers had at their disposal a spacious "station buffet" where they could refresh themselves. At the side the manager and his staff sat in ground floor offices consisting of two small rooms. Even as late as 1953, one of the regular duties of the staff was to climb up a ladder to wind the station clock.

It was not so much any ambitious ideas of grandeur but above all practical considerations which made it urgent to have this building replaced by new accommodation which would meet modern requirements. After studying the question for some years as to where the site and what the design of the new building should be, the management decided to go ahead with the urgently required reconstruction of the ancient, impracticable and decaying structure. The new building consists of three floors, a service and shopping area with kiosk and local tourist information office, an administrative area on the first floor and living quarters on the second. A mezzanine floor provides room for storage space for the benefit of the shops and kiosk as well as a relay room for the switchgear of the railway's electricity supply and the telephone exchange.

Work began in the spring of 1967. The building was designed in such a way that the planned elimination of the level crossing could be carried out without further disturbance, although the public road ran across the tracks at the end of the platform. In the summer of 1968, the new building was ready for occupation. A comfortable waiting room with booking office, station staff room, baggage and freight store and a first-aid room are now available for the railway and its cus-

Die Aufhebung des Kantonsstraßenübergangs in Vitznau

Seit der Aufnahme des Bahnbetriebes am 23. Mai 1871 kreuzten die aus- und einfahrenden Züge unmittelbar bei der Station den durch eine Barriere gesicherten Übergang über die Kantonsstraße (Alpenstraße A 127 – Zugang zum Gotthard). Mochte diese Kreuzung im letzten Jahrhundert nicht weiter lästig fallen, so mußte nun doch mit der Zunahme des Bahn- und Straßenverkehrs der sich immer häufiger senkende Schlagbaum der Barriere in Vitznau zu einem starken Hemmnis für den sich noch mehr als die Zahl der Züge vermehrenden Strom der Automobile werden. Dies und die Enge der Verhältnisse auf dem Stationsareal ließen schon lange den Wunsch aufkommen, die Ausfahrt aus der Station unter die Straße zu verlegen und damit gleichzeitig Gelegenheit für die Anlage eines zweiten Stationsgleises mit einem Zwischenperron zu schaffen. Eine Aussprache der Bahnverwaltung mit Behördevertretern der zuständigen Bundesämter, des Kantons und der Gemeinde führte zur Überzeugung, daß im Zusammenhang mit dem Stationsneubau zugleich die Beseitigung des Niveauüberganges vorzunehmen sei. Der Entschluß zur Durchführung einer solchen, immerhin einen Aufwand von 1,5 Millionen Franken bedingenden baulichen Maßnahme wurde erleichtert durch die Zusicherung von Beiträgen der öffentlichen Hand.

Mit den Arbeiten konnte im Herbst 1968 begonnen werden. Während der Bauzeit wurden ein provisorisches Stationsbüro mit Billettausgabe und eine kleine Wagenhalle (Zeltbau) beim Hotel «Kreuz» im Oberdorf eingerichtet. Die von einem Konsortium von drei anerkannten Baufirmen ausgeführten Arbeiten wurden im wesentlichen im Frühjahr 1969 zum Abschluß gebracht.

Ein zweites Stationsgleis mit Zwischenperron erleichtert heute den Bahnbetrieb, können doch auf einem Gleis drei Züge zur Bergfahrt bereitgestellt und auf dem zweiten drei von der Rigi zurückkommende Kompositionen aufgenommen werden.

cond, outre un appartement réservé au personnel, se trouvent plusieurs appartements pour collaborateurs et vacanciers ainsi que d'autres locaux.

La suppression du passage à niveau croisant la route cantonale à Vitznau

Depuis l'entrée en service de la ligne le 23 mai 1871, les trains montants et descendants traversaient tout près de la station un passage à niveau protégé par une barrière, croisant la route cantonale menant au Gothard (Alpenstrasse A127). Si au siècle dernier le croisement pouvait bien se tolérer, il devint néanmoins un obstacle très gênant avec l'augmentation du trafic ferroviaire et routier. La barrière mobile entravait avant tout le flot croissant des automobiles. Ceci, ajouté à l'exiguïté de l'aire de la station, militait depuis longtemps en faveur d'un déplacement de la sortie de la station sous la route, avec la pose d'une seconde voie d'arrêt pour un perron intermédiaire. Il ressortit des discussions de l'administration du chemin de fer avec les représentants habilités de la Confédération, du canton et de la commune que la suppression du passage à niveau devait aller de pair avec l'édification du nouveau bâtiment. La décision d'entreprendre ces travaux, dont le devis s'élevait tout de même à 1,5 million de francs, fut facilitée par l'assurance d'une contribution des pouvoirs publics.

Le chantier s'ouvrit en automne 1968. Pendant la durée des travaux, on installa un bureau de station provisoire avec vente des billets et hangar à véhicules (tentes) dans le haut du village à proximité de l'Hôtel Kreuz. Le gros-œuvre réalisé par un consortium de trois entreprises de construction connues fut achevé dans son ensemble au printemps 1969.

Aujourd'hui, la seconde voie avec perron intermédiaire contribue grandement à l'allégement du trafic, chaque voie pouvant accueillir simultanément trois convois montants sur l'une, descendants sur l'autre.

tomers. The manager and his staff are located on the first floor with a number of rooms for office and filing accommodation. On the second floor, besides official quarters for the railway staff, there are small apartments for letting to co-worker, tourists and some ancillary rooms.

Eliminating the level crossing at Vitznau

From the time when the railway was opened on May 23, 1871, trains arriving or departing had to cross the Cantonal high road immediately in front of the station platform. The road formed part of the main route across the Alps via the Gotthard pass and was protected by lifting barriers. While this did not present any considerable obstruction during the previous century, the growing amount of traffic passing by both rail and road and the consequently longer periods when the barriers were closed caused the crossing to become an increasingly irksome hindrance. This situation, coupled with the cramped conditions on the station premises themselves, led to plans being drawn up whereby trains departing from Vitznau would pass beneath the roadway and at the same time a second track and an additional platform to accommodate the trains would be provided. Discussions between the railway management and representatives of the local, Cantonal and Federal authorities confirmed that the reconstruction of the station tracks should be carried out simultaneously with the re-location of the road and the elimination of the level crossing. This decision was supported by a handsome grant from public funds to cover the estimated expenditure of 1½ million francs required to enable the work to be carried out.

A start was made in the autumn of 1968. While the re-building was going on, a temporary wooden hut was erected for the station and booking offices and a tent provided cover for trains near the Hotel "Kreuz" in the Oberdorf. Three contractors were engaged and the re-building was completed in the spring of the following year, except for a few small items.

Das Rollmaterial

Dampfbetrieb

Die ersten Dampflokomotiven mit stehendem Kessel aus der Frühzeit der Rigi-Bahn wurden in der von Ing. N. Riggenbach geleiteten Centralbahnwerkstätte in Olten gebaut. Die drei 1870/71 in Dienst gestellten Lokomotiven trugen die Namen «Stadt Luzern», «Stadt Basel» und «Stadt Bern», eine Ehrung der Städte, die sich bei der Gründung des Unternehmens verdient gemacht hatten. Die weiteren drei unbenannten Lokomotiven Nrn. 4, 5 und 6 der gleichen Bauart folgten 1872 und 1873 (sie kosteten je Fr. 29 500.–). Die Kessel dieser Lokomotiven wurden, wie bei der Mount-Washington-Bahn, senkrecht gestellt, um bei der Fahrt möglichst geringe Schwankungen des Wasserstandes zu garantieren.

Zur Fortbewegung wurde die Dampfkraft ausschließlich auf das in die Zahnstangen eingreifende Triebzahnrad übertragen. Die Laufräder dienten nur zur Abstützung und Führung des Fahrzeuges. Die bei einem Dampfdruck von 10 bis 12 atü erzeugte Kraft von 170 PS genügte, um zwei kleine oder einen großen Personenwagen bergan zu schieben. Zur Verfügung standen drei große Personenwagen für je 54 Reisende und zwei kleinere für je 30 Personen. Die offenen Seitenwände gestatteten einen ungehinderten Blick auf die herrliche Voralpenlandschaft und den See der Vierwaldstätte. Vorhänge dienten zum Schutze bei Regen, Wind, Schneefall oder starker Sonnenbestrahlung. Für Materialtransporte standen vorerst drei Güterwagen mit je 10 t Tragkraft im Einsatz.

Die erfreuliche Verkehrssteigerung der ersten Jahre führte zur Bestellung von vier weiteren Lokomotiven (Nrn. 7–10), diesmal bei der eben gegründeten Schweizerischen Lokomotiv- und Maschinenfabrik in Winterthur; Preis je Fr. 39 000.–. Sie gelangten im Sommer 1873 zur Ablieferung.

Kleine Kinderkrankheiten, die sich auch hier zeigten, bedingten, der notwendigen Reparaturen und Verbesserungen wegen, immer wieder Nachtarbeit des

Matériel roulant

Fonctionnement à la vapeur

Les premières locomotives à chaudière verticale des premiers temps du «Rigibahn» furent construites dans les usines de la «Centralbahn» dirigées par N. Riggenbach, à Olten. Les trois locomotives mises en service en 1870/71 s'appelaient «Ville de Lucerne», «Ville de Bâle» et «Ville de Berne», en honneur aux villes qui avaient contribué à la fondation du chemin de fer. Les trois locomotives suivantes, les Nos 4, 5 et 6 ne furent pas baptisées. Elles étaient du même modèle et suivirent en 1872 et en 1873, au prix de fr. 29 500.– chacune. La chaudière de ces locomotives était disposée verticalement, prenant exemple sur celles du Chemin de fer du mont Washington, afin de réduire au minimum les variations de niveau de l'eau pendant la marche du train.

La force motrice fournie par la vapeur était exclusivement transmise à la roue dentée s'engrenant sur la crémaillère. Les roues porteuses ne servaient qu'au soutien et à la conduite du véhicule. La force produite par une pression de vapeur de 10 à 11 atmosphères atteignait 170 CV et suffisait à mouvoir deux petits ou un grand wagon de voyageurs vers l'amont. On disposait de trois grands wagons à 54 places chacun et deux petits à 30 places. Les parois latérales ouvertes offraient une vue imprenable sur les Préalpes majestueuses et le lac des Quatre-Cantons. Des rideaux servaient de protection contre la pluie, le vent, la neige et un soleil trop brûlant. Pour le transport des marchandises il y avait au début trois wagons d'une capacité de 10 t chacun.

L'heureux développement du trafic dans les premières années permit la commande de quatre autres locomotives (Nos 7–10) au prix de fr. 39 000.– chacune, provenant cette fois de la Fabrique Suisse de Locomotives et de Machines à peine fondée à Winterthour. Elles furent livrées en été 1873.

Le train connut aussi les petites maladies de l'enfance, obligeant de plus en plus souvent le personnel à exécuter de nuit les réparations et améliorations né-

A second station track with an island platform has now made train operation very much easier, as one track can now accommodate up to three trains at once for the ascent and the second can also accommodate up to three trains as they arrive from the Rigi Kulm.

Rolling Stock

Steam traction

The first locomotives with vertical boiler dating from the earliest years of the Rigi Railway were built by Riggenbach in the Olten workshops. The three placed in service in 1870–1871 bore the names "Stadt Luzern", "Stadt Basel" and "Stadt Bern" as recognition of the three cities which had played such an important part in the founding of the railway undertaking. Three further unnamed locomotives, Nos. 4, 5 and 6 built to the same design, each of them costing 29,500 francs, followed in 1872 and in 1873. The boilers of these locomoties were fitted in a vertical positon, as was also the case on the Mount Washington railway, in order to avoid as far as possible any great difference in the water level during their journeys up or down the line.

The tractive effort was directed exclusively through the toothed driving wheel which engaged with the metal rungs of the rack rail. The running wheels served solely to give additional support and to guide the locomotive along the rails. With a steam pressure of 10 to 11 atmospheres, the locomotives developed 170 hp which was sufficient to push two small or one large passenger vehicle uphill. There were three large passenger coaches each carrying 54 passengers and two small ones, each carrying 30. Their open sides gave an uninterrupted view of the breath-taking Alpine landscape und the waters of Lake Lucerne. Curtains were provided to give protection against rain, wind, snow or abnormally strong sunshine. To convey supplies there were at first three goods wagons each with a capacity of 10 tons.

The satisfactory growth in traffic during the first years led to four more locomotives being ordered (Nos. 7–10), this

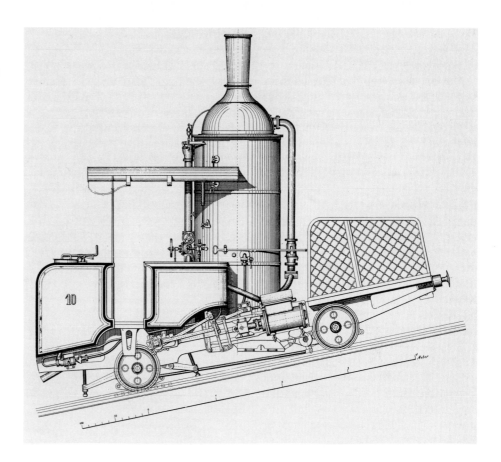

Dampflokomotive mit stehendem Kessel, Seiten-
ansicht. Maschinen Nrn. 1–10 (1870–1873).

Locomotive à vapeur avec chaudière verticale, vue
de côté. Machines Nos 1–10 (1870–1873).

Steam locomotive with vertical boiler, side view.
Engines Nos. 1–10 (1870–1873).

Personals. Wohl hatten die Stehkessel ihre Vorteile; für die innere Kontrolle, und die Reinigung waren sie aber nur schwer zugänglich. Die ungleiche Belastung der beiden Achsen führte außerdem zu ungünstigen Bremswirkungen.

Riggenbachs «Schnapsbrennereien» – so wurden diese zehn Lokomotiven damals humorvoll bezeichnet – wurden in den Jahren 1882 bis 1892 mit einem Kostenaufwand von je Fr. 9000.– bis Fr. 10 000.– sukzessive in solche mit einem liegenden Kessel umgebaut. Damit konnten eine günstigere Lastenverteilung, ein ruhigerer Gang, aber auch eine bessere Zugänglichkeit für die Reinigungs- und Instandstellungsarbeiten erreicht werden. Auf das bisher bei der Lokomotive vorhandene Gepäckabteil mußte nun verzichtet und dieses in die Personenwagen verlegt werden. Mit diesem Kesselumbau stieg der Kohlenverbrauch pro Zugskilometer von 26,8 auf

cessaires. Il est clair que les chaudières verticales avaient leurs avantages, mais elles étaient malheureusement d'un accès difficile pour les contrôles intérieurs et le nettoyage. La répartition inégale des charges sur les essieux diminuait en outre les performances du freinage.

Entre 1882 et 1892, les «distilleries de schnaps» de Riggenbach comme on appelait avec humour ces dix locomotives, furent successivement converties à la chaudière horizontale au prix de fr. 9000.– à fr. 10 000.– chacune. On améliora ainsi la répartition des charges, la tranquillité de la marche, de même que l'accès pour les travaux de nettoyage et de réparation. On dut aussi renoncer à la plate-forme des bagages qui se trouvait sur la locomotive et la placer sur les voitures à passagers. Ce changement de position de la chaudière fit monter la consommation de charbon par km-train de 26,8 à 28,7 kg. Le poids en ordre de

time from the newly-opened works of the Swiss Locomotive and Machine Company (SLM) of Winterthur. Each of them cost 39,000 francs and were delivered in the summer of 1878.

Minor teething troubles which arose with these engines required the staff to carry out the repairs on more and more occasions during the night hours. The vertical boilers had their advantages, but it was very difficult to have access to the interior for examining and cleaning purposes. The uneven loading of the two axles also led to inferior working of the brakes.

Riggenbach's "distilleries", as these ten locomotives were humorously referred to in those days, were gradually re-built with a horizontal boiler between 1882 and 1892, each re-build costing between 9000 and 10,000 francs. This gave a more even weight distribution, quieter running and also better access for clean-

47

28,7 kg. Das Dienstgewicht der ersten zehn Lokomotiven betrug 12,5 bis 18 t.

Schon bald wurden die Bremsen stark verbessert. Größere Sicherheit brachte der Umbau der Kurbelachsbremse von einer Schraubenbremse in eine besser wirkende Bandbremse mit Hebelzug. Die Dampfbremse erlaubte, bei Überschreiten einer gewissen, einstellbaren Geschwindigkeit den Zug automatisch zum Stillstand zu bringen. Auf den Führerständen wurden nun auch Geschwindigkeitsmesser angebracht. Es ist ein besonderes Verdienst des engen Mitarbeiters Ing. Riggenbachs und ersten Maschinenmeisters der Rigibahn in den Jahren 1870 bis 1906, Gottfried Braun, an diesen Lokomotiven maßgebende Verbesserungen, vor allem auch bei den Bremsen, angebracht zu haben.

Seit 1895, in einer Zeit also, in der die Begriffe Lärmbekämpfung und Umweltverschmutzung noch wenig Inhalt hatten, versuchte man der Rauchplage mit Erfolg durch Anbringen von Rauchverbrennern nach Patent Ing. Langer beizukommen.

Die stete Zunahme des Reisendenstromes führte in der Folge zu weiteren Lokomotivanschaffungen. Kurz vor der Jahrhundertwende, im August 1899, gelangte die Lokomotive Nr. 11 zum Einsatz (Kosten Fr. 37 000.–). Diese Maschine hat sich sehr bewährt. Wenn auch der Kohlenverbrauch anstieg, so war doch die größere Leistung erwünscht und entscheidend. Ein weiteres Triebfahrzeug gleicher Art wurde als Lokomotive Nr. 12 im Jahre 1901 in Auftrag gegeben (Dienstgewicht 19,2 t). Eine Lokomotive mit der «ominösen» Zahl 13 besaß die Bahn nie. Die Lokomotive Nr. 14 war eine bei der Elektrifikation der Arth–Rigi-Bahn im Jahre 1908 bei diesem Schwesterunternehmen frei gewordene Dampflokomotive. Sie wurde 1917 an eine ausländische Bahn verkauft. Kurz vor dem Ersten Weltkrieg ist die Lokomotive Nr. 15 als leistungsfähige Maschine mit zwei Triebzahnrädern und einem Dienstgewicht von 23 t in Betrieb genommen worden. Sie konnte zwei große Personenwagen mit rund 120 Reisenden befördern. Das Gewicht eines

service de ces dix premières locomotives oscillait entre 16,6 et 17,6 t.

Les freins furent bientôt sérieusement améliorés. On apporta une plus grande sécurité en remplaçant les freins à vis actionnés par des manivelles par des freins à collier commandés à l'aide d'un levier. Le frein à vapeur permettait d'immobiliser le convoi automatiquement, aussitôt que le train dépassait une certaine vitesse réglée à l'avance. On installa également des compteurs à vitesse au poste de pilotage.

Dès 1895, en un temps où la lutte contre le bruit et la pollution de l'environnement ne constituaient pas encore un sujet de préoccupation, on réussit à éliminer le nuage de fumée avec les appareils fumivores brevetés de l'ingénieur Langer.

L'accroissement constant du flot des voyageurs conduisit à l'acquisition de nouvelles locomotives. La locomotive No 11 (prix fr. 37 000.–) entra en service peu avant le début de notre siècle, en 1899. Cette machine a largement fait ses preuves. Bien que sa consommation de charbon fût plus élevée, les performances désirées furent supérieures et déterminantes. Une seconde voiture motrice de ce genre fut introduite en 1901, la locomotive No 12 (poids en fonctionnement, 19,2 t). Le chemin de fer ne posséda jamais une locomotive portant le chiffre augural 13. La locomotive No 14 avait été libérée en 1908 par l'entreprise sœur, l'«Arth–Rigi-Bahn», lors de son électrification. En 1917, elle fut vendue à un chemin de fer étranger. Peu avant la première guerre mondiale arriva la locomotive No 15, une machine de grande puissance à deux roues d'engrenage motrices et d'un poids de service de 23 t. Elle suffisait à la traction de deux grands wagons chargés d'environ 120 personnes. A cette époque, un train pesait de 27 à 43 t.

Le parc des voitures de passagers et de marchandises s'agrandit parallèlement à l'acquisition des nouvelles machines. A son jubilé de 1921, le «Rigibahn» disposait de 860 places assises. En 1971, il y en avait 1060.

Les voitures que la locomotive pousse

ing and repair work. The baggage compartment which formed part of these early locomotives now had to be transferred to the passenger vehicles instead. The re-positioning of the boiler also led to the average coal consumption per train-kilometre being increased from 26.8 to 28.7 kg. The weight in working order of the first ten locomotives was between 16.6 and 17.6 tons.

Quite early on better braking was provided. Safety was improved when the crankshaft and screw brake were replaced by a drum brake worked by a hand lever. The steam brake permitted a form of automatic braking whereby once adjustment had been made to give a desired speed limit, the brakes were automatically applied if this speed was exceeded. At the same time speedometers were installed on the driver's footplate panel. It was due to the interest of a close collaborator of Riggenbach's, Gottfried Braun, who became the first mechanical engineer of the Rigi Railway from 1870 until 1906, that many improvements were made to the locomotives and most particularly to the braking mechanism.

Since 1895, a period when the terms noise abatement and environment pollution had hardly been heard of, successful efforts were made to reduce the disagreeable smoke nuisance by application of the smoke-consuming system devised by the engineer Langer, who patented it.

The continued increase in the number of passengers using the railway led to more locomotives being acquired. Shortly before the end of last century, in August 1899, locomotive No. 11 (cost 37,000 francs) was placed in service. This machine did wonderful work. Although coal consumption increased, the greater power obtained was both desirable and effective. Another engine of the same type was ordered in 1901 and became No. 12 with a weight of 19.8 tons. Locomotive No. 14 was a machine taken over from the Arth–Rigi Railway when the latter was electrified in 1908. In 1917 it was sold abroad to another railway. Shortly before World War I, locomotive No. 15 was acquired with an improved power out-

Die Dampflokomotiven der Vitznau-Rigi-Bahn
Les locomotives à vapeur du «Vitznau-Rigi-Bahn» 1870–1937
Vitznau-Rigi Railway-Steam locomotives

Nach Ing. O. Welti

Nr./No	Baujahr / Année de Construction / Built (Year)	Fabrik / Fabrique / Makers	Fabrik Nr. / No de fabrique / Factory No.	Umbaujahr / Année de transformation / Rebuilt Year	Triebrad Ø mm / Roue motrice Ø mm / Driving wheel diameter mm	Radstand mm / Empattement mm / Wheelbase mm	Zylinder / Cylindres / Cylinders		Heizfläche m² / Surface de chauffage / Heating surface sq. metres	Rostfläche m² / Aire de grille / Grate area sq. metres	Dampfdruck atü / Pression de vapeur / Steam Pressure (atm)	Leistung PS / Puissance CV / Output HP	Dienstgewicht t / Poids en service / Weight (in working order) tons	V max / km/h⁴ / Max. Speed km/h⁴	Ausrangiert / Mise hors service / Taken out of service
							Kolben Ø mm / Piston Ø mm / Piston Diameter mm	Hub mm / Course mm / Stroke mm							
1	1870	SCB Olten	17		684	3000	270	400	39,5	0,90	10	170	12,5	6	
				1882 RB	637	3000	270	400	48,0	1,00	10	170	17,6	6	1914
2	1870	SCB Olten	18		684	3000	270	400	39,5	0,90	10	170	12,5	6	
				1883 RB	637	3000	270	400	48,0	1,00	10	170	17,6	6	1932
3	1871	SCB Olten	19		684	3000	270	400	39,5	0,90	10	170	12,5	6	
				1884 RB	637	3000	270	400	46,7	0,93	10	170	17,6	6	1932
4	1872	SCB Olten	21		684	3000	270	400	58,4	0,90	10	170	14,7	6	
				1886 RB	637	3000	270	400	42,0	0,83	10	170	16,4	6	1937
5	1872	SCB Olten	22		684	3000	270	400	58,4	0,90	10	170	14,7	6	
				1886 RB	637	3000	270	400	42,0	0,83	10	170	16,4	6	
				1911 RB	637	3000	290	400	46,2	0,93	12	250	18,0	7,5	1937
6	1873	SCB Olten	23		684	3000	270	400	58,4	0,90	10	170	14,7	6	
				1891 RB	637	3000	270	400	43,1	0,83	10	170	16,8	6	1923
7	1873	SLM Winterthur	1		684	3000	270	400	58,4	0,90	10	170	15,1	6	
				1892 RB	637	3000	270	400	43,1	0,83	10	170	16,8	6	1937³
8	1873	SLM Winterthur	2		684	3000	270	400	58,4	0,90	10	170	15,1	6	
				1892 RB	637	3000	270	400	43,1	0,83	10	170	16,8	6	1937
9	1873	SLM Winterthur	3		684	3000	270	400	58,4	0,90	10	170	15,1	6	
				1891 RB	637	3000	270	400	43,1	0,83	10	170	16,8	6	1937
10	1873	SLM Winterthur	4		684	3000	270	400	58,4	0,90	10	170	15,1	6	
				1888 RB	637	3000	270	400	42,5	0,78	10	170	16,6	6	1937
11	1899	SLM Winterthur	1210		891	2900	290	450	47,3	0,93	10	250	19,2	7,5	
				1919 RB	891	2900	290	450	53,1	0,93	11	250	19,4	7,5	1938
12	1902	SLM Winterthur	1415		891	2900	290	450	47,3	0,93	10	250	19,2	7,5	
				1912 RB	891	2900	290	450	46,2	0,93	12	250	19,3	7,5	1946
14¹	1875	IGB Aarau	2		1050	3000	300	500	48,5	1,04	10	170	17,7	8,0	
				1901 ARB	1050	3000	320	500	48,5	1,04	10	200	17,7	7,5	1917²
15	1913	SLM Winterthur	2352	–	744	4200	340	450	53,8	0,93	12	500	23,1	9,0	1941
16	1923	SLM Winterthur	2871	–	744	4200	340	450	54,0	0,93	13	500	24,3	9,0	
17	1925	SLM Winterthur	3043	–	744	4200	340	450	54,0	0,93	13	500	24,3	9,0	

¹Von ARB übernommen 1908 (ex ARB Nr. 2) / Reprise de ARB en 1908 (ex ARB No 2) / Acquired from ARB 1908 (formerly ARB No. 2).
²Verkauft an Schwabenbergbahn, Budapest / Vendue au Chemin de fer du Schwabenberg, Budapest / Sold to Schwabenberg Railway, Budapest.
³Im Verkehrshaus der Schweiz, Luzern, aufgestellt / Exposée au Musée des Communications, Lucerne / On show in the Verkehrshaus der Schweiz, Lucerne.
⁴Zugelassene Höchstgeschwindigkeit ab: / Vitesse maximale tolérée depuis: / Maximum permitted speed: 1897: 7 km/h / 1898: 7,5 km/h / 1926: 9,0 km/h.

Zuges betrug zu jener Zeit etwa 27 bis 43 t.

Parallel mit der Anschaffung neuer Dampflokomotiven wurde auch der Park an Personen- und Güterwagen erweitert. Zur Zeit des 50-Jahr-Jubiläums der Bahn

devant elle ne lui sont pas accouplées. Chaque voiture a son propre freineur et peut donc être arrêtée séparément. A la descente, la vitesse est réglée par air comprimée produit par la locomotive.

En 1913, deux machines furent munies

put, fitted with two toothed wheels and weighing 23 tons. It was able to push two large passenger coaches with 120 passengers. The total weight of the train at that time was between 27 and 43 tons.

While new locomotives were being

im Jahre 1921 verfügte die Rigibahn über ein Angebot von 860 Sitzplätzen. Im Jahre 1971 waren es 1060 Sitzplätze.

Die von der Lokomotive vor sich her geschobenen Wagen werden nicht mit dem Triebfahrzeug gekuppelt. Die Vorstellwagen sind mit je einem Bremser besetzt, der jedes Fahrzeug für sich einzeln abbremsen und zum Stehen bringen kann. Bei der Talfahrt wird die Geschwindigkeit des Zuges durch Luftkompression der Lokomotive geregelt.

Im Jahre 1913 wurden bei zwei Maschinen Überhitzer eingebaut, die eine Kohlenersparnis bis zu 40% ermöglichten.

Die letzten, noch heute in Betrieb stehenden Dampflokomotiven wurden von der Schweizerischen Lokomotiv- und Maschinenfabrik in Winterthur im Jahre 1923 (Nr. 16) und 1925 (Nr. 17) geliefert. Diese beiden in den Jahren 1969 bis 1971 in der bahneigenen Werkstätte tadellos instand gestellten Lokomotiven stehen immer wieder für den Spitzenverkehr und für Sonderfahrten (Hochzeiten, Familienausflüge, Gesellschaftsfahrten) im Einsatz. Sie sind Relikte aus einer längst vergangenen Zeit. Als gesuchte Sujets für Filmer, Photographen und Tonjäger wurden sie vor allem im Jubiläumsjahr 1971 vielfach zu bleibender Erinnerung auf Film und Tonband gebannt. Mit ihrem historischen Nimbus strahlen sie für die Bahn in einer Zeit aussterbender Dampfromantik eine besondere Werbekraft aus. Die letzte überhaupt noch vorhandene Lokomotive mit stehendem Kessel aus der Zeit Ing. N. Riggenbachs – zugleich die erste Dampflokomotive der Schweizerischen Lokomotiv- und Maschinenfabrik in Winterthur aus dem Jahre 1873 – kann im Verkehrshaus der Schweiz in Luzern bewundert werden.

Das Geheimnis der großen Sicherheit des Bahnbetriebes liegt nicht zuletzt in der äußersten Sorgfalt, mit der Gleise und Fahrzeuge dauernd überwacht, kontrolliert und unterhalten werden.

de surchauffeurs, ce qui permit une économie de charbon allant jusqu'à 40%.

Les dernières locomotives à vapeur encore en fonction aujourd'hui ont été livrées par la Fabrique Suisse de Locomotives et de Machines de Winterthour en 1923 (No 16) et en 1925 (No 17). Toutes deux furent soigneusement remises en service de 1969 à 1971 dans les propres ateliers du chemin de fer. Elles servent encore de temps en temps aux heures de pointe et pour les occasions spéciales (mariages, excursions de famille ou d'entreprise). Ce sont les reliques d'un temps déjà bien lointain. Leur souvenir s'est inscrit sur de nombreux films et bandes magnétiques, les chasseurs de sons et d'images en ayant fait leur sujet favori pendant l'année jubilaire 1971. A l'heure où le romantisme de la vapeur se meurt, leurs volutes de fumée historiques constituent une valeur publicitaire spéciale pour le chemin de fer. La toute dernière survivante des locomotives à chaudière verticale datant de l'époque de N. Riggenbach, qui est en même temps la première à être sortie des usines de la Fabrique Suisse de Locomotives et de Machines à Winterthour en 1873, peut être admirée au Musée des transports à Lucerne.

Le secret de la grande sécurité du rail réside finalement dans le soin consciencieux avec lequel on surveille, contrôle et entretient sans trêve la voie et les voitures.

acquired, additional passenger vehicles and goods wagons were also brought into service. At the time of the golden jubilee of the railway in 1921, the Rigi Railway had vehicles with a total capacity of 860 seated passengers, whereas by 1971 this had grown to 1060 seats.

Passenger vehicles propelled up the gradient are not coupled to the locomotive. Each of the wagons being pushed has a brakesman who is able to apply the brakes on his vehicle independently and bring it to a halt. When descending, the speed is regulated by the locomotive by means of compressed air.

In 1913 two locomotives were fitted with superheaters which gave a saving in coal consumption of up to 40 per cent.

The last steam locomotives which are still in working order at the present time were ordered in 1923 (No. 16) and 1925 (No. 17) from the SLM in Winterthur. Both of these, completely overhauled in the railway's workshops and restored to their original glory, are kept available partly to relieve regular work on peak days of travel but also for special occasions such as weddings, family outings and private parties. They are relics from a bygone age. In the Centenary Year of 1971 they were much sought-after objects of interest to enthusiasts armed with cine-camera, camera and tape-recorder, who have registered them permanently on screen and tape. With their strong publicity appeal, they continue to exert their historic fascination dating from the heyday of the railway age from which the steam engine is rapidly disappearing. The last locomotive with a vertical boiler from Riggenbach's time – and at the same time the first locomotive to be built by the SLM in Winterthur – dates from 1873 and can be admired in the Swiss Transport Museum in Lucerne.

The secret of the excellent safety record of the railway is, in the last resort, due to the painstaking care which is taken to ensure meticulous inspection of track and reliable maintenance of rolling stock.

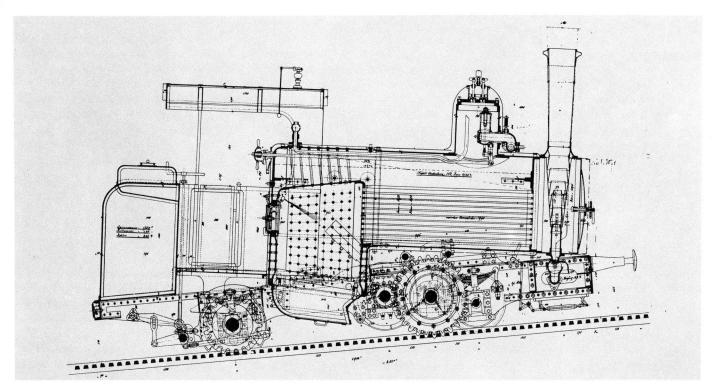

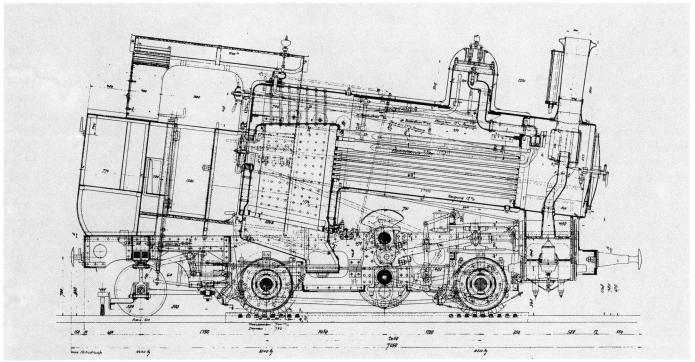

Dampflokomotive mit liegendem Kessel, Längs-
schnitt. Maschinen Nrn. 11 und 12 (1899–1902).

Dampflokomotive mit liegendem Kessel, Längs-
schnitt. Maschinen Nrn. 15–17 (1913, 1923, 1925).

Locomotive à vapeur avec chaudière horizontale,
coupe longitudinale. Machines Nos 11 et 12
(1899–1902).

Locomotive à vapeur avec chaudière horizontale,
coupe longitudinale. Machines Nos 15–17 (1913,
1923, 1925).

Steam locomotive with horizontal boiler, longi-
tudinal section. Engines Nos. 11 and 12 (1899–1902).

Steam locomotive with horizontal boiler, longi-
tudinal section. Engines Nos. 15–17 (1913, 1923,
1925).

Elektrischer Betrieb

Die Triebwagen Nrn. 1–4. Wohl war die Vitznau-Rigi-Bahn die erste «kletternde» Dampfzahnradbahn des Landes. Der Übergang zum elektrischen Betrieb erfolgte bei der VRB dann freilich recht spät, nämlich erst im Jahre 1937, also kurz vor dem Zweiten Weltkrieg. In jener Zeit wurden auch andere Bergbahnen wie die Pilatusbahn (Mai 1937) und wenig später die Rochers-de-Naye-Bahn (Juli 1938) elektrifiziert.

Anläßlich der Betriebsumstellung wurden drei moderne Triebwagen der Serie Beh 2/4 Nrn. 1–3 mit einem Fassungsvermögen von je 80 Personen in Betrieb genommen. Ein in selbsttragender Stahlkonstruktion erstellter Wagenkasten ruht auf zwei Drehgestellen. Bergseitig ist das mit zwei Tatzenlager-Triebmotoren von zusammen 450 PS Leistung und der mechanischen Bremsausrüstung versehene Triebdrehgestell angeordnet. Auf der Talseite befindet sich ein leichtes Laufdrehgestell.

Das maximale Zugsgewicht von Motorwagen und Vorstellpersonenwagen mit 80 beziehungsweise 60 Personen beträgt 32 t. Die größte Fahrgeschwindigkeit bei Bergfahrt auf einer Steigung von durchschnittlich 19% beträgt 18 km/h, die für die Talfahrt gesetzlich erlaubte Geschwindigkeit 12 km/h. Die beiden Motoren übertragen ihre Kraft über eine doppelte Zahnradübersetzung auf das entsprechende Triebzahnrad, das in die Zahnstangen eingreift. Zwei verschiedene Handbremsen dienen als Haltebremsen. Beide sind Bandbremsen. Die eine kommt automatisch durch Federkraft zum Einsatz, sobald ein mit dieser verbundenes Zentrifugalpendel bei Überschreiten der für die Talfahrt erlaubten Höchstgeschwindigkeit von 12 km/h anspricht. Sie kann aber auch durch das Totmannpedal ausgelöst werden. Die andere Handbremse ist die bei der Bergfahrt fest angezogene Klinkenbremse, die ein Zurückrollen des beispielsweise bei Stromausfall zum Halten gebrachten Fahrzeuges verhindert. Als normale Betriebsbremse dient die Widerstandsbremse mit den auf dem Wagendach angeordneten Bremswiderständen.

Fonctionnement à l'électricité

Les voitures motrices Nos 1–4. Le «Vitznau–Rigi-Bahn» fut bien le premier train à crémaillère et à vapeur qui «escaladait la montagne» dans notre pays. La conversion à l'électricité fut relativement tardive. Elle n'eut lieu qu'en 1937, peu avant la seconde guerre mondiale. Cette époque vit aussi l'électrification d'autres chemins de fer de montagne comme le «Pilatusbahn» (mai 1937) et un peu plus tard le Chemin de fer des Rochers-de-Naye (juillet 1938).

Lors de cette électrification, on mit en service trois voitures motrices modernes de la série Beh 2/4 Nos 1–3 d'une capacité de 80 personnes chacune. Un caisson d'acier autoporteur repose sur deux bogies. Le bogie moteur situé à l'amont est muni de deux moteurs de traction suspendus, développant ensemble une puissance de 450 CV et d'un système mécanique de freinage. En aval, il y a un bogie porteur léger.

Le poids maximum d'un train composé d'une voiture motrice poussant un wagon de voyageurs avec respectivement 80 et 60 personnes atteint les 32 t. Il gravit une pente moyenne de 19% à 18 km/h alors que la vitesse maximale autorisée par la loi à la descente est de 12 km/h. Les deux moteurs transmettent leur force à la roue dentée motrice par une double transmission à engrenage, laquelle a prise sur le rail à crémaillère. Deux freins à main distincts garantissent l'arrêt. Tous les deux sont à collier. Dès que la vitesse maximale de 12 km/h à la descente est dépassée, l'un de ces freins se serre automatiquement, déclenché par un pendule centrifuge auquel il est relié. Il peut aussi s'enclencher par la pédale de l'homme mort. Le second est un frein à cliquet fortement serré à la montée, empêchant tout recul en cas de halte, à l'occasion d'une panne de courant par exemple. Le freinage habituel est rhéostatique, étant assuré par des résisteurs sur le toit de la voiture.

Le courant nécessaire (courant continu de 1500 V) est fourni par un appareil de contrôle à cames direct et un rhéostat de démarrage aux deux moteurs raccordés en série. Il reste encore l'éclai-

Electric traction

Motor coaches Nos. 1–4. The Vitznau–Rigi Railway (VRB) was actually the first "climbing" steam rack railway in Switzerland. The conversion to electric traction on the VRB followed somewhat late in the day, to be exact, in 1937, shortly before the outbreak of World War II. At that time other mountain railways had already been converted, such as the Pilatus railway in May, 1937, followed shortly afterwards by the Rochers-de-Naye Railway in July, 1938.

Simultaneously with the conversion, three modern motor coaches, classed as the series Beh 2/4 Nos. 1–3 were placed in service, each vehicle with a capacity of 80 passengers. The unit construction of the steel body was supported by two bogies. The driving bogie, at the front when ascending, has two nose-suspended motors giving together an output of 450 hp and with mechanical braking. The rear bogie is of light-weight construction.

The maximum weight of a train consisting of a motor vehicle and a propelled passenger vehicle carrying respectively 80 and 60 passengers, totals 32 tons. The maximum running speed when ascending the gradient of an average of 1 in 5.3 is 18 km/h. The maximum permitted speed when descending is 12 km/h. Both motors transmit their power through a double transmission gear to the toothed driving wheel, which grips the rack rail. Two independent hand brakes can bring the train to a halt in an emergency. Both are drum brakes. This comes automatically into action through spring action as soon as a centrifugal governor connected to it rises to a point when the maximum permitted speed for the descent is exceeded. This brake can also be actuated by means of the dead man's pedal. The other hand brake consists of the ratchet brake, firmly clamped down when ascending, which prevents the train running downhill should, for instance, the current supply fail and the train be brought to a halt. Normal braking is rheostatic with the resistances mounted on the roof of the coach.

The driving current (1,500 volt d.c.) is fed through a notched controller and

Der Fahrstrom (Gleichstrom von 1500 V Spannung) wird durch einen Direkt-Nockenkontroller über einen Anlaßwiderstand an die in Serie geschalteten beiden Motoren geleitet. Nebenbetriebe sind die Beleuchtung und die Heizung. Die Innen- und Plattformbeleuchtung (Glühlampen) beziehen ihren Strom direkt aus der Fahrleitung. Die Stirnwandbeleuchtung dagegen wird durch einen Akkumulator versorgt. Die Hochspannungsheizung kann bei der Talfahrt mit gesenktem Stromabnehmer auch durch den Bremsstrom gespeist werden.

Im Jahre 1953 wurde der bis auf wenige Einzelheiten gleiche Motorwagen Nr. 4 in Betrieb genommen. Erstellerfirmen für diese Fahrzeuge waren die Schweizerische Lokomotiv- und Maschinenfabrik in Winterthur (Drehgestelle und Wagenkasten) und die Firma Brown, Boveri & Cie. AG, Baden (elektrische Ausrüstung). Während zur Zeit des Dampfbetriebes neue Fahrzeuge von Luzern mit einem Trajektschiff über den Vierwaldstättersee nach Vitznau gebracht wurden, erreichen sie nun seit Jahren das Depot Vitznau über die Strecke der Arth–Rigi-Bahn (Arth-Goldau–Rigi Kulm).

Die vorab für den Güterverkehr und zur Bewältigung der Verkehrsspitzen im Personenverkehr eingesetzte elektrische Lokomotive He 2/2 Nr. 18 (Kosten Fr. 87 000.–) ist im Jahre 1938 in Betrieb genommen worden. Sie gehört also noch mit zur ersten Ausrüstung der Elektrifikation von 1937.

Um bei Revisionen und Reparaturen ein Triebfahrzeug nicht zu lange außer Dienst nehmen zu müssen, wurde im Jahre 1960 für die Motorwagen Nrn. 1–4 ein Reservetriebdrehgestell beschafft.

Diese elektrischen Triebfahrzeuge haben sich im Laufe der Betriebsjahre 1937 bis 1971 ausgezeichnet bewährt. Die Triebwagen Nrn. 1–3 haben jeder in dieser Zeit eine Strecke zurückgelegt, die mehr als die Distanz Erde–Mond ausmacht.

Der Triebwagen Nr. 5. Die vor allem seit 1957 beginnende Verkehrszunahme, der damit verbundene stärkere Einsatz der beiden Dampflokomotiven und die

rage et le chauffage. Le courant nécessaire à l'éclairage intérieur comme à celui de la plate-forme (lampes à incandescence) provient directement de la ligne. En revanche, l'éclairage frontal est assuré par un accumulateur. A la descente, le courant de chauffage à haute tension peut aussi être alimenté par le courant de freinage quand le pantographe est abaissé.

En 1953, la voiture No 4 entra en service; elle était semblable aux précédentes sauf pour quelques détails. Les firmes qui participèrent à la construction de ces véhicules sont la Fabrique Suisse de Locomotives et de Machines à Winterthour (bogies et caisses de wagons) et Brown, Boveri & Cie SA, à Baden (équipement électrique). A l'époque de la vapeur, les nouveaux véhicules étaient transportés de Lucerne à Vitznau par bateau, à travers le lac des Quatre-Cantons. Aujourd'hui, et depuis plusieurs années déjà, ils atteignent le dépôt de Vitznau en empruntant l'«Arth–Rigi-Bahn» (Arth-Goldau–Rigi Kulm).

En 1938, on mit en service la locomotive He 2/2 No 18 (prix fr. 87 000.–) destinée principalement au trafic des marchandises et accessoirement au transport des voyageurs aux heures de pointe. Elle fait donc encore partie de la première tranche d'équipement électrique de 1937.

Afin de raccourcir les temps de mise hors de service lors des révisions et des réparations, on construisit en 1960 un bogie de réserve pour les voitures motrices Nos 1–4.

Ces machines ont rendu un admirable service pendant leur fonctionnement de 1937 à 1971. Chacune des voitures motrices Nos 1–3 a parcouru pendant ce temps un trajet plus long que la distance terre–lune.

L'automotrice No 5. Le développement important du trafic à partir de 1957 eut pour conséquence l'utilisation accrue des deux locomotives à vapeur, amenant également les inconvénients correspondants: vitesse inférieure, plus grande mise à contribution du personnel et augmentation des frais. On se décida ainsi peu à peu à commander une nouvelle automotrice. Bien sûr, la première série

starting resistance to the two motors coupled in series. Secondary current feeds supply the lighting and heating. Current for the interior and platform lights is drawn direct from the catenary. The headlights, however, fitted to the end walls are fed from an accumulator. When descending, the high-tension heating can also be supplied with the braking current when the pantograph is lowered.

In 1953 motor coach No. 4, almost similar in construction, except for a few small details, entered service. The suppliers for these motor vehicles were the Swiss Locomotive and Machine Works (SLM) in Winterthur (bogies and coach bodies) and Messrs. Brown, Boveri & Co. of Baden (electrical equipment). In the days when steamboats were operating on the Lake of Lucerne, new rolling stock was brought over to Vitznau across the lake, but for many years past, new stock has been arriving at the Vitznau workshops travelling over the ARB tracks via Arth-Goldau and Rigi Kulm.

Electric locomotive He 2/2 No. 18, which cost 87,000 francs, started service in 1938 and was primarily intended for the movement of freight and relieving the passenger traffic on peak days. It therefore belongs to the original equipment dating from the first years of electrical working from 1937 onwards.

In order that these motive power units should not have to be in the workshops for repairs and inspection over too long a period, a spare bogie was acquired in 1960 which can be fitted as required to motor coaches Nos. 1–4.

These electric motor coaches have given excellent service throughout the years 1937 to 1971. During this period, power cars Nos. 1–3 have run a distance more than that from the earth to the moon.

Motor coach No. 5. The increasing volume of traffic, particularly since 1937, the greater use which has been made of the two steam locomotives and the disadvantages of steam traction (lower speeds, high staff and operating costs), led to the decision to order a new electric motor coach. The first group of power vehicles had certainly given very good service.

Nachteile des Dampfbetriebes (kleinere Geschwindigkeit, personal- und kostenintensiverer Betrieb) legten den Entschluß nahe, ein neues elektrisches Triebfahrzeug in Auftrag zu geben. Wohl hatten sich die Motorwagen der ersten Serie sehr bewährt. Dennoch schien es gegeben, dem Triebwagen Nr. 5 eine neue Konzeption zugrunde zu legen. Anlaß dazu gab die Entwicklung der Triebfahrzeugtechnik der letzten Jahrzehnte, aber auch die Notwendigkeit einer rationelleren Betriebsführung. Ein neues Fahrzeug sollte es erlauben, mit weniger Personal mehr Fahrgäste befördern zu können.

Des weiteren sollte der neue Motorwagen in Stoßzeiten einen Pendelverkehr (Vitznau–Rigi Kulm) von sechs bis acht hintereinanderfolgenden Berg- und Talfahrten mit zehn Minuten Aufenthalt in den Endstationen leisten können, ohne daß schädliche Erwärmungen an den Motoren, in den Getrieben und Lagern und bei den Bremsen auftreten. Dabei wurde angenommen, daß der Zug in einer Richtung besetzt und in der anderen leer verkehrt.

Diese Forderungen führten zu einem Pendelzug, bestehend aus einem Triebwagen großer Leistung und einem Steuerwagen. Die Leistung mußte schon im Hinblick auf die maximale Steigung des Trassees von 25% genügend groß, also hoch ausfallen.

Zu den grundlegenden Vorarbeiten und Studien für die Berechnung der wesentlichen Elemente des Triebwagens Nr. 5 gehörten die im Jahre 1959 an der Eidgenössischen Materialprüfungs- und Versuchsanstalt in Schlieren durchgeführten Zahnstangen-Belastungsproben an zwei der Strecke entnommenen Zahnstangen-Abschnitten, welche die für die Riggenbachschen Zahnstangen zulässigen Zahndrücke der Triebfahrzeuge bestätigten.

Der Wagen wurde im Jahre 1960 bestellt und am 23. Februar 1965 von den Kontrollorganen des Bundesamtes für Verkehr für den fahrplanmäßigen Einsatz zugelassen. Seine Merkmale sind kurz die folgenden:

Die beiden *Triebdrehgestelle* (Liefe-

avait donné entière satisfaction. Pourtant il parut souhaitable de prévoir une nouvelle conception pour l'automotrice No 5, d'une part pour répondre aux progrès de la technique de la dernière décennie dans ce domaine, d'autre part pour satisfaire à la nécessité d'une exploitation rationnelle. Le nouveau véhicule devait permettre de transporter plus de passagers avec moins de personnel.

Aux heures de pointe, la nouvelle voiture motrice devait être à même d'effectuer un va-et-vient entre Vitznau et Rigi Kulm six à huit fois de suite avec dix minutes d'arrêt aux stations terminales sans subir aucun dommage par échauffement des moteurs, que ce soit dans les engrenages, les paliers ou les freins. On supposa alors que le train serait occupé dans un sens et vide dans l'autre.

Ces exigences conduisirent à un train-navette, constitué d'une voiture motrice de grande puissance et d'une voiture conductrice. La puissance devait suffire à des pentes maximales de 25%, c'est-à-dire qu'elle devait être assez élevée.

Parmi les travaux et les études préliminaires destinés au calcul des principaux éléments de la voiture motrice No 5 qui furent effectués en 1959 au Centre fédéral de recherche et de résistance des matériaux à Zurich-Schlieren figuraient des essais de charges sur les crémaillères, réalisés sur deux tronçons que Riggenbach avait utilisés pour ses propres recherches. Le poids admissible fut confirmé pour les automotrices.

La commande fut passée en 1960. Le 23 février 1965, les organes de contrôle du Département fédéral des communications autorisaient sa mise en service. Voici brièvement ses caractéristiques:

Les deux *bogies moteurs* (livraison FSLM): La nécessité pour le nouveau train-navette de pouvoir transporter plus de passagers aux heures de pointe ainsi que le souhait justifié d'avoir une certaine puissance en réserve conduisirent à une puissance motrice globale de 1200 CV.

Chaque bogie moteur possède deux roues motrices en plus des deux moteurs dans une disposition bien étudiée et composée d'une transmission munie de

But it seemed the correct thing to build No. 5 to a new design. The reason for this was the development of power car production during the previous decades, and also to endeavour to achieve a more rational operating performance. A new vehicle would have to be capable of moving a larger number of passengers with fewer staff.

Further, the new power car had to be capable of working a continuous service between Vitznau and Rigi Kulm on days of peak traffic consisting of six to eight ascents and descents with no more than ten minutes turn-round time at the two terminal stations and without causing damage to the motors, the transmission, bearings and brakes through over-heating of the motors. Calculations were also based on the assumption that ascending journeys would be fully loaded and the descending journeys empty.

These requirements led to the design for a shuttle train consisting of a high-capacity power car and a second vehicle with a driving position. The output had to be higher than that on the earlier vehicles, having regard to the maximum gradient of the track, 1 in 4.

The very comprehensive trials and preparatory tests carried out for the most important components of the motor vehicle No. 5 included load tests conducted in 1959 by the Federal Institute for Materials Testing and Research at Zurich-Schlieren, using two rack sections cut from the existing track. These tests confirmed the permissible weight of the toothed wheel of the power vehicle on the rack system designed by Riggenbach.

The car was ordered in 1960 and on February 23, 1965, authority was received from the Federal Ministry of Transport for the vehicle to enter public service.

The two *driving bogies* (supplier: SLM): The power output was fixed at 1,200 hp to meet the requirement that the two-coach train should be capable of moving substantially more passengers than with the earlier vehicles and the justified expectation that even under the heaviest peak conditions there would be sufficient power reserve.

Each of the two driving bogies has two

rung SLM): Die Forderung, im Spitzenverkehr mit dem neuen Pendelzug wesentlich mehr Reisende als bisher befördern zu können, und der berechtigte Wunsch, dem Fahrzeug sollte auch so noch eine genügende Leistungsreserve bleiben, führten zu einer Gesamtmotorleistung von 1200 PS.

Jedes der beiden Triebdrehgestelle weist in bewährter Anordnung neben den zwei Motoren, dem Getriebe mit der Getriebebremse, der Rutschkupplung und der Klinkenbremse zwei Triebzahnräder auf. Der Wagenkasten ist auf vier seitlich angeordnete Blattfedern abgestützt. Seine beiden Drehzapfen sind in einer Kastentraverse befestigt. Beide Zapfen greifen in ein halbkugelförmiges, im mittleren Querträger des Drehgestells eingebautes Lager. Die Laufräder sind Monobloc-Räder.

Die *elektrische Ausrüstung* (Lieferung BBC): Der Motorwagen Nr. 5 weist vier eigenventilierte Gleichstrom-Serie-Fahrmotoren auf, von denen je zwei dauernd in Serie geschaltet sind. Die Energie wird diesen von der Fahrleitung über den durch Druckluft betätigten Pantographen-Stromabnehmer und den Hauptschalter mit Überstromauslösung zugeführt. Zum Schutze der elektrischen Apparaturen gegen atmosphärische Entladungen ist ein Resorbit-Überspannungsableiter eingebaut. Bei der Anfahrt werden die auf dem Wagendach untergebrachten, schaufelförmig ausgebildeten Anfahr- und Bremswiderstände in 22 Stufen kurzgeschlossen.

Während die Triebwagen Nrn. 1–4 mit einem Direktkontroller ausgerüstet sind, durch den die Anfahr- und Bremswiderstände unmittelbar zu- und abgeschaltet werden, ist beim Triebwagen Nr. 5 im Zusammenhang mit dem für den Steuerwagenbetrieb vorgesehenen Einsatz des Fahrzeugs ein in Längsrichtung unter dem Wagenboden angeordnetes, elektroservomotorisch angetriebenes Stufenschaltwerk eingebaut. Dieses Schaltwerk wird über ein elektronisches Gerät bedient, das automatisch die auf dem Steuerkontroller durch den Wagenführer eingeschalteten Fahr- beziehungsweise Bremsstufen mit dem Schaltzustand des

freins, d'un accouplement à friction et d'un frein à cliquet. La caisse repose sur quatre ressorts à lames disposés sur les côtés. Les deux pivots de bogie sont fixés dans une traverse de la caisse; ils s'encastrent dans un bâti hémisphérique de la traverse mitoyenne de la caisse. Les roues porteuses sont d'un seul bloc.

L'équipement électrique (livraison BBC): La voiture No 5 possède quatre moteurs à courant continu, reliés en série et munis de leur propre ventilation. Deux d'entre eux sont reliés en série de façon permanente. L'énergie leur parvient de la caténaire par l'entremise d'un pantographe fonctionnant au moyen d'air comprimé et d'un commutateur principal à maximum. Un paratonnerre de surtension «Resorbit» est monté pour protéger l'appareillage électrique des surcharges atmosphériques. Au démarrage, les résistances à ailettes de départ et de freinage disposées sur le toit sont court-circuitées en 22 plots de contact.

Alors que les machines Nos 1–4 sont équipées d'un contrôleur direct permettant immédiatement la connexion ou la déconnexion des résistances de départ ou de freinage, la machine No 5 possède un dispositif de commutation à séquentiel, actionné électriquement par servomoteur et disposé dans le sens de la longueur sous le plancher du véhicule, en vue de pouvoir y raccorder la voiture conductrice. Ce dispositif est en liaison avec un appareil électronique qui compare et règle automatiquement les commutations requises d'après l'appareil de contrôle que le conducteur peut enclencher soit pour la traction, soit pour le freinage. En plus d'être sûr, ce dispositif est aussi très silencieux.

Un compresseur pour la production de l'air comprimé de même qu'un transformateur pour l'alimentation de la batterie de 36 V et de l'éclairage fluorescent de tout le convoi comptent parmi les services auxiliaires de ce véhicule. Le courant de chauffage provient directement de la ligne à haute tension.

Les freins (FSLM et Oerlikon): Comme cette voiture de traction était prévue pour être accouplée à une voiture de conduite, on dut prévoir un système

toothed driving wheels together with the well-tried arrangement of two motors, transmission, anti-slip clutch and the ratchet brake. The two bogie pins are fixed to a cross-piece of the body frame. Both pins fit into a cup-shaped hollow in the centre-piece of the bogie and bearings. The running wheels are cast in one piece.

The *electrical equipment* (supplier: Brown, Boveri & Co.): Power vehicle No. 5 consists of four self-ventilating d. c. driving motors, each pair connected in series. Current is fed to them from the catenary wire through spring-operated pantograph current collector and a main switch with overload release. To protect the electrical equipment against atmospheric discharge a Resorbit overvoltage lightning conductor has been provided. When starting up the starting and braking resistances mounted on the roof of the vehicle are short-circuited in 22 notches.

While power cars Nos. 1–4 are fitted with direct control by which the starting and brake resistances are immediately switched in or out, on power car No. 5, which was designed to run together with a driver-trailer, notched control driven by an electro-servo motor has been fitted lengthwise under the car floor. This control is operated through an electronic apparatus which automatically brings the switched-on position to the same point as the control operated by the train driver when switching in the driving or braking current notches, the corresponding notches being increased accordingly. This system has been found to be not only reliable but conducive to extremely quiet running.

The auxiliary equipment of this vehicle includes the compressor to generate air pressure and the monobloc converter unit for charging the 36-volt coach batteries and to supply the fluorescent lighting for the whole train. The electric heating is a high-voltage heating circuit fed from the catenary current.

The *brakes* (suppliers: SLM and Oerlikon): Since these power cars are operated together with driving trailer, it was necessary to supply a suitable com-

Stufenschalters vergleicht und die entsprechenden Schaltungen vornimmt, eine Anordnung, die nicht nur zuverlässig, sondern auch sehr ruhig arbeitet.

Zu den Hilfsbetrieben dieses Fahrzeuges gehören der Kompressor zur Erzeugung der Druckluft und die Umformergruppe zur Ladung der 36-V-Wagenbatterie und zur Speisung der Fluoreszenzbeleuchtung des ganzen Zuges. Die elektrische Heizung ist eine aus der Fahrleitung gespeiste Hochspannungsheizung.

Die *Bremsen* (SLM und Oerlikon): Da dieser Triebwagen zusammen mit einem Steuerwagen zum Einsatz kommen soll, mußte über die bei den bisherigen Motorwagen vorhandene elektrische und mechanische (durch Handkurbel bediente) Bremse hinaus auch die wirksame Druckluftbremse vorgesehen werden.

Elektrische Bremse: Bei der Talfahrt wirken die Motoren als selbsterregte Generatoren, deren Energie in den Bremswiderständen auf dem Wagendach vernichtet wird. Mit dieser Betriebsbremse kann das volle Zugsgewicht von künftig 76 t auf dem größten Gefälle von 25% bei Einhaltung der amtlich vorgeschriebenen Fahrgeschwindigkeit von 12 km/h dauernd gebremst werden. Für die Bremsfeineinstellung sind zwei besondere Feinbremsstufen vorhanden.

Die *automatische Druckluftbremse* (Getriebebremse): Zur Ausrüstung der Führerstände wurde das Führerbremsventil «Oerlikon» gewählt. Die Getriebebremse kann von jedem Führerstand (Triebwagen und Steuerwagen) durch Druckluft betätigt werden. Sie wirkt von einem Bremszylinder aus über die notwendigen Gestänge und Bremsbänder auf die zwei Bremstrommeln jedes Drehgestells.

Bei Talfahrten wird die automatische Bremse auch durch die Totmanneinrichtung ausgelöst.

Direkt wirkende Druckluftbremse (Klinkenbremse): Zu den wesentlichen Einrichtungen der Bergbahn-Triebwagen gehörte schon immer die Klinkenbremse, die ein Zurückrollen des auf der Steigung zum Stillstand kommenden Fahrzeuges (Stromausfall usw.) verhindert.

de freinage à air comprimé efficace en plus des freins électriques et mécaniques (actionnés manuellement) existant sur les séries précédentes.

Les freins électriques: A la descente, les moteurs fonctionnent comme générateurs et l'énergie ainsi produite se dissipe dans les résistances de freinage disposées sur le toit du véhicule. Ce système est capable de maintenir durablement un train pesant jusqu'à 76 t sur des pentes de 25%, tout en roulant à la vitesse légale de 12 km/h. Le freinage peut être ajusté très précisément en deux degrés distincts.

Le frein automatique direct à air comprimé (frein de mécanisme): C'est le robinet de frein «Oerlikon» qui a été choisi pour les panneaux de contrôle du conducteur. Ce frein de mécanisme peut être actionné par air comprimé, depuis le poste de commande de la voiture conductrice ou de la voiture motrice. C'est un cylindre de frein agissant sur les tiges et les bandes de freinage des deux tambours de chaque bogie. A la descente, le frein automatique peut aussi se déclencher par la pédale de l'homme mort.

Le frein à air comprimé à action immédiate (frein à cliquet): Le frein à cliquet a toujours fait partie des dispositifs indispensables des locomotives de chemin de fer de montagne, pour éviter tout recul en cas d'arrêt pendant la montée (panne de courant, etc.). Ce frein s'actionne sur la voiture No 5 soit par un volant manuel, soit par air comprimé. Un verrouillage électrique n'autorise la montée qu'avec l'enclenchement du frein à cliquet.

La caisse de voiture (livraison SIG): L'aspect extérieur strictement rectiligne d'autrefois a cédé la place à des formes élégantes et plaisantes. La partie frontale, légèrement en biais, bien arrondie, arborant les couleurs du canton de Lucerne, souligne avantageusement la nouvelle silhouette des locomotives électriques. Les portes ont maintenant été aménagées le long des côtés, contrairement aux modèles précédents. Les deux portes tournantes à battants sont à commande électropneumatique et peuvent être fermées depuis le poste de conduite.

pressed-air brake in addition to the same electrical and mechanical brakes (operated by a handle) as were fitted on the earlier power cars.

Electric brake: When descending, the motors work as self-acting generators, the energy produced being absorbed by the braking resistances on the coach roof. With this re-generative braking, the whole weight of the trains, which now reaches 76 tons, can be continually braked, even on the steepest part of the line at 1 in 4, and the speed restricted to the officially prescribed 12 km/h. In order to obtain a still closer adjustment of the brakes, the two special brake adjustment notches have been provided.

Automatic compressed-air brake (transmission brake): The "Oerlikon" driver's brake valve was chosen for fitting to the driver's control panel. The transmission brake can be actuated by compressed air from either of the driver's controls in the power vehicle or the trailer as required. It works through a braking cylinder over the rods and braking bands pressing on to the two brake drums of each bogie.

When descending, the automatic brake is also actuated by the dead man's pedal.

Direct-acting compressed-air brake (ratchet brake): The ratchet brake has always been an important feature of mountain railway power units which prevents the vehicle brought to a halt for any reason (e.g. current failure) from running downhill. This brake on power car No. 5 is operated both by a hand screw wheel as well as by compressed air. An electric locking device permits the ascent to be made only when the ratchet brake has been applied.

Coach body (supplier: SIG): The exterior design which had previously been based on straight lines has been superseded by a more attractive and stylish appearance. The distinguished appearance of the most recently acquired electric power cars is enhanced by the arms of the Canton of Lucerne painted on the ends. Quite different from the previous power cars, entrances have now been provided on both sides. The two-leaf folding doors can be closed by the driver

Diese Bremse wird beim Motorwagen Nr. 5 sowohl über ein Handbremsrad als auch durch Druckluft betätigt. Eine elektrische Verriegelung erlaubt die Bergfahrt nur bei angezogener Klinkenbremse.

Der *Wagenkasten* (Lieferung SIG): Die äußere Form – ehemals streng geradlinig gestaltet – hat einer eleganten und ansprechenden Form Platz gemacht. Leicht schräg gestellte, stark gerundete, mit dem Wappen des Kantons Luzern versehene Frontpartien unterstreichen die neuzeitliche Gestalt des elektrischen Triebfahrzeuges. Ganz im Gegensatz zu den bisherigen Motorwagen wurden nun auf beiden Längsseiten Eingänge angeordnet. Zweiflügelige Drehtüren können vom Führerstand aus elektropneumatisch geschlossen werden.

Zur Aufnahme des zunehmend größer werdenden Post-, Gepäck- und Kleingüterverkehrs ist der talseitige Vorraum maßgeblich vergrößert worden. Neu gegenüber der bisherigen Ausführung ist auch die mit einem Opalglasband abgeschirmte, über die ganze Abteillänge angeordnete Fluoreszenzbeleuchtung (Lichtkanal).

Die Führerstände verfügen über alle zur Bedienung dieses Fahrzeuges notwendigen Apparate, Meßinstrumente, Meldelampen und Schalteinrichtungen. Der Orientierung der Fahrgäste dient eine Lautsprecheranlage. Der Zahnrad-Triebwagen BDeh 4/4 Nr. 5 kann in Leerfahrt eine maximale Geschwindigkeit von 28 km/h erreichen; bei Stundenleistung im vollen Einsatz etwa 21 km/h.

Le compartiment arrière a été considérablement agrandi pour faire face à l'accroissement du trafic de la poste, des bagages et des petites marchandises. Par rapport aux modèles précédents, il y a encore une nouveauté: l'éclairage fluorescent (canal lumineux) sur toute la longueur du compartiment. Cet éclairage est diffusé à travers une bande en verre opale.

Le poste de commande dispose de tous les appareils nécessaires au fonctionnement de ce véhicule hautement perfectionné: instruments de mesure, lampes signalisatrices et installations de distribution électrique. L'orientation des voyageurs se fait par haut-parleur. La locomotive à crémaillère BDeh 4/4 No 5 marchant à vide peut atteindre une vitesse maximale de 28 km/h; à pleine capacité, son rendement par heure est d'environ 21 km.

through an electro-pneumatic switch.

In order to move the increasing quantities of mail, baggage and small goods consignments, the rear compartment of the coach has been considerably increased. A new feature compared with the previous construction is the fitting of fluorescent (strip) lighting throughout the whole length of the coach. The lighting tubes are enclosed in an opal-glass covering.

The driver's control panel includes all the apparatus necessary to operate this high-capacity vehicle, as well as gauges, emergency lights and switchgear. Loudspeakers have been installed for the driver to make announcements to passengers. The toothed-wheel power car BDeh 4/4 No. 5 can reach a maximum speed of 28 km/h when running empty, and 21 km/h at maximum one-hour rating.

Die Beziehungen zur Arth–Rigi-Bahn

Die Pachtstrecke Staffelhöhe–Rigi Kulm

Für den Reisenden bildet die aussichtsreiche Strecke Vitznau bis Rigi Kulm in jeder Hinsicht (technisch, betrieblich, fahrplanmäßig, tarif- und erlebnismäßig) ein Ganzes. Als einzige Touristenbahn des Landes verfügt die Vitznau-Rigi-Bahn aber nur über eine Teilstreckenkonzession. Die gesamte Betriebslänge entfällt – wie schon erwähnt – auf eine Eigentumsstrecke (Vitznau–Staffelhöhe) von 5,093 km und eine der benachbarten Arth–Rigi-Bahn gehörende Pachtstrecke von 1,761 km. Seit dem Jahre 1873 bildet die rund 25% der gesamten Betriebslänge der VRB ausmachende Pachtstrecke für diese eine starke finanzielle Belastung, während sie anderseits für die Verpächterin eine an sich sichere Einnahmequelle darstellt.

Diese durch die rechtsgeschichtlichen und geographisch-politischen Zusammenhänge bedingte Pachtstrecke stellt im Rahmen der schweizerischen Privat- und Touristenbahnen ein absolutes Unikum dar. Ausgangspunkt zu diesem Pachtverhältnis bildeten die Rechtsgrundlage der Gründungszeit der Rigibahn-Gesellschaft und die geographisch-politischen Grenzverhältnisse an der Rigi-Südlehne. Es versteht sich, daß schon Ing. Riggenbach mit seinen Mitgründern, den Ingenieuren Naeff und Zschokke, von allem Anfang an, was ja ganz natürlich und gegeben war, eine Touristenbahn vom Seeufer in Vitznau bis zum Rigi-Gipfel auf Rigi Kulm erstellen wollte. Nachdem das in jenen Jahren gültige erste Eisenbahngesetz von 1852 die Konzessionshoheit – ganz im Gegensatz zu den Eisenbahngesetzen von 1872 und 1957 – noch den Kantonen vorbehalten hatte und das von der Bahn benützte Trassee den Kantonen Luzern und Schwyz angehört, waren damals diese beiden Kantone je für ihren geographisch-politischen Streckenanteil für die

Les relations avec le Chemin de fer Arth–Rigi

Le tronçon affermé Staffelhöhe–Rigi Kulm

Pour le voyageur, le trajet de Vitznau à Rigi Kulm forme à tout point de vue un tout: techniquement, fonctionnellement, par ses horaires, ses tarifs comme par les expériences qu'il fournit. Le «Vitznau-Rigi-Bahn» est cependant le seul chemin de fer touristique du pays à ne posséder la concession que sur une partie du parcours. La ligne se compose en effet d'un tronçon d'une longueur de 5,093 km (Vitznau–Staffelhöhe) appartenant à la compagnie et d'un tronçon de 1,761 km loué par l'«Arth–Rigi-Bahn». Comme ce tronçon affermé équivaut au quart du parcours total, il constitue pour la VRB une lourde charge financière, alors que pour les bailleurs il est une source d'entrées sûres et importantes.

Ce tronçon affermé a une origine historique à la fois légale, géographique et politique. C'est un fait absolument unique dans l'histoire des chemins de fer privés et touristiques suisses. La situation juridique à l'époque de la fondation de la Société du «Rigibahn» de même que la configuration politico-géographique du versant sud du Rigi sont à la base de ce bail. Tout au début, il était bien entendu naturel et logique que l'ingénieur Riggenbach et ses co-fondateurs, les ingénieurs A. Naeff et O. Zschokke, aient eu l'intention de construire un chemin de fer des rives de Vitznau jusqu'au sommet du Rigi, c'est-à-dire Rigi Kulm. La première loi sur les chemins de fer de l'époque, celle de 1852, donnait la compétence en ce domaine aux cantons, contrairement aux lois subséquentes de 1872 et 1957. Comme le tracé de la ligne passait par les cantons de Lucerne et de Schwytz, chacun de ceux-ci restait maître de son territoire géographique et politique, notamment dans le domaine des concessions. Tandis que le canton de Lucerne accordait la concession désirée à l'ingénieur N. Riggenbach et à ses co-

The Relations with the "Arth–Rigi-Bahn"

The leased line from Staffelhöhe to Rigi Kulm

The ride between Vitznau and Rigi Kulm with its wonderful views offers all users of the railway several unique features, covering the technical equipment, train working, timetables, fares structure as well as the experience itself. One of the unique features is that the VRB is the only tourist railway in Switzerland which operates a section of track leased from another concern. As has already been mentioned, the total route comprises its own tracks between Vitznau and Staffelhöhe (5.093 km) as well as the further section beyond of 1.761 km leased from the neighbouring Arth–Rigi Railway (ARB). This extension, leased since 1873 and forming almost a fourth of the whole VRB route, laid a serious financial burden upon the company though for the lessor it has represented a safe and not inconsiderable source of revenue.

The circumstances of this leased section which arose from legal, geographical and political motives, are quite unique in the whole network of private and tourist railways in Switzerland. The origin of the lease arrangements goes back to the early days of the incorporation of the VRB Company, together with the geographical and political situation on the south of the Rigi *massif*. It will be obvious that from the start, when Riggenbach and his fellow-engineers, Naeff and Zschokke, founded the company, they wished to build a tourist railway from the lakeside at Vitznau right to the summit at Rigi Kulm, a very natural and feasible objective. Because at that time the first Swiss Railway Law was operative, placing full authority for the granting of concessions to build railways firmly in the hands of the Cantons – quite different from the Railway Laws of 1872 and 1957 – and since the proposed railway up the Rigi would pass through territory of the Cantons of Lucerne and

Konzessionserteilung zuständig. Während der Kanton Luzern Ing. N. Riggenbach und den Mitinitianten Naeff und Zschokke für sein Kantonsgebiet die gewünschte Konzession erteilte, versagten die Behörden des Kantons Schwyz den Gesuchstellern die Bewilligung für den Bau einer Zahnradbahn auf dem schwyzerischen Streckenabschnitt Staffelhöhe–Rigi Kulm. Sie erteilten die Konzession vielmehr einem Arther Komitee, d. h. der nachmaligen Arth–Rigi-Bahn, welches diesen Streckenabschnitt erbaute und ihn alsdann der Rigibahn-Gesellschaft, damals noch mit Sitz in Luzern, pachtweise zur Verfügung stellte.

Wenn nun auch an sich schon eine Pachtstrecke für die kleine Touristenbahn von nur 5 km Eigentumslänge eine Besonderheit darstellt, die sich bis heute über die Jahrzehnte hinweg zu erhalten vermochte, so muß dies vor allem auch bezüglich der Höhe des Pachtzinses gesagt werden, betrug er doch bis in die letzten Jahre 75% der Bruttoeinnahmen auf der Pachtstrecke.

Nach dem neuen, am 16. Juni 1983 von den Verwaltungsorganen der beiden Rigibahn-Gesellschaften unterzeichneten Vertrag hat die Pächterin (die Rigibahn-Gesellschaft, Vitznau) der Arth–Rigi-Bahn-Gesellschaft (als Verpächterin) in den kommenden sechs Jahren an Stelle des bisher aufgrund der Verkehrseinnahmen auf dieser Strecke berechneten Pachtzinses ab 1. Januar 1983 eine feste jährliche Pachtsumme von Fr. 280 000.– zu leisten. Darüber hinaus hat sie den Kleinunterhalt der Strecke zu übernehmen. Die Finanzierung der größeren Erneuerungsarbeiten übernimmt die Arth-Rigi-Bahn als Eigentümerin der Strecke Staffelhöhe–Rigi Kulm.

Auf Grund der Bestimmungen des Pachtvertrags äufnen sodann die beiden Zahnradbahnen (ARB und VRB) durch entsprechende Einlagen jährlich einen gemeinsamen zweckgebundenen Fonds, dessen Mittel für den Bau und die Instandhaltung der Hochbauten auf den gemeinsam benützten Stationen Staffel und Kulm und der Schiebebühne auf Rigi Kulm sowie für Sicherungsmaßnahmen bestimmt sind.

fondateurs pour la partie de canton qui lui appartenait, les autorités du canton de Schwytz la leur refusait pour la construction et l'exploitation d'un chemin de fer à crémaillère situé sur le tronçon Staffelhöhe–Rigi Kulm. Cette concession fut plutôt accordée à un comité d'Arth, par la suite appelé «Arth–Rigi-Bahn», qui construisit ce tronçon et le mit ensuite à la disposition de la Société du «Rigibahn» domiciliée à Lucerne à ce moment-là, moyennant paiement d'une redevance.

L'affermage d'une partie de trajet d'un petit chemin de fer touristique pour une longueur de seulement 5 km est déjà un fait singulier qui a quand-même persisté à travers les décennies jusqu'à nos jours. Mais il faut aussi en parler à cause du montant élevé du bail qui, jusqu'à ces dernières années, s'élevait à 75% des recettes brutes sur ce tronçon.

Selon le nouveau contrat du 16 juin 1983 signé par les autorités administratives des deux sociétés ferroviaires du Rigi, la locataire («Rigibahn-Gesellschaft», Vitznau) doit payer à la propriétaire («Arth–Rigi-Bahn-Gesellschaft») une redevance annuelle fixe de fr. 280 000.– à partir du 1er janvier 1983 pour les six prochaines années, au lieu du bail calculé jusqu'à présent selon les recettes effectuées sur ce tronçon. De plus, elle doit se charger de l'entretien normal du tronçon. Le financement des travaux de rénovation plus importants revient à la propriétaire du tronçon Staffelhöhe–Rigi Kulm.

D'après les stipulations du contrat d'affermage, les deux chemins de fer à crémaillère (ARB et VRB) rassemblent même un fonds commun annuel à l'aide de cotisations. Ce fonds doit servir à la construction et à l'entretien des bâtiments pour les deux stations de Staffel et de Kulm utilisées conjointement, de la plate-forme roulante à Rigi Kulm et aussi des installations de sécurité. C'est à l'occasion du financement commun des nouveaux édifices de la station de Staffel et de celle de Kulm qu'on a eu recours à ce fonds en 1955 et 1974.

Schwyz, it was these two Cantons, which were then responsible for granting the concession for their respective sections. While Lucerne was forthcoming in granting Riggenbach and his co-founders Naeff and Zschokke the concession for work on its territory, the authorities in Schwyz refused them permission for the building and operation of a rack railway on the Schwyz section Staffelhöhe–Rigi Kulm. However, a concession was granted to a so-called Committee from Arth, which was later to become the "Arth–Rigi-Bahn". This committee constructed the above-mentioned section and subsequently leased it to the "Rigibahn-Gesellschaft", which at that time was still based in Lucerne.

If the mere fact that a small tourist railway, which is only 5 km long, operates a leased section and has been able to do so for many decades is unusual, then it is even more unusual that the lease amounted to 75% of the total income on this leased section up to 1983.

According to the new contract, which was signed on 16th June 1983 by the boards of the two rack railway companies, the lessee ("Rigibahn-Gesellschaft", Vitznau) has to pay the lessor ("Arth–Rigi-Bahn-Gesellschaft") a fixed annual lease of 280,000 francs for the following six years (starting from 1st January 1983). This is instead of a lease which had been proportionate to the income on that section. Furthermore, the lessee is responsible for day-to-day maintenance. The ARB, as proprietor of the section Staffelhöhe–Rigi Kulm, pays all expenses for major repair-work.

The leasing contract requires both parties to make a yearly contribution to a common fund, which is solely used for the construction and maintenance of the station buildings at Staffel and Kulm, and of the traverser at Rigi Kulm, which are used by both railways, as well as for safety measures.

Money from that fund was used in 1955 and 1974 to partly finance the new station buildings at Staffel and Rigi Kulm.

According to the leasing contract of 1983 the annual contribution of the two

Der Fonds ist 1955 und 1974 zur Mitfinanzierung der neuen Stationsgebäude Staffel und Rigi Kulm herangezogen worden.

Nach dem derzeit gültigen Pachtvertrag von 1983 beträgt die Einlage der beiden Bahnen in den gemeinsamen Fonds je Fr. 25 000.– im Jahr.

Zusammenarbeit der beiden Zahnradbahnen

Seit 1875, d.h. seit über hundert Jahren, besteht im Zusammenhang mit der Pachtstrecke Staffelhöhe–Staffel–Rigi Kulm eine sehr enge Kooperation der beiden Zahnradbahnen. Im Verlauf der Jahrzehnte wurde diese nach verschiedenen Richtungen ausgebaut und vertieft. Wir erinnern u. a. an folgende Zusammenhänge:

Technik

Als im Juni 1973 bei der Vitznau-Rigi-Bahn mit dem Ausfall des durch einen Dauerschaden betroffenen Gleichrichters (Quecksilberdampf) I in Romiti Felsentor (Baujahr 1937) eine namhafte Beeinträchtigung der Energieversorgung ab diesem Unterwerk eintrat, erklärte sich die Arth–Rigi-Bahn bereit, ihrem Schwesterunternehmen ab Rigi Staffel bahnkonformen Gleichstrom (1500 V) abzugeben. Diese erstmals ermöglichte Stromlieferung ist im Jahr 1983 zu einer festen, jederzeit schaltbaren Verbindung geworden, so daß bei Bedarf Stromabgaben in beiden Richtungen (VRB–ARB bzw. ARB–VRB) möglich sind.

Betrieb

Zur Bewältigung gelegentlicher Verkehrsspitzen stellen sich die beiden Zahnradbahnen seit Jahren über die Schiebebühne auf Rigi Kulm (in Zukunft über eine Weiche in Rigi Staffel) Wagenmaterial zur Verfügung. Ein Beispiel hiefür sind die Leerzüge der VRB, die jeweils am Rigi-Schwingfest (zu Beginn des Monats Juli) auf dem Netz der Arth–Rigi-Bahn verkehren.

In gleicher Weise kommt bei Bedarf Rollmaterial der ARB auf der Rigi-Südseite zum Einsatz.

Le contrat de location de 1983 prévoit une cotisation annuelle de fr. 25 000.– pour les deux chemins de fer.

Collaboration des deux chemins de fer à crémaillère

Depuis 1875, c'est-à-dire depuis plus d'un siècle, une coopération très étroite existe entre les deux chemins de fer à crémaillère pour ce qui a trait au tronçon affermé de Staffelhöhe–Staffel–Rigi Kulm. Au cours des décennies, cette collaboration a été développée et approfondie dans plusieurs domaines. Rappelons, entre autres, les points suivants:

Technique

Lorsque le Chemin de fer Vitznau–Rigi connut en juin 1973 une perte considérable d'approvisionnement en énergie électrique, survenue à la suite de dégâts sérieux à la sous-station de redressement I (vapeur de mercure) à Romiti Felsentor (construite en 1937), le Chemin de fer Arth–Rigi se déclara prêt à transmettre à l'exploitation sœur un courant continu conforme (1500 V). Cette première liaison de courant est devenue en 1983 une connexion fixe pouvant être branchée n'importe quand, de telle sorte qu'au besoin des échanges de courant sont possibles dans les deux sens (VRB–ARB et ARB–VRB).

Exploitation

Parfois, afin de venir à bout du trafic des heures de pointe, les deux chemins de fer à crémaillère mettent leur matériel roulant en commun, par l'entremise de la plate-forme roulante à Rigi Kulm, prochainement au moyen d'un aiguillage à Rigi Staffel. Les trains de réserve qui circulent sur le réseau de l'«Arth–Rigi-Bahn» à l'occasion de la «Schwingfest» sur le Rigi, au début du mois de juillet, sont un exemple de cette entraide.

De la même façon, et selon les besoins, le matériel roulant du ARB est mis en service sur le côté sud du Rigi.

companies amounts to 25,000 francs each.

Co-operation of the two rack railways

The two rack railways have worked in close co-operation on the leased section Staffelhöhe–Rigi Kulm since 1875, i.e. for over a hundred years. During the course of the years this co-operation has extended to include other fields of activity, for example:

Power supply

In June 1973 the VRB rectifier I (mercury vapour) at Romiti Felsentor (constructed in 1837) broke down, which resulted in a considerable loss in the power supply from this substation. The "Arth-Rigi-Bahn" subsequently agreed to provide its sister company with compatible direct current (1,500 V) from Rigi Staffel. In 1983 a permanent connection was fitted, which can be employed at will to supply power to whichever company needs it.

Operation

In order to cope with occasional heavy traffic, the two railways have, for years, put rolling stock at each other's disposal using the traverser at Rigi Kulm (which will shortly be replaced by points at Rigi Staffel). This is, for example, the case at the "Rigi-Schwingfest" (a traditional Swiss wrestling competition) at the beginning of July, when reserve trains of the VRB run on the ARB line.

Werbung

Eine immer engere Zusammenarbeit zwischen den beiden Bergbahnen hat sich seit vielen Jahren auf dem Gebiet der Verkehrswerbung ergeben. So werden der Prospekt, die Taschenfahrpläne u. a. m. gemeinsam veröffentlicht; ein Vorgehen, das sich bestens bewährt hat.

Publicité

Une collaboration de plus en plus grande existe depuis plusieurs années dans le domaine de la publicité touristique. C'est ainsi que les prospectus et les dépliants sont publiés ensemble. Cette façon de procéder a déjà fait ses preuves.

Advertising

The two companies have worked in close co-operation in the field of tourist information for many years. Thus brochures, timetables, etc., are published jointly, a procedure which has proved to be eminently successful.

Technische Neuerungen der Jahre 1972–1983

Feste Anlagen

Die Energieversorgung

Im Verlauf der letzten drei Jahrzehnte ist die Stromversorgung der Zahnradbahn, d. h. die Umformung des marktgängigen Wechselstroms in bahnkonformen Gleichstrom von 1500 Volt Spannung, maßgeblich verbessert worden.

In Vitznau wurde 1954 eine zweite Gleichrichteranlage von 900 kW Leistung in Betrieb genommen. In Rigi Staffelhöhe, d. h. am Ende der Eigentumsstrecke, ist im neuen Stationsgebäude 1976 eine dritte Anlage von 1000 kW in Betrieb gesetzt worden. Seitdem verfügt die Bahn über drei Gleichrichterstationen, nämlich:

a) Unterwerk Vitznau (Hg)[1]	900 kW
b) Unterwerk Romiti Felsentor (Si)[2]	1 500 kW
c) Unterwerk Rigi Staffelhöhe (Si)	1 000 kW
Total	**3 400 kW**

[1] Hg = Quecksilberdampf-Gleichrichter
[2] Si = Siliziumdioden-Gleichrichter

Die modernen Si-Gleichrichter unterscheiden sich vorteilhaft von den alten Quecksilberdampf-Anlagen, da sie keine störungsanfälligen Nebenbetriebe zur Erzeugung des für den Betrieb erforderlichen Hochvakuums und zur Kühlung benötigen.

Damit ist nun eine ausgewogene Energieversorgung der Bahn, unter Einschluß der Pachtstrecke (die Fahrleitung gehört bis Rigi Kulm der VRB), gesichert. Sie dürfte in nächster Zeit dem für einmal zu erwartenden Verkehrsanfall genügen können.

Nouveautés techniques des années 1972–1983

Installations fixes

Approvisionnement en énergie

Au cours des trois dernières décennies, l'approvisionnement en courant électrique du chemin de fer à crémaillère, c'est-à-dire la transformation du courant alternatif habituel en courant continu utilisable pour le rail a pu être amélioré de façon notoire.

A Vitznau, une deuxième installation de redressement d'une puissance de 900 kW fonctionne depuis 1954. A Rigi Staffelhöhe, soit à la fin du tronçon appartenant à la ligne, une troisième installation de 1000 kW a été mise en fonction dans le nouveau bâtiment de la station en 1976. Depuis, le chemin de fer dispose de ses propres stations de redressement au nombre de trois:

a) sous-station Vitznau (Hg)[1]	900 kW
b) sous-station Romiti Felsentor (Si)[2]	1 500 kW
c) sous-station Staffelhöhe (Si)[2]	1 000 kW
Total	**3 400 kW**

[1] Hg = redresseur à vapeur de mercure
[2] Si = redresseur à diode de silicium

Les stations de redressement au silicium diffèrent avantageusement des anciennes installations à vapeur de mercure. Pour la production du haut vide et du refroidissement nécessaires à l'exploitation, elles n'ont besoin d'aucune installation auxiliaire risquant d'être perturbée.

De cette façon, un approvisionnement équilibré en énergie est assuré pour le chemin de fer, y compris pour le tronçon affermé (le fil de contact appartient au VRB jusqu'à Rigi Kulm). La ligne pourra

Technical Innovations from 1972–1983

Fixed Installations

Power supply

The power supply of the rack railway, i.e. the transformation of the alternating current generally used in Switzerland into a compatible direct current of 1,500 volts tension has been considerably improved in the course of the last three decades.

In 1954 the second rectifier with an output of 900 kW was put into service at Vitznau, followed by the third with an output of 1,000 kW in 1976 in the new station building at Rigi Staffelhöhe, i.e. at the end of the section owned by the VRB. Thus the railway is now in possession of three rectifiers of its own:

(a) Substation at Vitznau (Hg)[1]	900 kW
(b) Substation at Romiti Felsentor (Si)[2]	1,500 kW
(c) Substation at Rigi Staffelhöhe (Si)[2]	1,000 kW
Total	**3,400 kW**

[1] Hg = mercury vapour rectifier
[2] Si = silicone-diode rectifier

The modern silicone-diode rectifiers have one major advantage over the old mercury vapour models; they are not dependent on failure-prone additional installations to provide the necessary high vacuum and cooling.

Thus an adequate power supply for the whole line, including the leased section, can be guaranteed (the overhead system belongs to the VRB up to Rigi Kulm). It will be quite sufficient for the amount of traffic which is to be expected in the near future.

Das Seegleis

Mit dem Bau der im November 1981 in Betrieb genommenen Abwasserreinigungsanlage der Gemeinden Vitznau und Weggis in der Lützelau wurde für die südlich der Rigibahn-Station befindlichen Seeufer-Liegenschaften eine Abwasser-Anschlußleitung erstellt. Damit ergab sich für die auf bescheidenem Raum eingeengten Depotanlagen der Rigibahn die erwünschte Gelegenheit, zusammen mit der Gemeinde Vitznau durch den Bau einer neuen, seeseitig errichteten Abschlußmauer mit entsprechender Aufschüttung Terrain für die Anlage einer Seeuferpromenade und eines neuen, seeseitig verlegten Gleises zu gewinnen.

Diese Arbeiten wurden in den Jahren 1980/81 ausgeführt. Seit dem Frühjahr 1982 verfügt nun die Zahnradbahn über ein zehntes Depotgleis mit Fahrleitung von 80 m nutzbarer Länge, das zwei einsatzbereite Züge aufnehmen kann.

Die neue Drehscheibe in Vitznau

Eine der ersten von Ing. N. Riggenbach am Ausgangs- und Brennpunkt der Bahn erstellten Anlagen war die offene Drehscheibe (Radius 12 m) der Station Vitznau. Sie vermittelte den Übergang zwischen den damals 7 Depotgleisen und dem Stations- bzw. Streckengleis. Diese erste Drehscheibe der VRB versah ihren strengen Dienst während über 110 Jahren.

Zunehmende «Altersbeschwerden» der in den ersten Jahrzehnten zunächst von Hand bewegten und später elektrisch betriebenen Einrichtung und der Wunsch, über eine größere Drehscheibe von 16 m Durchmesser verfügen zu können, gaben Anlaß zum Bau einer neuen, den heutigen Anforderungen genügenden, geschlossenen (auch mit Straßenfahrzeugen befahrbaren) Wendeplatte. Die mit 2 Elektromotoren ausgerüstete Drehscheibe mit einer Tragkraft von 45 t konnte im Frühjahr 1982 dem Betrieb übergeben werden.

Unterhalts- und Putzgrube im Gleis 4

Bis zur Inbetriebnahme der neuen, geschlossenen Drehscheibe auf dem Sta-

pendant longtemps faire face à l'accroissement du trafic qui est à prévoir.

Le rail du bord de l'eau

En novembre 1981, avec la mise en place et en fonction de l'installation d'épuration des eaux ménagères des municipalités de Vitznau et de Weggis sur le terrain appelé «Lützelau», on aménagea une conduite de jonction des eaux d'écoulement pour les propriétés du bord de l'eau se trouvant au sud de la station du «Rigibahn». Ce fut aussi une occasion propice pour le dépôt de la ligne qui se trouvait à l'étroit. La construction d'un nouveau mur le long de la rive ainsi que les travaux de terrassement se firent en collaboration avec la commune de Vitznau: le chemin de fer y gagna un nouveau rail déplacé du côté du bord de l'eau, tandis que Vitznau bénéficiait d'une nouvelle promenade.

Les travaux eurent lieu dans les années 1980/81. Depuis le printemps 1982, le chemin de fer à crémaillère dispose d'une dixième voie de dépôt avec un fil de contact pour une longueur de 80 m, pouvant recevoir deux trains prêts à démarrer.

La nouvelle plaque tournante à Vitznau

Au moment des débuts éclatants du chemin de fer, la première installation construite par l'ing. N. Riggenbach fut la plaque tournante ouverte (rayon 12 m) de la station de Vitznau. A l'époque, elle servait de passage entre les 7 voies de dépôt et la voie de station ou de section. Elle offrit ses services vigilants au VRB pendant plus de 110 ans.

Son fonctionnement fut tout d'abord manuel pendant les premières années, puis électrique. Des malaises de vieillesse de plus en plus fréquents et le désir de pouvoir bénéficier d'une plus grande plaque tournante d'un diamètre de 16 m firent qu'on se décida pour la construction d'une nouvelle plaque recouverte (pouvant être également utilisée par les véhicules routiers), étant en mesure de répondre aux besoins d'aujourd'hui. Une plaque tournante munie de deux moteurs électriques, avec une force portante de 45 t, a pu être mise en service au printemps 1982.

The lakeside track

In connection with the sewage purification plant of the communities of Vitznau and Weggis, which was opened at Lützelau in November 1981, the houses at the lakeside south of the station were equipped with sewage pipes. This provided the VRB, whose depots were confined to a very small space, with a welcome opportunity. In conjunction with the community of Vitznau, the VRB put up a new buttressed wall on the lake, thereby raising the level sufficiently to provide space for a promenade and a new track on the lakeside.

This work was carried out in 1980 and 1981. Since spring 1982 the VRB has been in possession of its tenth 80 m long siding, which can accommodate two complete trains.

The new turntable at Vitznau

One of the first installations, fitted by Riggenbach at the starting and focal point of the rack railway, was the open turntable at Vitznau (radius 12 m). It connected the sidings, 7 at that time, to the station track respectively to the line itself. This turntable was in use for more than 110 years.

During the first few decades this turntable was manually operated, and was later converted to electrical operation. Its ever-increasing "problems of old age" and the company's desire for a larger turntable (16 m diameter) induced the VRB to install a new closed construction, which can be used by road vehicles and which fully meets today's requirements. The new turntable with a load of 45 tons and two electric motors was ready for operation in spring 1982.

tionsareal in Vitznau konnten die regelmäßigen Kontrollen der mechanischen Einrichtungen der Triebfahrzeuge (inkl. Fett- und Ölnachschub) vor Dienstantritt vom offen zugänglichen Drehscheiben-Boden aus vorgenommen werden. Da die neue, gedeckte Wendeplatte diese Arbeiten fortan ausschloß, mußte hiefür ein Ersatz geschaffen werden.

Daher wurde im Gleis 4 ein abgesenkter, beleuchteter Revisionsstand für das Rollmaterial erstellt. Während der Wintermonate kann diese Putzgrube mit beidseitigem Kontrollgang auch als geheizter Standort für das Auftauen der vereisten Fahrzeuge dienen.

Die Gleiserneuerung

Zu den allerwichtigsten Unterhalts- und Erneuerungsarbeiten einer Zahnradbahn gehören neben der Kontrolle und Revision des Rollmaterials der laufende Unterhalt und die periodische Erneuerung der Fahrbahn, sind doch diese Arbeiten eine der maßgebenden Voraussetzungen für einen sicheren Bahnbetrieb. Während Gleislage und -zustand laufend kontrolliert und allenfalls korrigiert werden, muß die Erneuerung, d.h. das Auswechseln von Schienen, Schwellen und Zahnstangen, nur selten vorgenommen werden.

Bei der Vitznau–Rigi-Bahn gaben vor allem die höheren Zugsgewichte Anlaß zum Einbau schwererer, d.h. kräftigerer Schienen. In den ersten 110 Jahren zeigt die Entwicklung folgendes Bild:

Jahre	Gewicht des schwersten Fahrzeugs t	Schienen Gewicht pro lfm kg	Länge m	Höhe mm	Kopfbreite mm
1871–1887	17,6	14	6	–	–
1887–1970	24,3	20	9	90	35
1970ff.	35,0	36*	24	130	45

* SBB V

Die Erneuerung der Streckengleise (Auswechseln der Schienen sowie Reinigung und evtl. Reparatur mit Höhersetzen der Zahnstangen entsprechend dem höheren Steg der neuen Schienen und

Fosse d'entretien et de nettoyage dans la voie 4

Jusqu'à l'installation de la nouvelle plaque tournante recouverte sur le terrain de la station de Vitznau, on effectuait les contrôles réguliers de la mécanique des automotrices (y compris le graissage et le huilage) précédant leur entrée en service, à partir d'une fosse ouverte dans le plancher de la plaque tournante. Comme la nouvelle plaque pivotante recouverte empêchait ces travaux, on dut chercher un remplacement.

C'est pourquoi un poste de révision pour le matériel roulant fut aménagé dans la voie 4. Pendant les mois d'hiver, cette fosse de nettoyage équipée d'un couloir de contrôle des deux côtés peut aussi être employée comme stationnement chauffé pour dégeler les véhicules givrés.

La rénovation de la voie ferrée

L'entretien permanent de la voie ferrée et sa rénovation périodique comptent parmi les plus importants travaux de contrôle et de révision qu'un chemin de fer à crémaillère doit effectuer, en plus du contrôle et de la révision du matériel roulant. Ces travaux sont, en effet, primordiaux pour la sécurité de l'exploitation ferroviaire. Si, d'une part, la position et l'état des rails sont l'objet d'un contrôle régulier et de corrections eventuelles, il faut dire que la rénovation, c'est-à-dire le remplacement des rails, des traverses et des crémaillères est peu fréquente.

C'est avant tout le poids plus élevé des trains du Chemin de fer Vitznau–Rigi qui obligea un montage avec des rails plus lourds, donc plus robustes. Le tableau suivant montre l'évolution des 110 premières années:

Années	Poids du véhicule le plus lourd t	Rails Poids par mètre kg	Longueur m	Hauteur mm	Largeur du champignon du rail mm
1871–1887	17,6	14	6	–	–
1887–1970	24,3	20	9	90	35
1970ss	35,0	36*	24	130	45

* SBB V

Repair and cleaning pit under track No. 4

Before the new closed turntable was installed the mechanical parts of the locomotives could be regularly inspected, greased and oiled, from under the open turntable. Since the new turntable was closed, this work became impossible and a new solution had to be found.

Therefore an inspection pit was built under track No. 4. The pit and its lateral tunnels are equipped with both lighting and heating facilities. The latter allow rolling stock to be positioned over the pit in order to free affected parts of the undercarriage from ice.

Track renovation

One of the primary tasks on a rack railway, apart from checking and revising the rolling stock, is the constant maintenance and renewal of the track, since this work is essential for safe operation. While the position and state of the track are continually being checked – and, if necessary, corrected – rails, sleepers and racks hardly ever have to be replaced.

The ever-increasing weight of the trains on the VRB made it necessary to install heavier, i.e. stronger rails. The development in the first 110 years can be shown as follows:

Years	Weight of the heaviest vehicles tons	Rails Weight per m kg	Length m	Height mm	Width of railhead mm
1871–1887	17.6	14	6	–	–
1887–1970	24.3	20	9	90	35
1970–	35.0	36*	24	130	45

* SBB V

The renewal of the track along the line (replacing the rails as well as cleaning and, if necessary, repairing and raising the racks to the level of the new rails with a higher stern and welding the joints every 100 m) has been carried out since 1970 in stages by the maintenance staff with the additional help of repair

Verschweißen der Schienenstöße auf je 100 m) wurde in den Jahren ab 1970 in einzelnen Jahresetappen mit dem Bahnunterhaltungsdienst, ergänzt durch Werkstattpersonal und instruierte Hilfskräfte der im Winter abkömmlichen Berglandwirte, durchgeführt.

Bis Ende 1982 konnten die beiden Einspurstrecken Vitznau–Freibergen und Kaltbad–Staffelhöhe durchgehend erneuert werden. In Arbeit stehen zurzeit die beiden Doppelspur-Gleise Freibergen–Kaltbad (1,9 km). In Romiti Felsentor wurde für diese Arbeiten eine kleine Oberbauwerkstätte ad hoc eingerichtet.

Es ist wohl erstaunlich und spricht für die Güte des vor einem Jahrhundert verwendeten Materials, daß noch heute 90% aller Zahnstangen dieselben sind, die Ing. Riggenbach vor 110 Jahren einbauen ließ. Bei der Gleiserneuerung werden die Zahnstangen gereinigt und allenfalls lose Zähne oder kleine Wangenrisse der Seitenstücke verschweißt. Eine Zahnstange mißt bei 30 Zähnen (Gewicht eines Zahns 1,75 kg) 3 m. Dazu kommen Bohrarbeiten für das Aufsetzen der Zahnstangen auf die Distanzböcke. Nach dem Einbau des also erneuerten Oberbaues wird das Gleis mit Hartschottersteinen 40/60 mm neu eingeschottert.

Der Betriebsfunk

Jede Eisenbahn bedarf einer Kommunikationsmöglichkeit. Wie die übrigen Schweizer Bahnen verfügt auch die Vitznau-Rigi-Bahn seit Jahrzehnten über ein eigenes Diensttelephon, das die Stationen untereinander verbindet. Über diese Leitung können jederzeit dienstliche Weisungen übermittelt, Meldungen erstattet werden und Rückfragen erfolgen. Die VRB ist außerdem an das landesweite, von den PTT unabhängige Telephonnetz der Schweizerischen Bundesbahnen (Diensttelephon) angeschlossen.

Während der Betriebsfunk bei der Luftseilbahn Weggis–Rigi Kaltbad mit der Betriebseröffnung eingeführt wurde, ist diese seit langem bekannte Übertragungstechnik bei der Zahnradbahn erst in letzter Zeit in Betrieb genommen worden. Mit der Einführung des Einmannbetriebs bei der Zahnradbahn für schwach

La rénovation des rails de la ligne (remplacement des rails ainsi que nettoyage et éventuellement réparation, en adaptant la hauteur des crémaillères aux tiges plus hautes des nouveaux rails et en soudant les joints à tous les 100 m) eut lieu dans les années 70, par étapes au cours de l'année. Le travail fut effectué par le personnel d'entretien du chemin de fer, auquel vint s'ajouter celui des employés des ateliers et de la main-d'œuvre d'appoint, composée par les paysans de montagne disponibles en hiver.

Jusqu'à la fin de 1982, les deux tronçons à voie simple de Vitznau–Freibergen et de Kaltbad–Staffelhöhe purent être complètement rénovés. Le tronçon à voie double de Freibergen–Kaltbad (1,9 km) est présentement en train d'être refait. Pour ces travaux, un petit atelier de superstructure a été spécialement aménagé à cet effet à Romiti Felsentor.

Il est bien étonnant que 90% de toutes les crémaillères que l'ing. Riggenbach fit monter il y a 110 ans sont encore les mêmes aujourd'hui. Cela parle en faveur du matériel de premier ordre qui fut utilisé il y a plus d'un siècle.

Par rénovation des rails, on entend aussi le nettoyage des crémaillères et le soudage des crans pouvant manquer ou des petites fissures formées sur les côtés. Une crémaillère comprend 30 crans pour 3 m (poids d'un cran 1,8 kg). Vient ensuite le travail de perçage pour la fixation de la crémaillère sur les traverses. Après le montage de la superstructure ainsi rénovée, les rails doivent être de nouveau ballastés avec des pierres dures de 40/60 mm.

L'émetteur-récepteur de service

Chaque chemin de fer a besoin d'un moyen de communication. Comme les autres chemins de fer suisses, le «Rigibahn» dispose aussi depuis des décennies de son propre téléphone de service qui relie les stations entre elles. Cette ligne peut être employée n'importe quand pour transmettre des instructions de service, faire des rapports et recevoir des renseignements. Le VRB est de plus branché sur le réseau téléphonique des

shop staff and mountain farmers who can lend a hand in the winter months.

By the end of 1982 the two single-track sections Vitznau–Freibergen and Kaltbad–Staffelhöhe were completely renewed. The two tracks of the section Freibergen–Kaltbad (1.9 km) are under construction at present. For the time being a small workshop has been fitted out at Romiti Felsentor.

The fact that, even today, 90% of all the racks installed by Riggenbach 110 years ago are still in use is not only surprising but also testifies to their quality. In the course of renewal work, the racks are cleaned and any loose teeth or minor fissures on the side pieces are welded. One rack made up of 30 teeth (weight of one tooth 1.8 kg) measures 3 m. Furthermore, holes have to be drilled in order to set the racks onto the spacer blocks. On renewing the superstructure, the track is ballasted with 40/60 mm gravel.

Service radio

Every railway needs its own system of communication. Like any other Swiss railway, the VRB has, for many years, had its own service telephone linking the stations to one another. By means of this line it is possible to give instructions, make reports and further inquiries. Moreover, the VRB is linked up to the national SBB (Swiss Federal Railways) telephone network, which is completely independent of the official post office network (PTT).

Although service radio on the aerial cableway Weggis–Rigi Kaltbad was used right from the beginning, this system of communication has only recently been introduced on the rack railway. When the staff on early and late trains used by very few passengers was reduced to one man, the company had to provide service radio in order to comply with the regulations issued by the Federal Transport Department.

The following radio equipment is in use on the VRB at present:

(a) stationary: at headquarters and the stations at Vitznau and Rigi Kaltbad

frequentierte Züge in den Randstunden des Tages (Früh- bzw. Spätzüge) mußte nach den Vorschriften des Bundesamtes für Verkehr auch der Betriebsfunk eingerichtet werden.

Heute stehen bei der VRB folgende Funkgeräte im Einsatz:

a) ortsfeste: bei der Direktion und den Stationen Vitznau und Rigi Kaltbad
b) mobile: auf den Führerständen der Triebfahrzeuge
c) tragbare: beim Depotchef und beim Bahndienst (z. B. Schneeräumung)

Dank der Beachtung der reglementarischen Vorschriften und guter Disziplin hat sich der Betriebsfunk sehr bewährt.

Es ist sehr erfreulich, daß dank der modernen Übermittlungstechnik die Betriebsleitung sich zu jeder Tages- und Nachtzeit, selbst unter ungünstigsten Witterungsbedingungen, mit den auf der Strecke befindlichen Fahrzeugführern verständigen und so einen sicheren Bahnbetrieb garantieren kann.

CFF (téléphone de service) couvrant tout le pays et indépendant des PTT.

La radio de service du téléphérique Weggis–Rigi Kaltbad a été introduite dès l'ouverture de l'exploitation. Bien qu'il s'agisse d'une technique de retransmission connue depuis longtemps, le chemin de fer à crémaillère ne l'a mise en service que dernièrement. Pendant les heures mortes de la journée, de bonne heure le matin ou tard le soir, le train est conduit par un homme seulement, c'est pourquoi il a fallu installer un émetteur-récepteur de service pour se conformer aux instructions du Ministère des Transports.

Aujourd'hui, les postes de radio suivants sont en service au VRB:

a) postes fixes: à la direction et aux stations de Vitznau et de Rigi Kaltbad
b) postes mobiles: sur les postes du conducteur à bord des automotrices
c) postes portatifs: pour le chef du dépôt et pour le service de chemin de fer (par exemple, le train chasse-neige)

L'émetteur-récepteur de service s'est révélé efficace grâce à l'observation des instructions réglementaires et à la bonne discipline.

Grâce à la technique de communication moderne, il est très réjouissant de souligner que la direction de l'exploitation peut communiquer avec les conducteurs de véhicules circulant sur la ligne, à toute heure du jour ou de la nuit, quel que soit l'état du temps, et garantir ainsi la sécurité du rail

(b) mobile: in the driver's cabs of the motor coaches
(c) portable: the head of depot, the service department (e.g snow clearing equipment)

Due to a strict observance of the regulations and thanks to an excellent discipline, the service radio has proved to be a valuable asset.

This modern system of communication enables traffic control to contact drivers on the track at any time of the day or night, even in the most hazardous weather and thus ensure safe operations.

Das Rollmaterial

Die Schneeschleuder von 1974

Die Rigi ist ein Berg der vier Jahreszeiten. Ganzjährig bewohnt, begangen und befahren, bietet sie den Rigibahnen stets wiederkehrend oft sehr anspruchsvolle Aufgaben. So verlangen die Wintermonate mit der meist meterhohen Schneedecke zusätzliche Anstrengungen.

Erste Winterfahrten – wer möchte das annehmen – wurden von der 1871 eröffneten Zahnradbahn erst im Januar 1906 aufgenommen. Die Räumung der Fahrbahn ist freilich während Jahrzehnten nur mit einem einfachen, 1931 verbesserten Schneepflug vorgenommen worden. Die besonders schneereiche Pachtstrecke Staffelhöhe–Rigi Kulm ist auch nach Eröffnung des Winterbetriebes auf der Rigi-Südseite im Winter nicht befahren und jeweils erst im Frühjahr wieder «eröffnet» worden.

Im Lauf der Jahre machte sich nun immer mehr das Bedürfnis geltend, die Stationen Staffel und Kulm mit der Zahnradbahn der Rigi-Südseite auch im Winter erreichen zu können. Als dann gar die Hotels der Kulm-Region ganzjährig betrieben und die Arth–Rigi-Bahn ab 1955 den Ganzjahresbetrieb einführte, sah sich auch die Vitznau–Rigi-Bahn veranlaßt, den Betrieb bis zur Gipfelstation das ganze Jahr zu führen. Dazu kam, daß die Schulkinder der Familien auf Rigi Staffel zum Besuch der Bergschule auf Rigi Kaltbad schon aus Gründen der Witterung auf die Bahn angewiesen waren.

Da die in Berglagen anfallenden, großen Schneemengen nur mit einer leistungsfähigen Schneeschleuder beseitigt werden können und das Bahntrassee nur so für einen reibungslosen Betrieb freigemacht werden kann, mußte ein solches Dienstfahrzeug beschafft werden. Hier ist nun die Art der Anschaffung besonders erwähnenswert.

Einer Anregung des damaligen Depotchefs A. Städler entsprechend und unter seiner maßgebenden Führung wurde die Mitarbeit der Depotwerkstätte Vitznau eingeschaltet. In die Lieferung der neuen Schneeschleuder teilten sich schließlich

Le matériel roulant

Le chasse-neige rotatif de 1974

Le Rigi est une montagne des quatre saisons. Habitée toute l'année, elle est parcourue à pied mais aussi en train, donnant aux chemins de fer du Rigi l'occasion constamment renouvelée de remplir leur devoir, souvent très exigeant. C'est ainsi que les mois d'hiver demandent des efforts redoublés, la hauteur de la neige atteignant la plupart du temps plusieurs mètres.

Bien que le chemin de fer à crémaillère ait été mis en service en 1871, ses premières sorties d'hiver eurent seulement lieu en 1906. Pendant des décennies, le déblayage de la voie fut bien entendu effectuée à l'aide d'un simple chasse-neige, amélioré en 1931. Même après l'ouverture de la saison hivernale sur le côté sud du Rigi, le tronçon, affermé Staffelhöhe–Rigi Kulm ne fut pas ouvert tout l'hiver, en raison de l'enneigement particulièrement abondant. La réouverture ne se faisait parfois qu'au printemps.

Au cours des années, le besoin se fit de plus en plus sentir de pouvoir atteindre les stations de Staffel et de Kulm avec le chemin de fer à crémaillère du côté sud du Rigi, même en hiver. Aussi, lorsque les hôtels de Kulm restèrent ouverts toute l'année et que le Chemin de fer Arth–Rigi décida d'en faire autant à partir de 1955, le Chemin de fer Vitznau–Rigi se vit aussi obligé d'ouvrir son exploitation de façon continuelle jusqu'à la station du sommet. A cela s'ajoutait le fait que les enfants des familles habitant Rigi Staffel fréquentaient l'école de montagne de Rigi Kaltbad et dépendaient du train, déjà pour des raisons météorologiques.

Afin de déblayer les masses fort abondantes de neige dans ces terrains montagneux et de libérer le tracé de la voie ferrée pour permettre une exploitation sans problème, il fallait absolument un chasse-neige rotatif puissant et on devait se procurer un tel véhicule de manœuvre. Ici, il faut vraiment la peine de mentionner le genre de véhicule qui fut l'objet de cet achat.

A la suite d'une suggestion du chef de

Rolling Stock

The rotary snow plough of 1974

The houses scattered all over the Rigi massif are inhabited all year round and tourists also visit the famous mountain regardless of the season. Thus the Rigi railways are faced with extremely demanding tasks, especially in winter when the tracks often disappear under metres of snow.

Surprisingly enough, the rack railway, opened in 1871, did not begin winter operations until January 1906. For decades the track had to be cleared with a very simple snow plough, which was only remodelled and improved in 1931. However, the leased section Stafelhöhe–Rigi Kulm, which is particularly exposed to heavy snowfall, remained closed until spring, even after winter operations had been started on the south face of the Rigi.

Nevertheless, in the course of time it became both desirable and necessary for the rack railway to serve the stations at Staffel and Kulm also during the winter months. When the hotels at the top of the mountain remained open the whole year, and the ARB took up winter operations in 1955, it became inevitable for the VRB to follow suit. Moreover, the children living at Rigi Staffel, who attended the mountain school at Rigi Kaltbad, were dependent on the railway for obvious reasons.

Since the huge masses of snow in mountainous regions can only be cleared by an efficient rotary snow plough, thereby guaranteeing smooth operations, such a vehicle became indispensible.

On a suggestion made by A. Städler, then head of the depot, the workshop at Vitznau took over part of the workload. Under Städler's direction, the following companies contributed towards the project: the VRB itself (remodelling the bogie of a former SBB RIC passenger car; extension, frame construction, mounting of the toothed-wheel brake, of the buffer gear and the support for the diesel engine and its intermediate gear), R. Aebi Ltd, Regensdorf (mounting of the 420 hp diesel engine for the blade wheels, build-

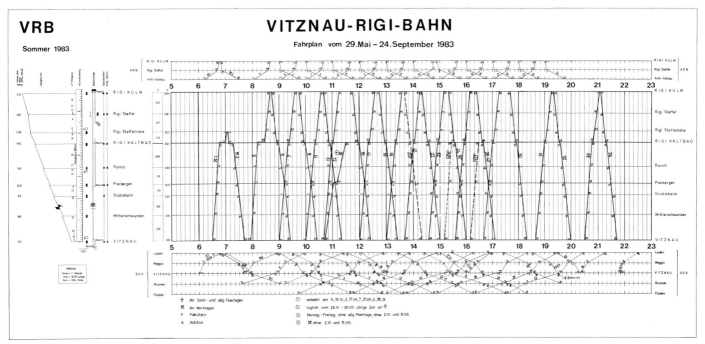

VRB

Sommer 1983

VITZNAU-RIGI-BAHN

Fahrplan vom 29.Mai – 24.September 1983

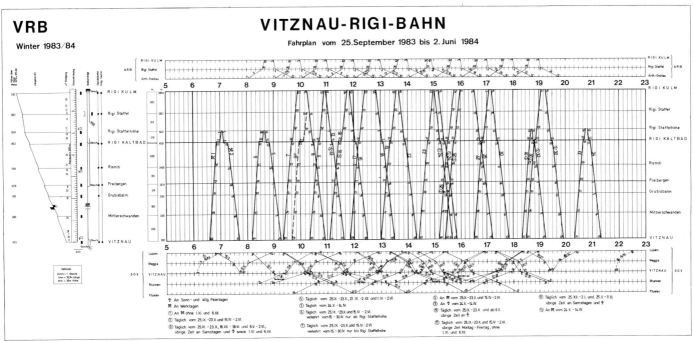

VRB

Winter 1983/84

VITZNAU-RIGI-BAHN

Fahrplan vom 25.September 1983 bis 2.Juni 1984

Graphischer Fahrplan der Vitznau–Rigi-Bahn. Oben: Sommer 1983. Unten: Winter 1983/84. Links jeweils die technischen Angaben über die Streckenverhältnisse.

Horaire graphique du Chemin de fer Vitznau–Rigi. En haut: été 1983; en bas: hiver 1983/84. A gauche les indications techniques sur le parcour.

Graph timetable of the Vitznau–Rigi Railway. Above: Summer 1983. Below: Winter 1983/84. Left, technical details concerning the track.

die Bahn selbst mit dem Umbau des Drehgestells eines ehemaligen RIC-Personenwagens der SBB (Verlängerung, Aufbau des Rahmens, Einbau der Zahnradbremse, der Zug- und Stoßvorrichtung und der Maschinen-Auflager für den Dieselmotor und das Zwischengetriebe), die Firma R. Aebi AG, Regensdorf (Einbau des 420-PS-Dieselmotors für die Schleuderräder, der Führerkabine und des Schleudervorbaus), und die Firma M. Beilhack GmbH, Rosenheim bei München (Lieferung des eigentlichen Schleudervorbaus mit zwei gegenläufigen Wurfrädern und entsprechenden Vorschneidpropellern). Dank der bahneigenen Arbeiten konnten die Gesamtkosten in erträglichen Grenzen gehalten werden. Statt eines Aufwandes von über 1 Million Franken mußten nur 485 000 Franken auf die Baurechnung der Bahn übertragen werden.

Die auf Grund eines Verwaltungsratsbeschlusses vom Mai 1974 in Auftrag gegebene Maschine konnte schon im Dezember des gleichen Jahres abgeliefert und zum Einsatz gebracht werden. Dies ist ein erfreuliches Beispiel einer geglückten Zusammenarbeit zwischen der VRB-Werkstätte und der Industrie.

Die wichtigsten technischen Daten dieses Dienstfahrzeuges:

Zweiachsige, gestoßene Ausführung:	
Achsdistanz	3,20 m
Gesamtlänge über Puffer	7,65 m
Totalhöhe	3,70 m
Gesamträumbreite mit Raffblechen und ausgefahrenem Schleudervorsatz	5,10 m
Maximale Räumhöhe	1,80 m
Wurfweite des Schnees	ca. 30,00 m
Räumleistung bei Vollast in 1 Stunde	ca. 10 000 m³
Totalgewicht des Fahrzeugs	17,00 t
Motorleistung bei 2500 U/min	420 PS

dépôt de l'époque, A. Städler, et sous sa direction, les ateliers du dépôt de Vitznau furent appelés à collaborer. La livraison du nouveau chasse-neige rotatif fut finalement distribuée. Le chemin de fer se chargea de la transformation du bogie d'un ancien wagon de passagers RIC des CFF (rallongement, construction du châssis, montage des freins de la crémaillère, de l'appareil de traction et de choc et du support de la machine pour le moteur Diesel et l'engrenage intermédiaire). La firme R. Aebi AG de Regensdorf s'occupa du montage du moteur Diesel de 420 CV destiné aux roues centrifuges, de la cabine du conducteur et du berceau du moteur du chasse-neige. Quant à la maison M. Beilhack GmbH de Rosenheim près de Munich, c'est elle qui livra le véritable berceau de moteur du chasse-neige avec deux roues à jet à mouvement contraire et des hélices correspondantes à pinces coupantes. Grâce aux travaux effectués par le chemin de fer lui-même, le coût total put être gardé dans des limites raisonnables. Au lieu d'une dépense d'un million de francs, le chemin de fer s'en tira avec une facture de construction de 485 000 francs.

La machine commandée en mai 1974, en vertu d'une décision du conseil d'administration, put déjà être livrée et mise en service en décembre de la même année. Voilà un exemple heureux de collaboration réussie entre les ateliers du VRB et l'industrie.

Les données techniques les plus importantes de ce véhicule sont les suivantes:

Modèle biaxe, de choc: distance de l'axe	3,20 m
Longueur totale avec tampons	7,65 m
Hauteur totale	3,70 m
Largeur totale avec tôles et dispositif de chasse-neige sorti	5,10 m
Hauteur maximale du déblaiement	1,80 m
Portée de la neige	env. 30,00 m
Puissance avec pleine charge en une heure	env. 10 000 m³
Poids total du véhicule	17,00 t
Puissance du moteur à 2500 tours/minute	420 CV

ing of the driver's cab and mounting of the front part) and M. Beilhack and Co., R.b.M., (supply of the front part with two opposed blade wheels and the corresponding roughcut propellers). Owing to the work carried out by the railway itself, the total cost could be kept within reasonable limits. Instead of more than 1 million francs, the construction account of the railway had to be debited with only 485,000 francs.

The machine, the order for which had been placed by the board in May 1974, was already delivered in December of the same year – a testimony to the excellent co-operation between the VRB workshop and industry.

Important technical data:

Two-axle pushed version: axle base	3.20 m
Overall length over buffer	7.65 m
Overall height	3.70 m
Overall clearing width with body plates and extended front part	5.10 m
Maximum clearing height	1.80 m
Distance at which the snow is thrown approx.	30.00 m
Full-load clearing capacity per hour approx.	10,000 m³
Total weight of vehicle	17.00 t
Engine output at 2,500 rpm	420 hp

Der Stationstraktor

Die Rangierbewegungen der Personen-, Güter- und Dienstwagen sind in Vitznau bis zum Sommer 1982 wie schon zu Riggenbachs Zeiten auf einfachste Weise, d.h. «von Hand», ausgeführt worden. Um einen beladenen Güterwagen vom Depotareal über die Drehscheibe auf das Stationsgleis zu verschieben, mußten jeweils 4 Mann des Depot- bzw. Stationspersonals eingesetzt werden. Um diesen personalintensiven und damit unwirtschaftlichen Rangierbetrieb zu vereinfachen, wurde ein von nur einem Mann bedienter zweiachsiger Elektrotraktor mit Batteriebetrieb beschafft, der diese Arbeiten sozusagen geräuschlos ausführt. Das während der Nachtzeit erfolgende Aufladen der Batterie genügt für einen Einsatz während 2 Tagen. Es ist dies das einzige ausschließliche Adhäsions-Fahrzeug der Zahnradbahn (technische Daten siehe Anhang).

Le tracteur de station

A Vitznau, le triage des wagons de voyageurs, de marchandises et de service fut effectué jusqu'à l'été 1982 de façon toute simple comme du temps de Riggenbach, c'est-à-dire manuellement. Pour déplacer un wagon de marchandises chargé, de l'aire du dépôt à la voie de la station, en passant à travers la plaque tournante, il fallait jusqu'à 4 employés du dépôt ou de la station. Afin de simplifier ce travail de manœuvre peu rentable parce que nécessitant beaucoup de personnel, on se procura un tracteur électrique à deux axes fonctionnant à batterie et conduit par un seul homme. Depuis, ces opérations de triage sont accomplies pour ainsi dire sans bruit. La batterie que l'on recharge pendant la nuit suffit pour un travail de deux jours. Ce tracteur est le seul véhicule complètement à adhésion du chemin de fer à crémaillère (voir appendice pour données techniques).

The station tractor

Up to the summer of 1982, the shunting of passenger, goods and service cars at Vitznau was carried out by hand, as was the case in Riggenbach's day. In order to move a loaded goods wagon from the depot over the turntable to the station track, four men of the depot or station staff were required. Since this method of shunting used too much manpower and was therefore highly uneconomical, the VRB purchased a two-axle battery-powered electric tractor, which can be operated by one man and has the added advantage of making practically no noise. The capacity of the battery, which is reloaded at night, suffices for two days. This tractor is the only exclusively adhesion power vehicle on the VRB.

Die Luftseilbahn Weggis–Rigi Kaltbad (LWRK)

Der Bahnbau 1967–1968

Seit dem Bau der ersten Zahnradbahn Europas hat sich die Umwelt mächtig verändert. Die Bedürfnisse des Menschen der heutigen Wohlstandsgesellschaft, die sich in so vielem von den Gegebenheiten der siebziger Jahre des letzten Jahrhunderts unterscheidet, haben sich verfeinert und vervielfacht. Annehmlichkeiten, über die man bereits verfügte, sollten noch verbessert und vermehrt werden. So betrachtet und unter diesen nun einmal gegebenen Voraussetzungen ist die Entstehung der neuen Bahn durchaus verständlich.

Die Zahnradbahn Niklaus Riggenbachs hat seinerzeit das Gebiet von Rigi Kaltbad-First erschlossen und entwickelt. An ihr hatte sich dieser Klimakurort im Laufe vieler Jahre «in die Höhe gerankt». Die Tatsache, daß der bedeutende Kurort Weggis am See der vier Waldstätte und die Höhensiedlung von Kaltbad-First eine Gemeinde bilden, hatte schon vor Jahrzehnten das Bedürfnis und den sicher berechtigten Wunsch nach einer eigenen, unmittelbaren Verkehrsverbindung zwischen den beiden Gemeindeteilen geweckt. In einer Zeit der weiten und immer stärkeren Verbreitung technisch stark vervollkommneter Luftseilbahnen mußte dieser Wunsch so oder so gelegentlich Wirklichkeit werden.

Erste Konzessionsgesuche für den Bau einer Zahnrad-, Standseil- oder Luftseilbahn gehen auf die Jahre 1888, 1897, 1901 und 1961 zurück. Die Rigibahn-Gesellschaft wandte sich verständlicherweise während Jahren immer wieder gegen die Verwirklichung eines solchen, unmittelbar benachbarten Konkurrenzunternehmens. Eine entscheidende Wendung trat am 9. Dezember 1963 ein, als das für Luftseilbahnkonzessionen zuständige Eidgenössische Verkehrs- und Energiewirtschaftsdepartement in Bern

Le téléphérique Weggis–Rigi Kaltbad (LWRK)

Construction 1967–1968

Depuis la construction du premier chemin de fer à crémaillère européen, l'environnement a subi de grands changements. Les besoins de l'homme d'aujourd'hui, appartenant à une société prospère aux conditions de vie tellement différentes de celles des années 70 du siècle dernier, se sont raffinés et diversifiés. Les commodités déjà existantes devaient encore être améliorées et accrues. Partant de ce point de vue, l'idée de la construction d'un nouveau téléphérique semble être très compréhensible.

En son temps, le train à crémaillère de Niklaus Riggenbach avait contribué au développement et au rapprochement de la région de Rigi Kaltbad-First. Il en avait fait au cours des années un «haut lieu de villégiature». Le fait que le célèbre lieu de cure de Weggis, au bord du lac des Quatre-Cantons, et la colonie d'altitude de Kaltbad-First forment une seule commune, avait depuis longtemps engendré le besoin et le désir légitime d'un moyen direct et autonome de communication entre ces deux parties. A une époque de vaste développement des téléphériques jouissant d'une perfection technique sans cesse améliorée, ce désir devait devenir réalité d'une façon ou d'une autre.

Les premières demandes de concession pour la construction d'un train à crémaillère, d'un funiculaire ou d'un téléphérique remontent à 1888, 1897, 1901 et 1961. La Société du «Rigibahn» s'est opposée pendant des années, pour des raisons bien compréhensibles, à l'établissement d'une entreprise concurrente aussi proche. La situation changea le 9 décembre 1963 de façon décisive, lorsque le Département fédéral des communications et de l'énergie à Berne, responsable pour la délivrance des concessions de téléphériques, donna son accord de principe au comité d'initiative de l'époque.

The Aerial Cableway Weggis–Rigi Kaltbad (LWRK)

Constructing the Cableway (1967–1968)

Since the first rack railway in Europe was built, the surrounding region has undergone vast changes. The needs of people living in an age of prosperity, differing in so many respects from the conditions of the 'seventies of the last century, have become more sophisticated and numerous. Amenities which existed in the past have had to be improved and increased. From this point of view and mainly for this reason, the opening of the new cable route is understandable.

In its time, Niklaus Riggenbach's rack railway opened up the region between Rigi Kaltbad and First to subsequent development. It was due to this line that the climatic resort owed its growing popularity over so many years. The fact that the important resort of Weggis on the Lake of Lucerne and the mountain settlement of Kaltbad-First form a single community made it certain from very early on that there would be a latent desire for this community to have its own direct means of communication between its two parts. In an age of widespread and improved cableway construction technique, it was almost inevitable that in time this desire would be gratified somehow or other.

The first applications for a concession to build a rack or cable railway or cableway were made in 1888, 1897, 1901 and 1961. For various reasons the VRB raised objections for many years to these schemes for an undertaking which would offer strong competition from a powerful neighbour. A decisive step was taken on December 9, 1963, when the Federal Ministry of Transport in Berne awarded the concession for an aerial cableway for which application had been made by the committee formed to launch the project.

This led the VRB management to carry out a comprehensive review of their own concern which had for so

dem Gesuch des damaligen Initiativkomitees seine grundsätzliche Zustimmung erteilte.

Das veranlaßte die Verwaltung der Rigibahn-Gesellschaft, bei aller Treue zum angestammten, ein beschauliches, sicheres Reisen garantierenden Zahnradbetrieb, die damit gegebene völlig neue Situation in einer so ganz anderen Zeit erneut zu überprüfen. Seit der Inbetriebnahme der ersten Bergbahn des Landes und Europas zugleich im Jahre 1871 haben sich zahlreiche zu berücksichtigende Faktoren maßgeblich verändert. Eindrucksvoll sind diesbezüglich vor allem: die Bedürfnisse des heutigen Menschen, die Reisegewohnheiten in der Gegenwart, so unter anderem das Verlangen, in möglichst kurzer Zeit möglichst viel zu sehen, das Aufkommen und die rasante Entwicklung der neuen Reisemittel Automobil und Flugzeug, die Einkommens- und Freizeitverhältnisse wie auch der Zeitbegriff.

Diese Gegebenheiten waren weder zu übersehen noch der Wunsch unverständlich, eine direkte Verbindung zwischen dem Dorfkern am See und der Filialgemeinde auf dem Berg zu erhalten und den Bergbewohnern damit einen unmittelbaren und raschen Zugang zu den Schulen, Ärzten, Geschäften und Gemeindeversammlungen in Weggis zu ermöglichen. Mit einer leistungsfähigen Luftseilbahn sollte gleichzeitig ein neuer Anreiz für die Entwicklung des Fremdenverkehrs von Weggis und Kaltbad und auch ein unmittelbarer Zugang zur Alp- und Forstwirtschaft der Gemeinde und Korporation auf der Höhenterrasse von Kaltbad-First geschaffen werden.

Diese Einsichten bildeten die Grundlage für eine engere, verständnisvolle Zusammenarbeit zwischen dem Initiativkomitee und der Rigibahn-Gesellschaft und für einen Vertrag vom 31. August 1964 bezüglich der gemeinsamen Verwirklichung des Projektes. Die Konzession zur Erstellung dieser Luftseilbahn wurde, künftig jede ungesunde gegenseitige Konkurrenzierung ausschließend, am 24. September 1964 der Rigibahn-Gesellschaft erteilt. In der Generalversammlung vom 27. Juni 1966 stimmten deren

Cela obligea la direction de la Société du «Rigibahn» à repenser la situation nouvelle dans un contexte nouveau, tout en gardant sa confiance à son bon vieux train à crémaillère qui garantissait un voyage calme et sûr. Depuis la mise en opération du premier chemin de fer à crémaillère de Suisse et d'Europe, bien des facteurs dignes de considération se sont grandement modifiés. Parmi les plus importants on peut citer: les besoins de l'homme actuel, les habitudes de voyage d'aujourd'hui, entre autre le désir d'en voir le plus possible en un minimum de temps, l'apparition et l'évolution foudroyante de l'automobile et de l'avion, le niveau des salaires, les loisirs, la notion du temps.

Il ne fallait surtout pas sous-estimer ces données ou ignorer les avantages d'une liaison directe entre le centre du village au bord du lac et sa filiale sur la montagne, offrant aux montagnards un accès rapide aux écoles, aux médecins, aux magasins et aux assemblées communales à Weggis. Un téléphérique de haut rendement allait aussi contribuer à l'essor du tourisme de Weggis et de Kaltbad et ouvrir un accès immédiat à l'économie alpine et forestière de la commune et de la corporation, sur la haute terrasse de Kaltbad-First.

Ces considérations poussèrent le comité d'initiative et la Société du «Rigibahn» à collaborer étroitement dans un esprit de compréhension mutuelle et à passer un accord sur la réalisation commune du projet en date du 31 août 1964. La construction de ce nouveau transporteur aérien fut accordée le 24 septembre à la Société du «Rigibahn», excluant à l'avenir toute concurrence mutuelle malsaine. Le 27 juin 1966, l'assemblée générale des actionnaires vota ce projet de même que l'augmentation du capital s'y rapportant, le faisant passer de 1,3 à 4 millions de francs.

Le dernier droit de passage fut délivré le 14 juillet 1967 et la construction put commencer tout de suite après, pendant le même été. Après onze mois de travaux seulement, on put procéder à l'inauguration, le 15 juillet 1968. L'installation de ce téléphérique permet d'effectuer une im-

many years offered its clientele an attractive, safe means of transport on its rack railway, in order to bring it up to contemporary standards in circumstances which had changed so radically since the early decades of its existence. Many and varied were the circumstances which had changed since the first mountain railway in Switzerland and Europe had made its *debut* in 1871. The most important of these were: the everyday demands of the public, the travel habits now prevailing, such as the wish to see as much as possible in the shortest possible time, the rise and rapid development of the motor and aircraft industry, income and leisure standards and finally, the time factor.

These conditions could not be overlooked any more than it was possible to ignore the desire of two parts of a community to have a direct transport connection between the community centre on the lake shore and the outlying part up the mountain side, and thus give the latter inhabitants a short and rapid link to schools, doctors, shops and public meetings at Weggis. A suitable cableway would offer at the same time a new tourist attraction for Weggis and Kaltbad as well as a shorter connection with the Alpine pasture and forestry interests of the inhabitants and the council on the upper slopes of Kaltbad-First.

It was the realisation of these considerations which led to a close co-operation between the founding committee and the VRB Company and to an agreement made on August 31, 1964 with regard to the joint construction of the new cableway. The concession for building this new route was transferred to the VRB Company on September 24, 1964 on condition that there would be no unfair competition between the two undertakings. At the general meeting of June 27, 1966, the shareholders voted in favour of this project and the necessary increase of the capital from 1.3 million francs to 4 million.

The last stages of the transfer of rights were concluded in July 1967 and construction work was begun the same summer immediately afterwards. After no more than eleven months of building

Aktionäre dem Vorhaben und der damit verbundenen Erhöhung des Aktienkapitals von 1,3 auf 4 Millionen Franken zu.

Die Bauarbeiten konnten sofort nach Erteilung des letzten Überfahrtsrechtes vom 14. Juli 1967 noch im gleichen Sommer beginnen. Die Betriebseröffnung fand nach einer Bauzeit von nur elf Monaten am 15. Juli 1968 statt. Mit der Luftseilbahn ist eine Anlage geschaffen worden, die, den Zahnradbahnbetrieb ergänzend, eine eindrucksvolle Rundreise über dem reizvollen Gelände des Vierwaldstättersees erlaubt.

pressionnante randonnée au-dessus du paysage du lac des Quatre-Cantons, tout en représentant un atout complémentaire pour le chemin de fer à crémaillère.

work, the new cableway was opened on July 15, 1968. With the existence of this cableway, there is now a means of transport complementary to the rack railway undertaking, which affords an impressive round trip over the wonderful country of the Lake of Lucerne.

Die bisherige Entwicklung der Luftseilbahn

Interessant ist die bisherige Verkehrsentwicklung der Luftseilbahn im Vergleich zur Zahnradbahn, die von der Stadt Luzern, dem Zentrum des touristischen Geschehens in der Zentralschweiz, 5 km weiter entfernt ist als die Luftseilbahn. Bei der Beurteilung der Frequenzen ist vor allem auf folgende Zusammenhänge hinzuweisen:

	Vitznau VRB	Weggis LWRK
Perronhöhe	435 m ü.M.	499,5 m ü.M.
Distanz Schiff-/ Bahnstation	50 m	1000 m
Zeitbedarf Schiff/ Bahn	1 min	15 min

Aus diesen Angaben ergibt sich die Tatsache, daß Schiffsreisende ihren Weg auf die Rigi über Vitznau wählen, während Automobilisten eher die stadtnähere Luftseilbahn benützen. Der internationale Reiseverkehr wendet sich im Sommer, das Schiff benützend, nach wie vor Vitznau und seiner Zahnradbahn zu, während die Einheimischen mit dem Motorfahrzeug über Weggis anreisen. Das gilt insbesondere für die Wintersportler. Der Reiseverkehr der beiden Rigi-Südbahnen hat sich seit 1969 wie folgt entwickelt:

Le développement du téléphérique LWRK jusqu'à ce jour

Il est intéressant de noter le développement qu'a subi le téléphérique par rapport au chemin de fer à crémaillère qui est encore 5 km plus loin de la ville de Lucerne, centre touristique par excellence de la Suisse centrale. Pour l'interprétation de fréquences, il faut avant tout indiquer les circonstances suivantes:

	Vitznau VRB	Weggis LWRK
Hauteur du quai	435 m	499,5 m
Distance débarcadère/station	50 m	1000 m
Temps pour trajet bateau/train	1 min	15 min

Ces données nous montrent que les voyageurs venant par bateau choisissent Vitznau pour leur randonnée sur le Rigi, tandis que les automobilistes utilisent plutôt le téléphérique le plus proche de la ville. Pendant l'été, le tourisme international arrivant par voie d'eau continue à se diriger vers Vitznau, pendant que la population locale motorisée se rend au Rigi par Weggis. C'est surtout le cas pour les sports d'hiver. Depuis 1969, le trafic touristique des deux transporteurs du côté sud du Rigi indique l'évolution suivante:

Development of the aerial cableway up to the Present Day

It may be of interest to the reader to compare the traffic development of the aerial cableway to that of the rack railway, which is, in fact, 5 km farther away from Lucerne, the main tourist resort in Central Switzerland. In doing so the following data must be taken into account:

	Vitznau VRB	Weggis LWRK
Altitude above sea-level (platform)	435 m	499.5 m
Distance from quay to railway station	50 m	1,000 m
Time taken from ship to railway	1 min	15 min

On considering this information we can draw the conclusion that passengers travelling by ship prefer to reach the Rigi via Vitznau, while motorists tend to use the aerial cableway, which is much nearer town. In summer tourists from abroad use the ship as they have always done, changing to the rack railway at Vitznau, while local inhabitants drive to Weggis and subsequently travel on the LWRK. This is particularly true of winter sports fans. Traffic on the two railways on the south side of the Rigi massif has shown the following development since 1969:

Reisende	1969	1970	1980	1982	Zunahme 1969–1982
Zahnrad-bahn	488 200	529 611	477 765	522 510	+ 7 %
Luftseil-bahn	239 927	250 671	261 018	273 708	+14 %

Im Laufe der letzten Jahre hat sich ungefähr folgendes Verkehrsverhältnis zwischen den beiden Bahnen herausgebildet:

	Zahnradbahn Vitznau–Rigi	Luftseilbahn Weggis–Rigi Kaltbad
Sommer	60 %	40 %
Winter	40 %	60 %
Total	**100 %**	**100 %**

Es ist von Interesse festzustellen, daß der Personenverkehr der neuen Luftseilbahn im ersten vollen Betriebsjahr (1969) sofort die 200 000-Personen-Grenze überschritten und in den letzten 15 Jahren dauernd zwischen 239 000 und 273 000 (1982) Reisende aufzuweisen hat.

Bei den verschiedenen Faktoren, welche die Größe des Verkehrsaufkommens maßgebend beeinflussen, spielt wohl nicht zuletzt die Zahl der bei der Talstation einer Bergbahn zur Verfügung stehenden Parkplätze eine mitentscheidende Rolle (die LWRK-Talstation Weggis verfügt über ca. 450 stationsnahe Standplätze).

Wie sehr sich die allgemeinen Verhältnisse seit der Eröffnung der Zahnradbahn vor über 110 Jahren geändert haben, zeigt die Tatsache, daß die Vitznau–Rigi-Bahn erst im Jahr 1945, d. h. nach 74 Jahren, eine Jahresfrequenz von über 200 000 Personen erreicht hat. Die große Mobilität, mehr Freizeit und die Reisegewohnheiten der Bevölkerung von heute sind dafür mitbestimmend.

Für den Bau der Luftseilbahn mußten damals außer der Erhöhung des Aktienkapitals auch Bankkredite im Betrag von Fr. 2 892 747.– beansprucht werden. Bis 1982 konnten diese Darlehen auf Fr. 1 210 000.–, d. h. auf 40 % der ursprünglichen Summe, zurückbezahlt werden.

Voyageurs	1969	1970	1980	1982	Augmen-tation 1969–1982
Chemin de fer à cré-maillère	488 200	529 611	477 765	522 510	+ 7 %
Télé-phérique	239 927	250 671	261 018	273 708	+14 %

Au cours des dernières années, la participation au trafic des deux transporteurs était dans l'ordre suivant:

	Chemin de fer à crémaillère Vitznau–Rigi	Téléphérique Weggis–Rigi Kaltbad
Eté	60 %	40 %
Hiver	40 %	60 %
Total	**100 %**	**100 %**

Il est intéressant de constater que le trafic des voyageurs du nouveau téléphérique a dépassé 200 000 personnes pendant la première année de son exploitation, pouvant constamment afficher le chiffre de 239 000 à 273 000 (1982) passagers au cours des quinze dernières années. Parmi les différents facteurs importants ayant joué un rôle décisif dans l'augmentation considérable du trafic, il faut mentionner le nombre des places de stationnement mises à la disposition près de la station du téléphérique (la station LWRK de Weggis possède plus de 450 places de stationnement à proximité)

On voit combien les circonstances générales ont changé depuis l'inauguration du chemin de fer à crémaillère, il y a plus de 110 ans, si on considère le fait que le «Vitznau–Rigi-Bahn» a atteint la fréquence annuelle de 200 000 personnes en 1945 seulement, soit 74 ans après sa mise en service. La plus grande mobilité de la population, l'augmentation des loisirs et les habitudes de voyage sont à la source de ces changements.

A l'époque, la construction du téléphérique nécessita l'obtention de crédits bancaires s'élevant à fr. 2 892 747.–, en plus de l'obligation d'augmenter le capital-actions. Jusqu'en 1982, un montant de

Passengers	1969	1970	1980	1982	Increase 1969–1982
Rack railway	488,200	529,611	477,765	522,510	+ 7 %
Aerial cableway	239,927	250,671	261,018	273,708	+14 %

Approximate calculations have shown the percentage of traffic using the two railways in recent years to be as follows:

	Rack railway Vitznau–Rigi	Aerial cableway Weggis–Rigi Kaltbad
Summer	60 %	40 %
Winter	40 %	60 %
Total	**100 %**	**100 %**

It is worthy of note that the new aerial cableway carried more than 200,000 passengers even in 1969, its first full year of service, and that in the last 15 years between 239,000 and 273,000 (1982) passengers have been served annually.

Among the factors which influence the volume of traffic the number of parking spaces available around the point of departure may well play a decisive role (the LWRK station at Weggis has room for about 450 cars).

How much the general situation has changed since the opening of the rack railway more than 110 years ago, is reflected in the fact that the number of passengers yearly transported by the VRB only exceeded 200,000 in 1945, i. e. after 74 years of service. The greater mobility, more sparetime and different travelling patterns prevalent in modern society may be partly responsible.

For the construction of the aerial cableway, the share capital had to be increased and bank credits amounting to 2,892,747 francs had to be taken out. By 1982 these loans could be reduced to 1,210,000 francs, i. e. 40 % of the original sum.

It remains to be hoped that tourism in this region will develop, in the future, at the same promising pace as it has done up to now.

Es bleibt nur zu hoffen, daß die künftige Entwicklung des Rigi-Tourismus auch weiterhin diese Konstanz erfreulicher Frequenzen im Personenverkehr erwarten lassen kann.

fr. 1 682 747.–, soit 60% du prêt initial a pu être remboursé.

Il ne reste plus qu'à espérer que le tourisme du Rigi continuera à se développer dans le futur avec la même constance, ce que la fréquence du trafic des voyageurs peut nous laisser entrevoir.

Die Rigi-Scheidegg-Bahn (RSB)

Le Chemin de fer Rigi Scheidegg (RSB)

The Rigi Scheidegg Railway (RSB)

Eine Reminiszenz

Die Tatsache, daß die Betriebsführung der von 1874 bis 1931 im Dienst gestandenen Rigi-Scheidegg-Bahn von 1917 an der Vitznau–Rigi-Bahn übertragen war, gibt Anlaß, auch an dieser Stelle kurz der damals höchstgelegenen Adhäsionsbahn Europas zu gedenken. Die Rigi, einer der ersten Kristallisationspunkte des schweizerischen Tourismus im ausgehenden 19. Jahrhundert, wurde zu einem der bekanntesten Ziele des zentralschweizerischen Fremdenverkehrs.

Zu den ersten, voller Erwartung eröffneten Bahnanlagen jener Zeit gehörten neben den beiden die Rigiflanken erklimmenden ersten Zahnradbahnen Europas auch die von Arth am See nach Goldau führende Talbahn der Arth–Rigi-Bahn und die Kaltbad mit der Scheidegg (300-Betten-Hotel) verbindende Rigi-Scheidegg-Bahn. Die jeweils nur im Sommer, vom Juni (Pfingsten) bis Ende September verkehrende Ausflugs- und Aussichtsbahn erzielte nur recht bescheidene Frequenzen und dementsprechend geringe Verkehrseinnahmen. Die großen Erwartungen, die man damals in die knapp 7 km messende Dampfbahn setzte, wurden nicht erfüllt.

Während der Bahnbetrieb daher schließlich im Herbst 1931 für immer eingestellt wurde und die Gleisanlagen im Laufe der Jahre 1942/43 abgebrochen wurden, haben die Brücke von Unterstetten, der Weißenegtunnel, ein heute als Ferienunterkunft dienender Personenwagen der RSB sowie einige wenige Hektometerzeichen die Jahrzehnte bis jetzt überdauert.

Une réminiscence

Le chemin de fer Rigi Scheidegg fut en service de 1874 à 1931. Le fait que la direction de l'exploitation l'ait transféré au «Vitznau–Rigi-Bahn» à partir de 1917 nous donne l'occasion de rappeler son existence de jadis en tant que chemin de fer à adhésion situé à la plus haute altitude d'Europe. A la fin du XIXe siècle, le Rigi devint une des destinations de voyage les plus connues en Suisse centrale.

Parmi les installations ferroviaires de ce temps-là inaugurées avec beaucoup d'espoir, se trouvaient les premiers chemins de fer à crémaillère de Suisse qui gravissaient les flancs du Rigi. Dans la vallée, il y avait aussi l'«Arth–Rigi-Bahn» circulant du village riverain d'Arth jusqu'à Goldau et le «Rigi-Scheidegg-Bahn» réunissant la station de Kaltbad à celle de Scheidegg disposant d'un hôtel de 300 lits. Ce chemin de fer panoramique d'excursion ne fonctionnait qu'en été, de juin (Pentecôte) à la fin de septembre. Peu fréquenté, il n'apportait en conséquence que des revenus modestes. Couvrant un trajet d'à peine 7 km, ce chemin de fer à vapeur ne fut malheureusement pas à la hauteur des espérances formées à son sujet.

C'est pour cette raison qu'on arrêta finalement l'exploitation une première fois à l'automne 1931 pour finir par démolir la voie ferrée au cours des années 1942/43. Le pont d'Unterstetten, le tunnel de Weissenegg, un wagon de voyageurs du RSB servant aujourd'hui de maison de vacance ainsi que quelques signaux d'hectomètres ont survécu jusqu'à aujourd'hui à l'usure des ans.

In memoriam

The fact that the RSB, which ran from 1874–1931, was operated by the VRB from 1917 onwards, calls to mind what was then the highest adhesion railway in Europe. The Rigi, which was one of the first tourist attractions in Switzerland in the second half of the 19th century, became one of the most famous destinations for travellers to Central Switzerland.

Apart from the two rack railways leading up the sides of the Rigi, the lowland section of the "Arth–Rigi-Bahn" from Arth to Goldau and the "Rigi–Scheidegg-Bahn" connecting Kaltbad to the Scheidegg (hotel with 300 beds) were among the first railway operations commenced in a period of great enthusiasm. The RSB, an excursion and panoramic railway, which was only open in summer, i. e. from June (Whitsun) until the end of September, was not used by many passengers and therefore had a correspondingly low income. The great hopes placed in the barely 7 km long steam railway were unfortunately not fulfilled.

So operations were closed down in the autumn of 1931, and in the years 1942/43 the tracks were eventually dismantled. However, the bridge at Unterstetten, the Weissenegg tunnel, an RSB passenger car, which is now used as holiday accommodation, as well as a few of the stones which had marked distances of 100 m, still remain.

Die Rigi-Scheidegg-Bahn 1874–1931

Allgemeines

Konzession erteilt: 1873	
Betriebseröffnung:	
– Kaltbad–Unterstetten (3,45 km)	14. Juli 1874
– Unterstetten–Scheidegg (3,29 km)	1. Juli 1875

Le «Rigi-Scheidegg-Bahn» 1874–1931

Généralités

Délivrance de la concession: 1873	
Inauguration de l'exploitation:	
– Kaltbad–Unterstetten (3,45 km)	14 juillet 1874
– Unterstetten–Scheidegg (3,29 km)	1er juillet 1875

The "Rigi-Scheidegg-Bahn" 1874–1931

General data

Concession granted: 1873	
Beginning of operation:	
– Kaltbad–Unterstetten (3.45 km)	14th July 1874
– Unterstetten–Scheidegg (3.29 km)	1st July 1875

Eigentümerin:
- 1874 Regina Montium AG
- 1876 Betriebsgesellschaft der Rigi-Hotels
- 1897 Rigi-Kaltbad–Scheidegg-Eisenbahn-Gesellschaft

Baukosten (bei zahlreichen Erd-, Fels- und Mauerarbeiten):
ca. 1,5 Millionen Franken

Betriebsführung: ab 1917 Rigibahn-Gesellschaft, Luzern

Betriebseinstellung: 21. September 1931 (provisorisch)

Abbruch der Gleisanlagen: 1942/43

Bahnanlagen

Gleis
Adhäsionsbahn mit Holzschwellen
Spurweite: 1 m
Schienen: Höhe 10 cm   Gewicht: 25 kg/lfm
Gerade Strecken: 46%   Kurven: 54%
Minimalradius: 105 m
Planum: 3,45 m
Schotterbett: 2,55 m breit, 30 cm hoch
Maximale Steigung: 50‰   Mittlere Steigung: 34‰
Betriebslänge: 6,7 km

Tunnel
Weißeneggtunnel: 75 m

Brücken
Unterstettenbrücke: Schweißeisen, mit 3 je 15 m hohen Stützen (52 m)

Stationen

1. Rigi Kaltbad	1439 m ü.M.
2. Rigi First	1462 m ü.M.
3. Rigi Unterstetten	1437 m ü.M.
4. Rigi Scheidegg	1607 m ü.M.
Höhendifferenz:	168 m

Rollmaterial

Triebfahrzeuge (Dampfbetrieb)
3 Tenderlokomotiven (3 gekuppelte Achsen) zu 130 PS (Schweizerische Lokomotiv- und Maschinenfabrik, Winterthur).

Personenwagen
3 Personenwagen (4-Achser), offen mit Segeltuchvorhängen, 70 Plätzen und Gepäckabteil (Waggonfabrik, Fribourg).

Güterwagen
3 offene Güterwagen (2-Achser) (Waggonfabrik, Fribourg).

Propriétaires:
- Regina Montium SA (1874)
- Société d'exploitation des hôtels du Rigi (1876)
- Société ferroviaire Rigi–Kaltbad-Scheidegg (1897)

Coût de construction (en raison des nombreux travaux de terrassement, de pierre et de maçonnerie): 1,5 million de francs

Arrêt de l'exploitation: 21 septembre 1931 (provisoire)

Démolition de la voie ferrée: 1942/43

Installations du chemin de fer

Voies
Chemin de fer à adhésion avec traverses de bois
Ecartement des rails: 1 m
Rails: hauteur 10 cm   Poids: 25 kg/m
Sections rectilignes: 46%   Courbes: 54%
Rayon minimum: 105 m
Nivellement: 3,45 m
Ballast: 2,55 m de largeur, 30 cm de hauteur
Déclivité maximale: 50‰   Déclivité moyenne: 34‰
Longueur d'exploitation: 6,7 km

Tunnel
Tunnel de Weissenegg: 75 m

Pont
Pont d'Unterstetten: fer soudé, avec 3 piliers d'une hauteur de 15 m chacun (52 m)

Stations

1. Rigi Kaltbad	1439 m
2. Rigi First	1462 m
3. Rigi Unterstetten	1437 m
4. Rigi Scheidegg	1607 m
Différence d'altitude:	167 m

Matériel roulant

Locomotives (Exploitation à vapeur)
3 Locomotives à tender (3 essieux couplés) à 130 CV (Fabrique Suisse de Locomotives et de Machines, Winterthour).

Voitures de voyageurs
3 wagons de voyageurs (4 essieux), ouverts avec rideaux en grosse toile, 70 places et compartiment à bagage (Fabrique de Wagons, Fribourg).

Wagons à marchandises
3 wagons à marchandises ouverts (2 essieux) (Fabrique de Wagons, Fribourg).

Exploitation et transport
Exploitation estivale seulement, de juin (Pentecôte) jusqu'à la fin septembre. 5 aller-retour par jour.

Proprietors:
- Regina Montium Ltd (1874)
- Committee of the Rigi Hotels (1876)
- Railway Company Rigi Kaltbad–Scheidegg (1897)

Construction cost (including a great deal of excavation work, rock cutting and wall building): approx. 1.5 million francs

Management: "Rigibahn-Gesellschaft", Lucerne, from 1917 onwards

Operation closed down: 21st September 1931 (temporary)

Dismantling of the track: 1942/43

Installations

Track
Adhesion railway with wooden sleepers
Gauge: 1 m
Rails: height 10 cm   Weight: 25 kg/m
Straight sections: 46%   Curves: 54%
Minimum radius: 105 m
Planing: 3.45 m
Ballast: width 2.55 m; height 30 cm
Maximum gradient: 1 in 20   Average gradient: 1 in 29
Length of track: 6.7 km

Tunnel
Weissenegg tunnel: 75 m

Bridges
Unterstetten bridge: welded iron, with three 15 m high supports (52 m)

Stations

1. Rigi Kaltbad	1,439 m
2. Rigi First	1,462 m
3. Rigi Unterstetten	1,437 m
4. Rigi Scheidegg	1,607 m
Difference in altitude:	168 m

Rolling stock

Motive power (Steam operation)
3 tank locomotives (3-coupled), 130 hp each, (Schweizerische Lokomotiv- und Maschinenfabrik, Winterthur).

Passenger cars
3 passenger cars (4 axles), open with canvas blinds, 70 seats and luggage compartment (Waggonfabrik, Fribourg).

Goods wagons
3 open goods wagons (2 axles) (Waggonfabrik, Fribourg).

German column

Betrieb und Verkehr
Nur Sommerbetrieb, Juni (Pfingsten) bis Ende September (5 Zugspaare im Tag).

Personenverkehr
In den ersten Jahren jede Saison ca. 10 000 Reisende, später nur noch ungefähr 7000.

Güterverkehr
Ca. 500 bis 1000 t je Saison (u. a. Holztransporte).

Personentarif
Für eine Retourfahrt Kaltbad–Scheidegg Fr. 4.–.

Personal
Ca. 20 Mitarbeiter (Aushilfen durch die VRB).

Heute können sich von all jenen, welche das Trassee der ehemaligen Aussichtsbahn als bequemen Wanderweg oder als vielbenützte Langlaufloipe begehen, nur noch wenige an die Eisenbahn-Romantik von damals und an die gemächlich über die Panoramaroute tukkernde Dampfbahn erinnern. Sie ist als Zeuge einer hoffnungsvoll eröffneten und nach knapp sechs Jahrzehnten mit schmerzlichen Gefühlen aufgehobenen Bahnstrecke in die Geschichte der Vitznau-Rigi-Bahn als betriebsführende Verwaltung und damit in die Eisenbahn-Annalen unseres Landes eingegangen.

French column

Transport des voyageurs
Pendant les premières années, environ 10 000 personnes à chaque saison; plus tard, 7000 passagers seulement.

Transport des marchandises
Environ 500 à 1000 tonnes par saison (transport de bois entre autres).

Prix de billet de voyageur
Pour un billet retour Kaltbad–Scheidegg: 4 francs.

Personnel
Environ 20 employés (main-d'œuvre d'appoint du VRB).

Aujourd'hui, le tracé de l'ancienne ligne panoramique est emprunté comme chemin d'excursion facile ou piste de ski de fond animée. Très peu de promeneurs se souviennent de la période romantique du chemin de fer à vapeur d'autrefois qui haletait le long de la route panoramique. Cette section fut inaugurée avec de grandes espérances et c'est avec amertume qu'on dut la fermer 60 ans plus tard. Ce témoin de jadis est entré dans l'histoire du Chemin de fer Vitznau–Rigi qui se chargea de son exploitation et par le fait même dans les annales ferroviaires de notre pays.

English column

Operation and traffic
Summer operation only, from June (Whitsun) until the end of September (5 daily trains each way).

Passenger traffic
During the first few years approx. 10,000 passengers each season, later only approx. 7,000 persons.

Goods traffic
Approx. 500 to 1,000 tonnes each season (including timber).

Fare
Fare Kaltbad–Scheidegg return: 4 francs.

Staff
About 20 persons (temporary workers provided by the VRB).

Today only few of those who hike along the track of the former excursion railway or use it for cross country skiing can remember the nostalgic atmosphere of the steam trains puffing contentedly along the panoramic route. The RSB has gone down in the history of the VRB, which took over its management, as a painful reminder of a section which was opened with a view to a glorious future, but which had to be closed down after only 57 years.

Das Aktienkapital der Rigibahn-Gesellschaft

Das Grundkapital der ersten Bergbahn Europas von ursprünglich Fr. 1 250 000.– hat im Lauf der Jahrzehnte einige Veränderungen erfahren. Es beträgt seit 1966 Fr. 4 000 000.–.

Das Gründungskapital

Die Erstellungskosten der Rigibahn wurden seinerzeit auf Fr. 1 180 000.– berechnet. Für allgemeine Kosten, Bauzinse und Unvorhergesehenes wurden Fr. 70 000.– in Rechnung gestellt. Das Grundkapital wurde daher auf Fr. 1 250 000.– festgesetzt. Die Gründer übernahmen die Hälfte dieser Summe. Die andere Hälfte, Fr. 625 000.– (1250 Aktien à Fr. 500.–), wurde zur öffentlichen Zeichnung aufgelegt.

Le capital en actions de la Société du «Rigibahn»

Le capital d'apport du premier chemin de fer à crémaillère d'Europe était au tout début de fr. 1 250 000.–. Il a subi quelques modifications au fil des années, s'élevant à fr. 4 000 000.– depuis 1966.

Le capital d'établissement

A l'époque, on calcula fr. 1 180 000.– pour le coût de construction et on compta une somme de fr. 70 000.– pour les frais généraux, les intérêts de construction et les dépenses imprévues, d'où le capital d'apport fixé à fr. 1 250 000.–. Les fondateurs prirent en charge la moitié des frais. Une souscription fut ouverte au public pour l'autre moitié s'élevant à fr. 625 000.–, sous la forme de 1250 actions à fr. 500.–.

The Share Capital of the Rigi Railway Society

The original capital of Europe's first mountain railway was 1,250,000 francs. It was, however, increased several times and has been 4,000,000 francs since 1966.

The original capital

The construction costs of the Rigi Railway were first calculated as being 1,180,000 francs. Another 70,000 francs were allotted for general expenses, construction interest and incidentals. Thus the original capital was fixed at a sum of 1,250,000 francs. The founders took over half of this amount. The other half, i.e. 625,000 francs (1,250 shares at 500 francs each) were laid open to public subscription, a venture which proved to be a great success. On the first day of sub-

Diese hatte einen außerordentlich großen Erfolg. Schon am ersten Zeichnungstag wurden statt der für die Subskription zur Verfügung gestellten 1250 Aktien deren 2398 gezeichnet. Das große Vertrauen, das von allem Anfang an in das neue Bahnunternehmen gesetzt wurde, mag aus der recht großen Zahl von Zeichnern hervorgehen, die 10 bis 50 Aktien gezeichnet haben. So wurde fast die Hälfte des Grundkapitals von 46 Interessenten mit über 1100 Aktien gezeichnet.

Die Sanierungen von 1936 und 1943
Die Zahnradbahn am Rigi-Südhang hat ihren Betrieb recht hoffnungsvoll begonnen, konnte doch für das erste volle Betriebsjahr 1872 eine Dividende von 15%, für 1873 17% und für 1874 gar eine solche von 20% ausgerichtet werden. Es waren die Jahre der absoluten Monopolstellung der Vitznau-Rigi-Bahn. Von 1875 (Eröffnung der Arth-Rigi-Bahn) bis 1913 konnte jedes Jahr im Durchschnitt eine Dividende von 9% ausbezahlt werden.

Der Erste Weltkrieg brachte einen starken Verkehrsrückgang und dementsprechend geringere Verkehrseinnahmen. Für die Zeit von 1914 bis 1924 mußte auf eine Dividendenzahlung verzichtet werden. Es folgten einige Jahre der Erholung und erneuter Ertragsausschüttungen (1925: 5%; 1926–1929: 7%; 1930: 5%). Mit dem Einsetzen der Wirtschaftskrise von 1931 konnte bis zum Ende des Zweiten Weltkriegs, d. h. bis 1946, wiederum keine Dividende mehr ausgerichtet werden.

Erste Sanierung von 1936: Bei der für die Rigibahn ebenso bedeutsamen wie erfolgreichen Elektrifikation von 1937 wurde das Aktienkapital (1936) von Fr. 1 250 000.– auf Fr. 250 000.– abgeschrieben, dies unter Umwandlung in ein Stammaktienkapital. Bei diesem Anlaß wurde ein Prioritätsaktienkapital von Fr. 187 500.– geschaffen.

Zweite Sanierung von 1943: Mitten im Zweiten Weltkrieg mußte nochmals eine Herabsetzung des Nominalbetrages der Stammaktien von damals Fr. 100.– auf Fr. 1.– je Aktie vorgenommen werden, mit einem Anrecht am Reingewinn bis

Cette souscription rencontra un succès extraordinaire. Dès le premier jour, il y eut 2398 souscriptions pour les 1250 actions mises à disposition. Il se peut que l'immense confiance témoignée à la nouvelle exploitation, au tout début, ait résulté du grand nombre de souscripteurs se partageant de 10 à 50 actions chacun. C'est ainsi que 46 intéressés souscrirent à presque la moitié du capital d'apport, contractant ensemble plus de 1100 actions.

L'assainissement de 1936 et 1943
Le chemin de fer à crémaillère du côté sud du Rigi a commencé son exploitation de façon très prometteuse. En effet, il put déjà payer un dividende de 15% en 1872, la première année de son exploitation. Pour 1873, ce dividende fut de 17% et pour 1874, il s'éleva même à 20%. Ce furent les années de monopole absolu du «Vitznau-Rigi-Bahn». En 1875, l'«Arth-Rigi-Bahn» fut inauguré. Ensuite, de 1875 à 1913, un dividende annuel de 9% put être payé en moyenne. La Première Guerre mondiale amena une grande diminution des transports et par conséquent des revenus plus maigres. De 1914 à 1924, on dut renoncer à la distribution de dividende. Quelques années de répit suivirent avec redistribution de dividende: 5% en 1925, 7% de 1926 à 1929 et 5% en 1930. Avec le début de la crise financière de 1931 et jusqu'à la fin de la Deuxième Guerre mondiale, c'est-à-dire jusqu'à 1946, il ne fut plus possible de verser aucun dividende.

Le premier assainissement de 1936: L'électrification de 1937 fut pour le «Rigibahn» un événement à la fois important et couronné de succès. A cette occasion, le capital en actions de fr. 1 250 000.– datant de 1936 fut amorti à fr. 250 000.– par sa transformation en un capital fondamental. Un capital d'actions privilégiées s'élevant à fr. 187 500.– fut constitué à cet effet.

Le deuxième assainissement de 1943: Au milieu de la Deuxième Guerre mondiale, on dut de nouveau réduire la valeur nominale de l'action d'origine de fr. 100.– à fr. 1.–, avec droit au bénéfice net jusqu'à concurrence de fr. 10.–, après

scription 2,398 shares were sold instead of the 1,250, which had been made available. The great confidence placed in the new railway project right from the beginning is made evident by the large number of subscribers who bought 10 to 50 shares each. Thus only 46 buyers accounted for 1,100 shares, which made up nearly half of the original capital.

The reorganizations of 1943
The rack railway on the southern side of the Rigi massif went into business with high hopes. For the first full year of service (1872), dividends of 15% could be paid. In 1873 and 1874 it was even possible to raise them to 17 respectively 20%. Those were the years when the VRB had an absolute monopoly. Between 1875 (opening of the "Arth–Rigi-Bahn") and 1913 an average annual dividend of 9% could be distributed.

World War I brought in its wake a substantial decrease in traffic and an accordingly low income. Between 1914 and 1924 no dividends could be paid at all. The following years were slightly better and the shareholders again enjoyed the benefit of dividends (1925: 5%; 1926–1929: 7%; 1930: 5%). From the advent of economical crisis in 1931 up to the end of World War II, i.e. 1946, no dividends could be paid.

First reorganization in 1936: In 1937, when the Rigi Railway was electrified – a significant and successful step – the share capital of 1,250,000 francs was written down to 250,000 francs and was changed into ordinary share capital. In doing so, priority share capital of 187,500 francs was founded.

Second reorganization in 1943: During World War II the nominal value of ordinary shares again had to be reduced from 100 francs to 1 franc, with a right to a maximum of 10 francs of the net profit after a payment of interest of 5% maximum on the priority shares. At the same time the priority share capital was increased by 226,500 francs. Thus the original capital amounted to 625,000 francs in 1943. All shares are made out to the bearer. Each share entitles the holder to one vote at the General Meeting.

höchstens Fr. 10.–, nach Verzinsung der Prioritätsaktien bis maximal 5%.

Das Prioritätsaktienkapital wurde gleichzeitig auf Fr. 226 500.– erhöht. Das Grundkapital belief sich daher 1943 auf Fr. 625 000.–. Alle Aktien lauten auf den Inhaber. Jeder Titel berechtigt an der Generalversammlung zur Abgabe einer Stimme.

Die Finanzlage der Bahn hat sich seit dem Ende des Zweiten Weltkriegs stark verbessert. An die Prioritätsaktionäre konnten 1947–1973 und wiederum 1977, an die Stammaktionäre 1947–1967 sowie 1973 Dividenden ausbezahlt werden. Seit 1978 ist das Aktienkapital leider ohne Ertrag geblieben.

Kapitalerhöhungen von 1960 und 1966 (zur teilweisen Finanzierung neuer Anlagen)

Rollmaterial (Triebwagen Nr. 5): Im Zusammenhang mit der Beschaffung von neuem Rollmaterial wurde das Aktienkapital im Jahr 1960 durch die Ausgabe von 4500 neuen Prioritätsaktien im Nominalbetrag von Fr. 150.– um Fr. 675 000.– auf Fr. 1 300 000.– erhöht.

Luftseilbahn Weggis–Rigi Kaltbad (LWRK): Die Erstellungskosten der Luftseilbahn wurden 1966 auf Fr. 5 500 000.– berechnet. Diese Baukosten sollten je rund hälftig durch Erhöhung des Aktienkapitals und durch Bankdarlehen aufgebracht werden.

Am 27. Juni 1966 beschloß die Generalversammlung der Aktionäre, zur teilweisen Beschaffung der Mittel für den Bau dieser neuen Bahn das Aktienkapital von damals 1,3 Millionen um Fr. 2 676 000.– auf Fr. 3 976 000.– zu erhöhen, und zwar durch die Ausgabe von 7840 neuen Prioritätsaktien im Nennwert von Fr. 150.–. Die Aktionäre billigten ferner eine Aufrundung des Aktienkapitals auf 4 Millionen Franken durch die Ausgabe von weiteren 160 neuen Prioritätsaktien. Seit 1966 ist das Grundkapital der Rigibahn-Gesellschaft, Vitznau, unverändert geblieben.

Mit der Statutenrevision vom 19. Dezember 1966 wurde gleichzeitig der Rechtssitz der Bahngesellschaft von Luzern nach Vitznau verlegt.

paiement des actions privilégiées jusqu'à un maximum de 5%.

Le capital des actions privilégiées fut en même temps augmenté à fr. 226 500.–. En 1943, le capital d'apport était donc de fr. 625 000.–. Toutes les actions étaient au porteur et chaque titre donnait droit à un vote à l'assemblée générale.

La situation financière du chemin de fer s'est beaucoup améliorée depuis la fin de la Seconde Guerre mondiale. De 1947 à 1973, et en 1977 également, un dividende put être versé sans interruption aux actionnaires titulaires d'actions privilégiées. Ce fut aussi le cas pour les actionnaires possédant des actions ordinaires de 1947 à 1967, de même qu'en 1973. Depuis 1978, le capital en actions est malheureusement demeuré sans bénéfice.

L'augmentation du capital de 1960 et 1966 (partiellement pour le financement de nouvelles installations)

Le matériel roulant (automotrice No 5): En 1960, le capital en actions fut augmenté de fr. 675 000.– à fr. 1 300 000.– au moyen d'une souscription de 4500 nouvelles actions privilégiées d'une valeur nominale de fr. 150.–. Cet emprunt était destiné à l'achat d'un nouveau matériel roulant.

Le téléphérique Weggis–Rigi Kaltbad (LWRK): Le coût de construction du téléphérique fut évalué à fr. 5 500 000.– en 1966. La moitié des fonds nécessaires devaient provenir d'une augmentation du capital en actions et l'autre moitié d'un emprunt bancaire.

Le 27 juin 1966, l'assemblée générale des actionnaires décida d'augmenter le capital en actions pour le financement partiel de la construction de ce nouveau transporteur aérien. Le capital d'origine de 1,3 millions fut donc augmenté de fr. 2 676 000.– et passa à fr. 3 976 000.–. Ce fut rendu possible par l'émission de 7840 nouvelles actions privilégiées d'une valeur nominale de fr. 150.–. Les actionnaires furent aussi d'accord pour arrondir le capital à 4 millions de francs en émettant 160 autres actions privilégiées. Depuis 1966, le capital d'apport de la So-

The financial situation of the railway has greatly improved since the end of World War II. Dividends could be paid to the priority shareholders from 1947–1973 and in 1977, to the ordinary shareholders from 1947–1967 and again in 1973. Since 1978, however, the share capital has unfortunately borne no interest.

The increases of capital in 1960 and 1966 (for the partial financing of new installations)

Rolling stock (motor coach No. 5): In connection with the purchase of new rolling stock, the share capital was raised by 675,000 francs to 1,300,000 francs by the issue in 1960 of 4,500 new priority shares at a nominal value of 150 francs.

Aerial cableway Weggis–Rigi Kaltbad (LWRK): Construction costs of the aerial cableway were calculated at a figure of 5,500,000 francs in 1966. Half the money was to be raised by an increase in the share capital, the other half by bank loans.

At the General Meeting on 27th June 1966 the shareholders decided to increase the share capital of 1,300,000 francs by 2,676,000 francs to 3,976,000 francs by the issue of 7,840 new priority shares at a nominal value of 150 francs. Furthermore the shareholders agreed to round off the share capital to 4,000,000 francs by releasing another 160 priority shares. Since 1966 the original capital of the Rigi Railway Society, Vitznau, has remained the same.

When the Articles of Association were revised on 19th December 1966, the seat of the company was transferred from Lucerne to Vitznau.

Der Fahrplan

Zahnradbahn

Die Fahrleistungen der Vitznau–Rigi-Bahn haben sich im Laufe der Jahre aus kleinen, bescheidenen Anfängen heraus entwickelt. Nach dem ersten Fahrplan waren täglich nur zwei ordentliche und ein fakultativer Zug in jeder Richtung zu führen. Der nach freiem Ermessen einzusetzende fakultative Zug war erst dann auf die Strecke zu schicken, wenn sich wenigstens 24 Personen zur Fahrt einfanden. Der Betrieb wurde als ausgesprochener Sommer/Herbst-Betrieb jeweils erst Ende Mai/Anfang Juni aufgenommen und schon Mitte Oktober wieder eingestellt.

Bemerkenswert ist die Tatsache, daß anfänglich aus Sicherheitsgründen jedem Zug ein Bahnwärter mit langem Bergstock vorausschritt (mit entsprechenden Ablösungen nach einigen hundert Streckenmetern), der das Gleis (Zahnstange) auf Fremdkörper wie Steine, Baumäste usw. zu kontrollieren hatte. Nicht weniger «merkwürdig» war ursprünglich der Standort des Kondukteurs, der während der Fahrt seinen Sitz vorn auf dem Dach der Vorstell-Personenwagen bei der dort plazierten Bremskurbel hatte. Von diesem erhöhten Sitz aus war eine gute Streckenkontrolle gewährleistet.

Außerhalb der fahrplanmäßigen Betriebszeiten wurden für die Berghotellerie einzelne Güterzüge zum Transport von Baumaterial, Lebensmitteln u.a.m. geführt. Von 1871 bis 1906/07, d.h. während der ersten 35 Jahre, blieb der Bahnbetrieb in der übrigen Jahreszeit eingestellt.

Um so emsiger wurde in diesen Monaten in der Depotwerkstätte Vitznau an der Revision und am Unterhalt des Rollmaterials gearbeitet. Dazu gehörte in den achtziger Jahren des letzten Jahrhunderts vor allem der Umbau der ersten Dampflokomotiven mit stehendem Kessel (Nrn. 1–10) in solche mit liegendem Kessel.

Es ist das ausgesprochene Verdienst der initiativen und weitblickenden Besitzerin des Hotels «Bellevue» auf Rigi Kaltbad, Frau Rosa Dahinden-Pfyl – Mutter des bekannten und verdienten

ciété du «Rigibahn» de Vitznau est demeuré le même.

Avec la révision des statuts datant du 19 décembre 1966, le siège social de la société ferroviaire a également été déplacé de Lucerne à Vitznau.

L'horaire

Le chemin de fer à crémaillère

Le «Vitznau–Rigi-Bahn» a accru son rendement lentement et modestement au cours des années. Le premier horaire n'indiquait que deux trains réguliers par jour dans chaque direction et un train facultatif. Ce dernier ne devait être mis en fonction que pour un nombre supérieur à 24 voyageurs. Il s'agissait d'une exploitation purement saisonnière pour l'été et l'automne. Le service débutait fin mai/début juin pour se terminer déjà au milieu d'octobre.

Il est à remarquer qu'au commencement un garde-voie muni d'un long bâton marchait en avant de chaque train pour des raisons de sécurité: il devait contrôler la voie à crémaillère et retirer les corps étrangers pouvant s'y trouver, tels que cailloux, branches, etc. On le relayait après quelques centaines de mètres. L'endroit où se tenait le conducteur au début n'était pas moins étrange: il avait son siège à l'avant du toit du premier wagon de voyageurs où se trouvait le frein à manivelle. De là-haut, il pouvait bien surveiller la voie ferrée.

En dehors de l'horaire d'exploitation régulier, il y avait quelques trains de marchandises mis à la disposition de l'hôtellerie pour le transport du matériel de construction, des denrées alimentaires, etc. De 1871 à 1906/07, c'est-à-dire pendant les 35 premières années, l'exploitation ferroviaire demeura fermée pour le reste de l'année.

Pendant ces mois de fermeture, les ateliers du dépôt de Vitznau ne travaillaient pas moins laborieusement à la révision et à l'entretien du matériel roulant. Parmi ces travaux des années 80 du siècle dernier figure avant tout la transformation des premières locomotives à vapeur, avec

The Timetable

The rack railway

Over the years the service on the "Vitznau–Rigi-Bahn" has grown from a very modest beginning. On the first timetable there were only two scheduled trains plus one on demand running in each direction every day. The third train could be run at any time provided that there were more than 24 passengers. Operations were limited to summer and autumn, from the end of May or beginning of June until the middle of October.

It is interesting to note that at the start of services for safety reasons each train was preceded by linemen equipped with long climbing sticks; they were relieved every few hundred metres, and it was their job to check their section (i.e. the racks) for obstructions (stones, branches, etc.). Equally "curious" is the fact that the guard sat on the roof of a passenger car right at the front of the train next to the brake crank. From this position he had an excellent view of the track.

Apart from scheduled trains the "Vitznau–Rigi-Bahn" also ran special goods trains for the transport of building materials, food, etc. for the mountain hotels. From 1871 up to 1906/07, i.e. the first 35 years, services were closed down for the rest of the year, but rolling stock was overhauled in the depot workshops at Vitznau during these months. In the 1880s this also involved converting the first steam engines Nos. 1–10 from vertical to horizontal boilers.

It is to the credit of the enterprising and far-seeing proprietor of the Bellevue Hotel at Rigi Kaltbad, Mrs Rosa Dahinden-Pfyl – the mother of the justifiably well-known Rigi pioneer Alois Dahinden-Suter –, who drew the attention of the board of the "Rigibahn" Society to the marvellous winters on the Rigi (no fog, etc.) and who persuaded them to introduce winter operations. After the beauty of this "island of sun" in the "sea of fog" and the chance of a financially welcome increase in traffic had been realized, scheduled trains to Kaltbad and Staffelhöhe were run from the winter season 1906/07 on.

Rigi-Pioniers Alois Dahinden-Suter –, daß die Direktion der Rigibahn auf die Vorzüge des Rigi-Winters (u. a. Nebelfreiheit) aufmerksam wurde und in der Folge den Winterbetrieb einführte. Nachdem man einmal die Schönheiten der Sonneninsel über dem Nebelmeer und damit zugleich eine weitere Möglichkeit zu einer finanziell erwünschten Verkehrssteigerung erkannt hatte, wurden vom Winter 1906/07 an fahrplanmäßige Fahrten nach Kaltbad und Staffelhöhe aufgenommen.

Der Winterbetrieb erfüllte die Erwartungen vorerst nur teilweise. Der größere Teil der Reisenden besuchte damals die Rigi als Tagesausflug und nicht, um längere Zeit Wintersport zu treiben. Mit der Eröffnung des Grand Hotels auf Rigi Kaltbad (Winter 1908/09) wurden auch die Voraussetzungen für den Aufenthalt an diesem Klimakurort verbessert. Der Reiz des nebelfreien, meist schneereichen Rigi-Winters mußte aber erst noch von weiteren Kreisen erkannt werden.

Mit dem Ausbruch des Ersten Weltkriegs war auch für die Vitznau–Rigi-Bahn eine Zäsur eingetreten. Am 9. August 1914 trat der Kriegsfahrplan in Kraft. Die Zahl der täglich zu führenden Züge wurde auf 5, später gar auf 4 (gegenüber 10–12 Zugspaaren in jeder Richtung in den Jahren zuvor) herabgesetzt. Erst seit 1924 wurde die Zahnradbahn wieder – wie in den ersten Jahrzehnten – ohne Unterbruch im Frühjahr und im Herbst geführt. Im Lauf der kommenden Jahre wurde die Rigi immer mehr zu einem Ziel für alle Jahreszeiten, wobei eine Frequenzspitze im Sommer und eine im Winter typisch sind. In den letzten Jahren wurden ganzjährig täglich durchschnittlich 12 Zugspaare in jeder Richtung geführt.

Entscheidend für die Gestaltung des Fahrplans sind die Fahrleistungen der Schiffahrtsgesellschaft des Vierwaldstättersees, nach wie vor die wichtigste Zubringerin zu den Rigibahnen. Die Zugslagen richten sich denn auch grundsätzlich nach den Schiffsverbindungen. Die enge Verbundenheit der beiden Transportunternehmen geht schon daraus hervor, daß die Schiffstation Vitznau nach

modification de la chaudière verticale en chaudière horizontale.

C'est à l'hôtelière de l'Hôtel Bellevue à Rigi Kulm que l'on doit l'ouverture de l'exploitation en hiver. Madame Rosa Dahinden-Pfyl était la mère d'Alois Dahinden-Suter, un pionnier du Rigi, connu et méritant. Cette femme clairvoyante et pleine d'initiative fit remarquer à la direction du «Rigibahn» les avantages de cette montagne, entre autres l'absence du brouillard. Après avoir reconnu tout d'abord les beautés de cet îlot de soleil au-dessus d'une mer de brouillard, on se rendit aussi compte de l'autre opportunité financière souhaitable qu'apporterait un accroissement du trafic. Aussi, à partir de l'hiver 1906/07, un service fut organisé vers Kaltbad et Staffelhöhe.

Au commencement, les espoirs de l'exploitation hivernale ne furent que partiellement réalisés. Pour la plupart des voyageurs du Rigi de ce temps-là, il s'agissait d'une excursion d'un jour, sans aucune intention de prolonger leur séjour aux sports d'hiver. L'ouverture du Grand Hôtel à Rigi Kaltbad pendant l'hiver 1908/09 améliora les conditions de séjour dans cette station climatique. L'enneigement pour ainsi dire certain du Rigi et l'absence de brouillard étaient des attraits qu'il fallait encore faire découvrir à un plus large public.

La déclaration de la Première Guerre mondiale représenta aussi une césure pour le chemin de fer du Rigi. Le 9 août 1914, l'horaire de guerre entra en vigueur. Le nombre des trains quotidiens fut réduit à 5, plus tard à 4 même, alors que les aller-retour avaient été de 10 à 12 dans chaque sens pendant les années précédentes. C'est seulement à partir de 1924 que le chemin de fer à crémaillère fut de nouveau mis en service toute l'année sans interruption comme pendant les premières décennies. Au cours des années qui suivirent, le Rigi devint de plus en plus un but d'excursion pour toutes les saisons de l'année, avec bien entendu une fréquentation typique plus poussée pendant l'été et l'hiver. Au cours des dernières années, la moyenne de la circulation quotidienne fut de 12 trains pendant toute l'année.

The winter service only partly fulfilled expectations at the beginning. At that time the majority of visitors went on day excursions to the Rigi, not on winter sports holidays. The opening of the Grand Hotel at Rigi Kaltbad (winter season 1908/09) made longer stays on the mountain decidedly more comfortable. However, the attraction of a winter holiday on the Rigi with no fog but abundant snow first had to be more widely publicized.

With the onset of World War I the fortunes of the VRB took a turn for the worse. On 9th August 1914 the war timetable was introduced. Instead of ten to twelve pairs of trains as in former years, their number had to be reduced first to five, then later to four per day. Not until 1924 was an all-year-round service, as had been offered in the first few decades, resumed. In the following years the *four* seasons saw more and more visitors with the summer and winter showing typical peak frequencies. For the past few years twelve pairs of trains have been run daily throughout the year.

A decisive factor in the organization of the timetable is the schedule of the Shipping Company of the Lake of Lucerne (SGV), the most important link for passengers to the Rigi. The train times are invariably fixed according to the arrival of the ships. The close connections between the two transport companies is clearly shown by the fact that Vitznau – after Lucerne – has the second highest number of passengers travelling by ship of all the stations on the lake.

der Hauptstation Luzern die zweitbeste Frequenz aller SGV-Stationen aufweist.

Luftseilbahn

Mit der Eröffnung der Luftseilbahn Weggis–Rigi Kaltbad am 15. Juli 1968 wurde dort mit Erfolg der Taktfahrplan (jede halbe Stunde eine Fahrt) eingeführt, so daß derzeit das ganze Jahr täglich 25 Fahrten ausgeführt werden.

Die ursprünglich – an Samstagen und Sonntagen – vorgesehenen Spätfahrten mußten nach einiger Zeit wieder eingestellt werden, da sie ungenügend frequentiert waren.

Die Fahrpreise

Zur Preisbildung im Personenverkehr

Der weitaus überwiegende Teil der Betriebseinnahmen stammt bei beiden Bahnen aus dem Personenverkehr. Im Jahr 1982 kamen bei der Zahnradbahn rund 90% der Verkehrseinnahmen aus dem Personenverkehr. Es sei daher hier nur von den Personen-Tarifen die Rede.

Im Wagen der Eisenbahn begegnen sich, technisch-betrieblich betrachtet, der Dienstleistungsbetrieb Bergbahn und sein Fahrgast, der Transportmittelbenützer. Die Fahrkarte, das bunte Billett, aber ist die ökonomisch-finanzielle Kontaktstelle zwischen Bahn und Reisenden.

Bei der Preisbildung im Verkehr spielen ein objektives und ein subjektives Moment eine maßgebende Rolle. Das objektive Element stammt von der Bahn, welche die Dienstleistung erbringt; das subjektive Element geht auf den Bahnbenützer zurück. Diese beiden Faktoren bestimmen die Preisgrenzen. Während die Selbstkosten der Bahn die untere Grenze festlegen, wird die subjektive Bewertung der Fahrleistung durch den Fahrgast, die in seiner Zahlungswilligkeit zum Ausdruck kommt, die obere Grenze der Fahrpreise maßgeblich beeinflussen.

Der Reisende wird bei der subjektiven Bildung seiner Zahlungswilligkeit von seiner Zahlungsfähigkeit und der Wertschätzung einiger Faktoren beeinflußt. Wir nennen hier u. a. nur die Wertschätzung der Transportleistung, die des Gel-

Un facteur décisif dans l'élaboration de l'horaire est le débit de transport de la Compagnie de navigation du lac des Quatre-Cantons qui continue à être la source essentielle de voyageurs pour le Rigi. L'indicateur des trains se conforme délibérément à celui des correspondances par bateau. L'accord étroit entre les deux compagnies de transport provient déjà du fait que parmi toutes les stations SGV, Vitznau est au second rang après Lucerne pour la fréquentation.

Le téléphérique

L'horaire cadencé, soit départ à toutes les demi-heures, a été introduit avec succès dès l'inauguration du téléphérique Weggis–Rigi Kaltbad, le 15 juillet 1968. Ainsi, pendant toute l'année, il y a quotidiennement 25 départs.

Les voyages tardifs du samedi et du dimanche prévus au tout début durent être supprimés après quelque temps, à cause du nombre insuffisant de voyageurs.

Les prix du transport

La termination des prix pour le transport des voyageurs

Pour les deux exploitations de transport, la plus grande partie des revenus provient du transport des voyageurs qui représentait en 1982 presque 90% des recettes du chemin de fer à crémaillère et même environ 95% de celles du téléphérique. C'est pourquoi il n'est question ici que des tarifs pour les voyageurs.

Du point de l'exploitation technique, on peut dire qu'à bord du wagon de chemin de fer il y a rencontre entre la ligne de service de l'exploitation de transport de montagne et son passager, l'utilisateur de ce moyen de transport. Le billet de voyage de couleur est pour ainsi dire le point de contact économique et financier entre le chemin de fer et le voyageur.

Un moment objectif et un moment subjectif jouent un rôle particulier dans la détermination des prix des transports. L'élément objectif relève du chemin de fer qui met le service à disposition; l'élé-

Aerial cableway

With the opening of the aerial cableway Weggis–Rigi Kaltbad (LWRK) on 15th July 1968, a "phased" timetable (a departure every 30 minutes) was successfully introduced. This means that at the present time 25 daily runs are made all year round.

The late runs on Saturday and Sunday, which had originally been planned, had to be dispensed with after some time because there were too few passengers.

The Fares

Price fixing for passenger traffic

Passenger traffic accounts for the largest part of the revenue of both companies. In 1982 it made up approximately 90% of the revenue on the rack railway and even 95% on the aerial cableway. Therefore, this section will be confined to passenger fares.

From a technical-operational point of view the railway renders a service to its customer, the passenger. The ticket, a mere coloured piece of cardboard, provides the economical-financial contact between the railway and its passengers.

In fixing the prices both an objective and a subjective element are involved, the objective one applying to the railway, the subjective to the passenger. These two factors determine the price limits. While the prime costs of the railway set the lower limit, the passenger's subjective judgement of the railway's efficiency, which is reflected in his willingness to pay, will define the upper limits of the fares.

In his willingness to pay, the passenger is influenced by his ability to pay and the value he places on certain factors, for example his assessment of the service offered, the pleasure expected and the experience of the trip itself. The duration of the journey, altitude of the destination, visibility and panorama as well as the reputation of the railway all play an important role.

Zur Vielfalt der VRB-Fahrausweise.   Une variété de billets du VRB.   A variety of VRB tickets.

des als Preisgut, des erwarteten Vergnügens und den ideellen Gewinn. Dabei spielen die Fahrtdauer, die Höhe des erreichten Zieles, die Fernsicht und der Rundblick sowie auch die Weltgeltung der Bahn eine besondere Rolle.

Wesentlich ist sodann die Reisegeschwindigkeit. Der Zeitbegriff hat sich im Lauf der Jahrzehnte gewandelt. Die hohe Geschwindigkeit der modernen Transportmittel (Flugzeug) führt immer mehr zum Wunsch, in immer kürzerer Zeit immer mehr Ziele erreichen zu können.

Mit dem Fahrpreis werden auch Nebenleistungen abgegolten, die heute als selbstverständlich gelten, doch nie besonders erwähnt werden. Auf der Fahrkarte sind ja nur die Ausgangs- und End-

ment subjectif se rapporte à l'utilisateur du rail. Ces deux facteurs déterminent l'échelle des prix. Pendant que la limite inférieure est constituée pour le chemin de fer par le prix de revient, la limite supérieure est fortement influencée par l'évaluation subjective du rendement, exprimée par le consentement du voyageur à payer un certain prix.

Quand vient le moment d'accepter un paiement, le voyageur est influencé de façon subjective par sa propre solvabilité et par l'évaluation de certains facteurs. Ici, nous n'en citons que quelques-uns comme l'évaluation du rendement du transport, de l'argent en tant que bien de valeur, du plaisir appréhendé et des bénéfices possibles. La durée du voyage, la hauteur du but atteint, la vue panorami-

Equally significant is the speed at which the trains travel. The notion of time has changed drastically in the course of this century. The high speeds of modern means of transport (i.e. jets) have generated the desire to reach more and more destinations in shorter periods of time.

The cost of a ticket also includes supplementary services, which today are taken for granted and are therefore hardly ever mentioned. Only three things can be seen on the ticket – the points of departure and arrival and the fare. The supplementary services comprise parking facilities at the points of departure, waiting rooms and lavatories at the major stations, etc. The new platform lift for the disabled at the LWRK station in

station sowie der Fahrpreis vermerkt. Zu diesen Nebenleistungen gehören u. a. die Bereitstellung von Parkplätzen bei den Talstationen sowie von Warteräumen und Toiletten bei den wichtigeren Stationen. Neuerdings gehört dazu auch die Hebebühne für «Behinderte mit Rollstuhl» bei der Talstation Weggis der Luftseilbahn nach Rigi Kaltbad.

Die Fahrpreise seit 1871

Die ersten Taxen der Vitznau-Rigi-Bahn knüpften an die Tarife für Sesselträger und Pferde an, die vor der Eröffnung der Zahnradbahn die Gäste von den verschiedenen Talstationen aus nach dem Klösterli, nach Rigi Kaltbad und Rigi Kulm gebracht hatten (historische Kontinuität der Preise). Sie bewegten sich demnach im Rahmen dieser früheren Transporttarife. Die nachfolgende Übersicht zeigt nun die Entwicklung des Normaltarifs seit Bestehen der Bahn auf Grund der Konzession des Großen Rates des Kantons Luzern vom 9. Juni 1869 und der späteren Konzession der Bundesversammlung vom 15. Dezember 1969.

que et aussi l'importance universelle du chemin de fer jouent un rôle particulier.

Un point essentiel est aussi la vitesse avec laquelle le voyage est effectué. L'idée du temps a changé au cours des décennies. La vitesse supérieure des moyens de transport modernes comme l'avion fait naître de plus en plus le désir d'atteindre toujours plus de destinations en un temps toujours plus court.

Les services annexes forfaitaires inclus dans le prix du billet passent aujourd'hui pour naturels mais ils ne sont jamais vraiment mentionnés. Sur le billet, il n'y a que les stations de départ et d'arrivée qui sont marquées, en plus du prix. Parmi les services annexes, il faut citer la mise à disposition d'un stationnement près des stations en aval ainsi que des salles d'attente et des toilettes aux stations les plus importantes. Depuis peu de temps, il existe aussi une table élévatoire pour les handicapés en chaise roulante à la station de Weggis pour le téléphérique.

Weggis should also be remembered in this connection.

The fares since 1871

The first fares on the "Vitznau–Rigi-Bahn" were based on the prices charged for sedan chairs and horses, which were the only means of transport from the various villages on the lake and in the valley up to Klösterli, Rigi Kaltbad and Rigi Kulm, before the rack railway was opened. The following table shows the development of the ordinary fares since the railway has been operated based on a concession granted by the Cantonal Council in Lucerne on 9th June 1869 and the later concession given by the Federal Assembly on 15th December 1969.

Fahrpreisentwicklung (Normaltarif) 1871–1983

Jahr	Vitznau–Rigi Kaltbad			Vitznau–Rigi Kulm		
	Bergfahrt Fr.	Talfahrt Fr.	Hin- und Rückfahrt Fr.	Bergfahrt Fr.	Talfahrt Fr.	Hin- und Rückfahrt Fr.
1875	4.50	2.25	6.75	7.—	3.50	10.50
1912	4.50	2.25	6.75	7.20	3.60	10.80
1921	5.85	2.90	8.75	9.40	4.70	14.—
1934	5.—	2.50	6.85	8.—	4.—	11.—
1952	6.30	3.50	7.90	9.70	5.30	12.—
1959	6.80	4.—	8.60	10.40	5.80	13.—
1963	6.80	4.—	8.60	10.40	5.80	13.—
1968	8.60	4.80	10.60	12.80	7.—	16.—
1971	8.60	8.60	12.40	13.—	13.—	19.—
1974	10.—	10.—	15.—	16.—	16.—	24.—
1976	10.—	10.—	16.60	16.—	16.—	27.—
1980	10.80	10.80	18.—	17.20	17.20	29.—
1982	11.80	11.80	19.60	18.80	18.80	32.—
1983 (28.4.)	13.—	13.—	21.—	21.—	21.—	34.—

L'évolution du prix des billets (tarif normal) 1871–1983

Année	Vitznau–Rigi Kaltbad			Vitznau–Rigi Kulm		
	Montée fr.	Descente fr.	Aller et retour fr.	Montée fr.	Descente fr.	Aller et retour fr.
1875	4.50	2.25	6.75	7.—	3.50	10.50
1912	4.50	2.25	6.75	7.20	3.60	10.80
1921	5.85	2.90	8.75	9.40	4.70	14.—
1934	5.—	2.50	6.85	8.—	4.—	11.—
1952	6.30	3.50	7.90	9.70	5.30	12.—
1959	6.80	4.—	8.60	10.40	5.80	13.—
1963	6.80	4.—	8.60	10.40	5.80	13.—
1968	8.60	4.80	10.60	12.80	7.—	16.—
1971	8.60	8.60	12.40	13.—	13.—	19.—
1974	10.—	10.—	15.—	16.—	16.—	24.—
1976	10.—	10.—	16.60	16.—	16.—	27.—
1980	10.80	10.80	18.—	17.20	17.20	29.—
1982	11.80	11.80	19.60	18.80	18.80	32.—
1983 (28.4.)	13.—	13.—	21.—	21.—	21.—	34.—

Development of fares (ordinary) 1871–1983

Year	Vitznau–Rigi Kaltbad			Vitznau–Rigi Kulm		
	Ascent francs	Descent francs	Return francs	Ascent francs	Descent francs	Return francs
1875	4.50	2.25	6.75	7.—	3.50	10.50
1912	4.50	2.25	6.75	7.20	3.60	10.80
1921	5.85	2.90	8.75	9.40	4.70	14.—
1934	5.—	2.50	6.85	8.—	4.—	11.—
1952	6.30	3.50	7.90	9.70	5.30	12.—
1959	6.80	4.—	8.60	10.40	5.80	13.—
1963	6.80	4.—	8.60	10.40	5.80	13.—
1968	8.60	4.80	10.60	12.80	7.—	16.—
1971	8.60	8.60	12.40	13.—	13.—	19.—
1974	10.—	10.—	15.—	16.—	16.—	24.—
1976	10.—	10.—	16.60	16.—	16.—	27.—
1980	10.80	10.80	18.—	17.20	17.20	29.—
1982	11.80	11.80	19.60	18.80	18.80	32.—
1983 (28.4.)	13.—	13.—	21.—	21.—	21.—	34.—

Besides the ordinary fares there are a great variety of season tickets (winter sports) and special fares (steam trips, sunset trips and trips for senior citizens, etc.).

Vielfältig sind die vom Normaltarif abgeleiteten Abonnementspreise (Wintersport) und Spezialtaxen (Dampffahrten, Sonnenuntergangsfahrten, Seniorenfahrten u.a.m.).

Die Werbung

Die Werbetätigkeit, die Propaganda, die Pflege der Public Relations, d.h. «das-Sich-in-aller-Welt-Bekanntmachen-und-in-Erinnerung-Rufen», sind heute so wichtig wie der Unterhalt der Anlagen und des Rollmaterials für einen sicheren Bahnbetrieb. Nach der Eröffnung der Vitznau–Rigi-Bahn im Jahr 1871 konnte sich die Werbung auf die Veröffentlichung der Fahrpläne in der Presse und auf Plakaten beschränken. Eine größere Werbung drängte sich nicht auf, besaß doch diese Bahn in Europa das absolute Monopol, und kein anderer Berg oder Aussichtspunkt machte damals der Rigi diese Vorzugsstellung streitig.

Mit der Inbetriebnahme der Arth-Rigi-Bahn änderte sich die Lage, und von 1875 an hatte die Vitznau-Rigi-Bahn allen Grund, ihre Werbung zu verstärken. Das Aufkommen weiterer Bergbahnen in der Zentralschweiz (so am Bürgenstock 1888, am Pilatus 1889 und am Stanserhorn 1893) sowie auch in der übrigen Schweiz und die damit rasch wachsende Konkurrenz bedingten eine intensivere Werbung. In Prospekten, Broschüren, durch Inserate und Textbeiträge in Zeitungen und Zeitschriften wurde nicht nur in deutscher, sondern auch in französischer, englischer, italienischer, ja damals sogar russischer Sprache auf die eindrucksvolle Rigi-Reise, verbunden mit einer Fahrt auf dem Vierwaldstättersee, aufmerksam gemacht.

Schon bald war die Vitznau-Rigi-Bahn an größeren Ausstellungen mit Modellen und Aquarellen vertreten. So an der Schweizerischen Landesausstellung 1884 in Zürich und 1895 in Genf sowie 1899/1900 an der Weltausstellung in Paris. Unterstützt wurde ihre Werbetätigkeit später durch die Bemühungen des Verbandes Zentralschweizerischer Verkehrsunternehmungen und des Verkehrsverbandes Zentralschweiz. Doch nicht genug damit. Auf der Rigi selbst wurde

Les prix des billets depuis 1871

Les premières taxes du «Vitznau–Rigi-Bahn» étaient basées sur les tarifs pour les porteurs et les chevaux qui représentaient le moyen de transport de jadis entre les différentes stations de la vallée et celles de la montagne (Klösterli, Rigi Kaltbad et Rigi Kulm). Il y eut en quelque sorte une continuité historique des prix correspondant aux tarifs de ces premiers moyens de transport. Le tableau suivant offre une vue d'ensemble du développement du tarif normal depuis la constitution de la société ferroviaire suivant la concession délivrée d'abord le 9 juin 1869 par le Grand Conseil du canton de Lucerne et ensuite par l'Assemblée fédérale du 15 décembre 1969.

Il existe beaucoup d'autres possibilités à part le tarif normal, telles que l'abonnement sport d'hiver ou les taxes spéciales (voyage en chemin de fer à vapeur, randonnée au coucher du soleil, excursion pour le troisième âge, etc.).

La publicité

Aujourd'hui, la publicité, la propagande, les relations publiques, c'est-à-dire se faire connaître dans le monde et demeurer dans la mémoire du public, voilà ce qui est si important pour la sécurité de l'exploitation ferroviaire, autant que l'entretien des installations et du matériel roulant. Après l'ouverture du «Vitznau-Rigi-Bahn» en 1871, la publicité pouvait se restreindre à la publication de l'horaire dans la presse ou sur des affiches publicitaires. Il n'était pas nécessaire de faire une plus grande publicité car ce chemin de fer détenait le monopole absolu en Europe. Aucune autre montagne ou vue panoramique ne faisait concurrence au Rigi à ce moment-là.

La situation changea avec la mise en exploitation de l'«Arth-Rigi-Bahn» et, à partir de 1875, le «Vitznau-Rigi-Bahn» eut toutes les raisons de renforcer sa publicité. D'autres chemins de fer apparurent en Suisse centrale, comme ceux du Bürgenstock (1888), du Pilatus (1889) et du Stanserhorn (1893), de même qu'ailleurs dans le pays. Cela représentait un vif accroissement de la concurrence et

Advertising

Advertising and public relations are today just as important as the maintenance of the installations and rolling stock for safe operations on any railway. After the opening of the "Vitznau–Rigi-Bahn" in 1871, it was feasible to limit advertising to publishing the timetables in the local press and posters. Nothing more was necessary, since this railway was unique in Europe and, furthermore, no other mountain or beauty spot could compete with the Rigi.

The opening of the "Arth–Rigi-Bahn" changed all this, and from 1875 onwards the "Vitznau–Rigi-Bahn" felt obliged to step up its advertising. New mountain railways in Central Switzerland (e.g. Bürgenstock in 1888, Pilatus in 1889 and Stanserhorn in 1893) and others opened in the rest of the country provided rapidly increasing competition and also forced the VRB to intensify its public relations work. Leaflets, brochures, adverts and articles were published in newspapers and magazines, not only in German, but also in French, English, Italian and even Russian – all drawing the reader's attention to the delightful and impressive combination of a trip on the Lake of Lucerne and a ride up the Rigi.

The "Vitznau–Rigi-Bahn" was soon seen at large exhibitions in the form of small-scale models and water colours. In 1884, it was represented at the Swiss National Exhibition in Zurich and in 1895 on the same occasion in Geneva. In 1899/1900, it could even be admired at the World Exhibition in Paris. Later the VRB was aided by both the Association of Transport Companies in Central Switzerland and the Traffic Association Central Switzerland. However, this was by no means all! A co-ordinated advertising campaign run by the railway and the hotels was made possible by the foundation of their own, extremely active organization, i.e. the Traffic Association Rigi. This organization, like the similar associations Rigi (north side of the Rigi) and Rigi Kaltbad (south side of the Rigi) are responsible for producing attractive leaflets, panoramic views, bird's-eye views and topographic maps.

zur koordinierten Werbung der Bahnen und der Hotellerie eine sehr aktive Vereinigung, der VERKEHRSVERBAND RIGI, gegründet. Diesem Verband wie auch den Kurvereinen Rigi (Rigi-Nordseite) und Rigi Kaltbad (Rigi-Südseite) sind gediegene Prospekte, Panoramen, Vogelschau- und topographische Karten zu verdanken.

Enge Beziehungen unterhielt die Bahn sodann von allem Anfang an mit der Schweizerischen Verkehrszentrale (SZV) in Zürich, die ihre durch zahlreiche Auslandagenturen in aller Welt verbreitete Tätigkeit am 17. Juni 1918 aufgenommen hatte. Ein besonders wertvolles Werbemittel der SZV ist ihre seinerzeit von den Schweizerischen Bundesbahnen geschaffene, monatlich erscheinende und graphisch wie inhaltlich gleichermaßen gepflegte Zeitschrift «SCHWEIZ». Das gilt auch für die «VST-REVUE» (ehemals «DER ÖFFENTLICHE VERKEHR») des Verbandes Schweizerischer Transportunternehmungen des öffentlichen Verkehrs und der angeschlossenen Verbände. Sie sind es, die dem bilderhungrigen Publikum die Anregungen für Ausflüge, Wanderungen, Ferienreisen und Wintersportanlässe vermitteln und für alle Jahreszeiten auf Reiseziele und Veranstaltungen aufmerksam machen.

Von den verschiedenen Plakaten, welche die Vitznau–Rigi-Bahn im Lauf der Jahre eingesetzt hat, seien nur zwei besonders ansprechende erwähnt: Das Winterplakat mit Dampfzug von Anton Reckziegel aus dem Jahr 1913 und das Sommerplakat mit dem roten Triebwagen von Martin Peikert aus der Nachkriegszeit (1949). Im Lauf der letzten Jahre wurden die verschiedenen Werbedrucksachen entsprechend der raschen Entwicklung der Drucktechnik immer ansprechender und zugkräftiger. Die Zusammenarbeit der beiden Bahnverwaltungen (ARB und VRB/LWRK) wurde vor allem auf dem Gebiet der Werbung stets enger. Seit einiger Zeit werden die Fahrpläne und Prospekte u. a. m. gemeinsam bearbeitet und veröffentlicht.

Der Werbechef (Verkaufsleiter) betreut bei der Rigibahn-Gesellschaft, Vitznau, alle die Werbung betreffenden Fra-

une obligation de publicité plus intensive. On vanta les mérites d'un voyage sur le Rigi combiné avec une promenade en bateau sur le lac des Quatre-Cantons dans les prospectus, les brochures, les annonces et les articles de journaux et de magazines, non seulement en allemand mais aussi en français, en anglais, en italien et même en russe à cette époque.

Bientôt, on rencontra le «Vitznau–Rigi-Bahn» aux grandes expositions, représenté sous forme de modèle ou d'aquarelle. Ce fut le cas à l'Exposition nationale suisse, à Zurich en 1884 et à Genève en 1895, ainsi qu'à l'Exposition universelle de Paris (1899/1900). Plus tard, la publicité du «Vitznau–Rigi-Bahn» reçut l'assistance de l'Association de tourisme de Suisse centrale. Sur le Rigi même, les représentants du rail et de l'hôtellerie fondèrent leur propre association de tourisme (Verkehrsverband Rigi), très active dans la coordination d'une publicité bilatérale. C'est à cette association ainsi qu'aux Bureaux de tourisme Rigi (côté nord du Rigi) et Rigi Kaltbad (côté sud du Rigi) que nous devons la bonne qualité des prospectus, des panoramas, des cartes topographiques et à vol d'oiseau.

Puis, dès le début, le chemin de fer eut des relations suivies avec la Centrale suisse de tourisme (SZV) de Zurich, laquelle avait commencé son activité publicitaire le 17 juin 1918 par le truchement de nombreuses agences à l'étranger, dispersées partout dans le monde. La revue mensuelle «SUISSE», éditée par la Centrale suisse de tourisme, est une revue à la fois soignée dans sa présentation graphique et son contenu. Elle représente un moyen de publicité particulièrement précieux. Il en est de même pour la «REVUE VST» (autrefois «LES TRANSPORTS PUBLICS») publiée par l'Association des entreprises de transport suisses regroupant le transport public et les associations adjointes. C'est à ces groupements que revient la tâche d'alimenter le public friand d'images en lui fournissant, en toutes saisons, des destinations et des arrangements ayant trait à des excursions, randonnées à pied, voyages de vacances et de sports d'hiver.

From the very beginning, the railway worked in close co-operation with the Swiss Central Traffic Agency (SZV) in Zurich, which came into being on 17th June 1918 – it is represented by innumerable offices throughout the world. One of its most valuable methods of advertising is the monthly magazine "SWITZERLAND", which is extremely well-conceived both graphically and from the point of view of contents – actually this publication was first produced by the Swiss Federal Railways. This is also true of the "VST REVUE" (formerly "PUBLIC TRANSPORT") published by the Swiss Association of Public Transport Companies and affiliated organizations. These two magazines provide the public with ideas for excursions, hikes, holidays and winter sports meetings and draw their attention to destinations and events which are attractive in all four seasons.

Out of the many posters used by the "Vitznau–Rigi-Bahn" in the course of time only two particularly appealing ones will be mentioned here: the winter one designed by Anton Reckziegel in 1913 showing a steam train and the summer one with the red motor coach by Martin Peikert dating from the year 1949.

In recent years, the different advertising publications have become both more attractive and effective thanks to the rapid development made in printing technique. Co-operation between the two railway boards (ARB and VRB/LWRK) has grown closer and closer especially in the realm of advertising. Timetables and leaflets, to mention but two points, have been worked out and published jointly.

The Rigi Railway Society at Vitznau has its own head of advertising (sales manager), whose task it is to cope with any matter concerning public relations. This work chiefly consists of visiting travel agencies (who represent the potential customers of tomorrow) and going on promotional tours both at home and abroad.

The manifold advertising methods used by the VRB are shown of the following diagram. The advert "A trip to the Rigi", which can be seen on selected Fridays during the tourist season on

Zwei Beispiele von Werbeplakaten

Sommer-Plakat aus dem Jahr 1899 (Künstler unbekannt).

Wintersport-Plakat aus dem Jahr 1913 (von Anton Reckziegel, 1865–1929).

Deux exemples d'affiches publicitaires

Affiche estivale datant de 1899 (artiste inconnu).

Affiche hivernale datant de 1913 (par Anton Reckziegel, 1865–1929).

Two attractive advertising posters

Summer poster dating back to 1899 (painter unknown).

Winter poster dating back to 1913 (by Anton Reckziegel, 1865–1929).

gen. Zu diesen gehören in erster Linie die persönlichen Kontakte mit Reisebüros (den Vertretern potentieller Fahrgäste von morgen) durch Werbereisen im In- und Ausland.

Die vielen Ausstrahlungen der Werbetätigkeit zeigt die nachfolgende Graphik. Als effektvoll hat sich neuerdings der erstmals im Jahr 1982 – zusammen mit der Schiffahrtsgesellschaft des Vierwaldstättersees in Luzern – im Schweizer Fernsehen während der Reisezeit mehr-

Parmi les différentes affiches distribuées par le «Vitznau–Rigi-Bahn» au fil des années, deux méritent d'être mentionnées tout particulièrement: l'affiche hivernale avec le chemin de fer à vapeur d'Anton Reckziegel datant de 1913 et l'affiche estivale de Martin Peikert avec la voiture motrice rouge des années d'après guerre (1949). Pendant les dernières années, les multiples publications sont devenues plus attirantes et plus dynamiques comme le veut le développement ra-

Swiss television – a joint production of the VRB and the Shipping Company of the Lake of Lucerne by the way – was first broadcast in 1982 and has since proved highly effective.

The great increase in facilities for tourists and winter sports fans which has taken place during the past years, together with the intensive advertising necessary for such ventures, provides a constant impetus for the "Vitznau–Rigi-Bahn" to think out new and imaginative

Touristik-Informationen
Wetter und Veranstaltungen
Tel. 041 83 17 00

Informations touristiques,
Météo et manifestations
Tél. 041 83 17 00

Tourist information,
weather reports and events
Phone No: 041 83 17 00

RIGI-HELL-Dienst
Service RIGI SANS BROUILLARD
RIGI WEATHER Service

Panoramen Panoramas Panoramic views	**Werbung** **Publicité** **Advertising**	Rigi-Literatur Littérature sur le Rigi Literature about the Rigi

Geogr. Karten, Vogelschaukarten, Topogr. Karten
Cartes géographiques, cartes à vol d'oiseau, cartes
   topographiques
Geographical maps, bird's-eye view maps,
   topographic maps
		Ansichtskarten
		Cartes postales
		Postcards

Prospekte Prospectus Leaflets		Inserate Annonces Advertisements
Fahrpläne (Plakat-F., Taschen-F.) Horaires, affiches, dépliants Timetables, posters, pocket timetables		Textbeiträge in Zeitungen und Zeitschriften Articles dans journaux et magazines Articles in newspapers and magazines
Plakate Affiches Posters		Diaschau Projection de diapositives Slide shows
Empfang von Studienreisen Accueil de voyages d'études Reception of study trips		Filme Films Films
Werbereisen im Inland und Ausland Voyages à fins publicitaires à l'intérieur et à l'extérieur du pays Promotional trips at home and abroad		Radiosendungen zum Thema Rigi Emissions radiophoniques ayant pour thème le Rigi Radio programmes about the Rigi
Dampffahrten Voyages à la vapeur Steam rides		TV-Werbespot mit SGV Réclame publicitaire télévisée avec la SGV Advert on Swiss television
Zirkulare an Vereine, Reise- und Verkehrsbüros Circulaires aux associations, bureaux de voyage et de tourisme Circulars for associations and travel agencies		Vorträge Exposés Lectures
		Pressekonferenzen Conférences de presse Press conferences
Sonderaktionen – Muttertag – Herbstfahrten Offres spéciales – Jour de la fête des mères – Randonnées automnales Special offers – Mother's Day – Autumn trips		Ausstellungen Expositions Exhibitions

Jubiläum 100 Jahre VRB 21.5.1971
Jubilé centenaire du VRB 21.5.1971
VRB Centenary 21st May 1971

Prospekt-Werbung der VRB im Wandel der Zeit.

Prospectus du VRB au cours du temps.

Brochures of the VRB in the course of the years.

mals an Freitagen gesendete Werbespot «Eine Rigi-Reise» erwiesen.

Die starke Zunahme der Touristen- und Sportbahnen (Wintersport) in den letzten Jahrzehnten und deren intensive Werbung zwingen die Rigibahn-Gesellschaft immer wieder, durch vielfältige Aktionen (so u.a. Nostalgie mit Volldampf, Wandervorschläge, botanische Exkursionen, Seniorenfahrten, Sonnenuntergangsfahrten*, Abendfahrten) für ihre Bahnen und damit für den Besuch dieser zentral gelegenen Erholungslandschaft zu werben.

* Der in der Frühzeit des Rigi-Tourismus so berühmte «Sonnenaufgang» und die für dieses Erlebnis notwendigen extrem frühen Fahrten sind leider von der bequem gewordenen Konsumgesellschaft von heute nicht mehr gefragt.

pide de la technique de l'imprimerie. La collaboration des deux administrations ferroviaires (ARB et VRB/LWRK) s'est justement avant tout développée dans le domaine de la publicité. Depuis quelque temps, les horaires, les prospectus, etc. sont conçus et publiés en commun.

A la Société du «Rigibahn» à Vitznau, c'est le titulaire du poste de chef de la publicité, également directeur des ventes, qui est responsable de toutes les questions publicitaires. Les contacts personnels avec les agences de voyage responsables des voyageurs potentiels de demain font partie de ces occupations, ainsi que les voyages effectués à fins de réclame à l'intérieur et à l'extérieur du pays.

ways of advertising the railways (steam excursions, botanical outings, sunset trips*, evening tours, etc.) and, as a consequence, a trip to this central haven of peace and relaxation.

* In the early days very early runs were offered to experience the famous sunrise on the Rigi. Unfortunately, they are no longer in demand – our consumer society has made people too lazy!

The Staff

The human element is of paramount importance for any tourist railway, whether it be the traveller or the staff. From the railway's point of view, its staff play an immeasurably significant role.

Die Mitarbeiter

Bei den Touristenbahnen steht der Mensch, sowohl als Benützer der Bahn wie auch als Mitarbeiter des Bahnunternehmens, stets im Vordergrund. Auf seiten der Bahn spielt denn auch das Personal eine hervorragende Rolle.

An allen wichtigen Kontaktstellen zwischen Fahrgast und «Eisenbahner» bildet sich ein, wenn wohl auch nur für kurze Zeit dauerndes Vertrauensverhältnis, so am Billettschalter, auf dem Perron und in den Fahrzeugen bzw. Kabinen. Die Bahnbeamten wollen und sollen Freundlichkeit, Sicherheit, Hilfsbereitschaft und Kontaktfreudigkeit ausstrahlen.

Alle Mitarbeiter bilden eine Gemeinschaft. Sie sind erfüllt von einem eigentlichen Familiensinn, wollen sie doch gemeinsam – um mit Edgar Schumacher zu sprechen – «das große Abenteuer Leben» bestehen.

Im ersten vollen Betriebsjahr 1872 waren bei der Vitznau–Rigi-Bahn beschäftigt:

Betriebsdirektor	1	Oberlokomotivführer	1
Gehilfe	1	Lokomotivführer	4
Bahnmeister	1	(von Juli bis	
Wärter	7	Oktober 5)	
(von Juli bis		Heizer	4
Oktober 9)		(von Juli bis	
Stationsvorstand	1	Oktober 5)	
Vorstand (und zu-		Kondukteure	3
gleich Einnehmer		(von Juli bis	
und Expedient)	2	Oktober 5)	
Einnehmerin	1	Putzer	2
Expedientin	1	Kohlenmeister	1
Portiers	2	Schmied	1
Schaffner	1	Arbeiter und	
Brückenwarte	2	Taglöhner	4–12

Demnach standen bei der VRB schon in ihren Anfängen auch Frauen im Dienst. Ein großer Teil der bei der neuen Bahn Verpflichteten waren Vitznauer Bürger, vorwiegend aus den Familien Küttel, Waldis und Zimmermann, deren Nachkommen noch heute, nach über einem Jahrhundert, der Zahnradbahn in verschiedenen Funktionen die Treue halten.

Mit der Ausdehnung des Betriebs nach Rigi Kulm im Sommer 1873 und

L'exemple publicitaire suivant montre les facettes multiples de la publicité. Dernièrement, pour la première fois en 1982, une réclame publicitaire télévisée, faite en collaboration avec la Compagnie de navigation du lac des Quatre-Cantons de Lucerne, s'est révélée très efficace. Ce «voyage sur le Rigi» fut présenté à la télévision suisse à plusieurs reprises pendant la saison, habituellement à l'occasion du message publicitaire du vendredi.

Pendant les dernières décennies, le nombre des moyens de transport à fins touristiques et pour les sports d'hiver a fortement augmenté. La publicité est aussi devenue plus intensive, ce qui a obligé la Société du «Rigibahn» à organiser des activités diverses portant des titres suggestifs comme: voyages nostalgiques à la vapeur, propositions de randonnées à pied, excursions botaniques, pour le troisième âge, au coucher du soleil*, pour la soirée, etc. Le but est d'amener des voyageurs pour le chemin de fer et des visiteurs pour ce paysage de repos au cœur du pays.

*Aux premiers temps du tourisme sur le Rigi, on célébrait le lever du soleil, mais cette expérience nécessitait un départ de très bon matin, ce qui n'est malheureusement plus en demande dans notre société de consommation indolente.

Les collaborateurs

Dans le monde des chemins de fer touristiques, c'est l'homme qui se tient au premier rang, en tant qu'utilisateur du moyen de transport, mais aussi en sa qualité de collaborateur de l'exploitation. Du côté du chemin de fer, on peut dire que le personnel y joue un rôle primordial.

A tous les points de contact les plus importants, que ce soit au guichet des billets, sur le quai, dans les wagons ou aussi les cabines, il se crée toujours un climat de confiance entre le cheminot et le voyageur, même si ce n'est qu'un court moment. C'est la volonté et le devoir des employés de chemin de fer d'inspirer l'amabilité, la sécurité, la serviabilité et la sociabilité.

Tous les collaborateurs sont membres d'une même communauté et se sentent

Wherever the traveller and staff meet, i.e. at the ticket office, on the platform or on the train itself, a relationship based on trust is formed, even if it is only for a short time. Railway officials both want and are required to be friendly, reliable, helpful and sociable.

Yet all the members of staff form one community. They are all part of one big, happy family, since, to quote Edgar Schumacher, they desire to conquer "the great adventure of life".

In 1872, the first full year of service, the following were employed by the VRB:

Managing director	1	Head locomotive	
Assistant	1	driver	1
Railway inspector	1	Locomotive drivers	4
Linemen	7	(5 from July	
(9 from July		to October)	
to October)		Boilermen	4
Stationmaster	1	(5 from July	
Head clerks (at		to October)	
the same time		Guards	3
collecting and		(5 from July	
forwarding clerks)	2	to October)	
Collecting clerk		Cleaners	2
(female)	1	Head of coal depot	1
Forwarding clerk		Blacksmith	1
(female)	1	Manual workers	
Porters	2	and labourers	4–12
Ticket collector	1		
Bridge guards	2		

From this table it can be clearly seen that women were employed by the VRB right from the beginning. A large number of staff working on the new railway came from Vitznau, above all from the Küttel, Waldis and Zimmermann families, whose descendents still serve the rack railway in various ways, even today, after more than a century.

With the expansion of operations to Rigi Kulm in summer 1873 and the successive additions to the number of locomotives and cars acquired to cope with the increase in traffic (1872: 88,196 travellers; 1913: 142,222 travellers) the volume of staff rose proportionately. Before World War I the VRB employed 88 people in summer and 60 in winter.

An extremely valuable and highly desirable rationalization was made possible when electrification was carried out in

der sukzessiven Erweiterung des Lokomotiv- und Wagenparks entsprechend dem zunehmenden Verkehr (1872: 88 196 Reisende; 1913: 142 222 Reisende) nahm auch die Zahl der Beschäftigten zu. Vor dem Ersten Weltkrieg waren bei der Vitznau–Rigi-Bahn im Sommer 88, im Winter noch 60 Personen beschäftigt.

Die Elektrifikation im Jahr 1937 ermöglichte als wertvolle, sehr erwünschte Rationalisierung des Bahnbetriebs eine starke Senkung des Personalbestandes. Nach der Einführung des elektrischen Betriebs zählte man noch ca. 55 Beschäftigte. Im Jahr 1983 hatten beide Bahnbetriebe zusammen 58 Mitarbeiter (Zahnradbahn und allgemeine Verwaltung 50, die Luftseilbahn 8 Personen).

Bei der Zahnradbahn standen 1983 im Dienst:

Allgemeine Verwaltung	5 Personen
Lehrlinge	2 Personen
Stationspersonal	9 Personen
Wagenführer	13 Personen
Kondukteure	7 Personen
Depotpersonal (Werkstätte)	5 Personen
Bahnunterhalt	9 Personen

Beide Bahnen beschäftigen verschiedene wohlausgebildete Handwerker. Es sind dies: Bauschlosser, Elektriker, Gärtner, Gleismonteure, Karosseriespengler, Maurer, Mechaniker, Schlosser, Schmiede, Schreiner, Werkzeugmacher und Zimmerleute. Diese vielseitigen Berufe und die gut ausgerüsteten Werkstätten in Vitznau und Weggis ermöglichen alle notwendigen Revisions- und Reparaturarbeiten durch bahneigenes Personal.

Dem Bahnunterhaltsdienst der Vitznau–Rigi-Bahn, der den Unterhalt und den Umbau der Gleisanlagen betreut, sind eine Reihe verwandter Aufgaben anvertraut. Dazu gehören die dem sicheren Bahnbetrieb dienende, alle 2 Jahre durchzuführende Felsreinigung längs des Gleises oberhalb Vitznau und die Forstarbeiten zur Nutzung des bahneigenen Waldes (so im Zopfwald zwischen den Stationen Freibergen und Romiti auf 3,5 ha Fläche) sowie auch die gelegentlich sehr aufwendigen Schneeräumungsarbeiten auf den Stationen und der Strecke.

solidaires. Selon les paroles d'Edgar Schumacher, ils veulent faire ensemble l'expérience de la «grande aventure de la vie».

Pendant la première année complète d'exploitation, la liste du personnel du «Rigibahn» était la suivante:

Directeur d'exploitation	1	Chef-conducteur	1
Assistant	1	Conducteurs	4
Inspecteur de chemin de fer	1	(de juillet à octobre 5)	
Gardes-voies	7	Chauffeurs	4
(du mois de juillet à octobre 9)		(de juillet à octobre 5)	
Chef de gare	1	Contrôleurs	3
Chefs de gare (et en même temps percepteur et expéditeur)	2	(de juillet à octobre 5)	
		Nettoyeurs	2
		Maître charbonnier	1
Perceptrice	1	Forgeron	1
Expéditrice	1	Ouvriers et	
Portiers	2	journaliers	4–12
Contrôleur	1		
Gardiens de pont	2		

A ses débuts, le VRB avait donc déjà des femmes à son service. Une grande partie du nouveau personnel engagé se composait d'habitants de Vitznau, appartenant surtout aux familles Küttel, Waldis et Zimmermann. Encore aujourd'hui, après plus de cent ans, leurs descendants continuent à offrir leurs fidèles services au chemin de fer à crémaillère.

Avec la prolongation de l'exploitation jusqu'à Rigi Kulm pendant l'été 1873 et l'agrandissement successif du parc des locomotives et des wagons en fonction de l'accroissement du trafic (88 196 voyageurs en 1872 et 142 222 en 1913), on vit aussi l'augmentation du nombre des emplois. Avant la Première Guerre mondiale, 88 personnes travaillaient pour le VRB pendant l'été et 60 pendant l'hiver.

En 1937, l'électrification rendit possible une rationalisation de l'exploitation ferroviaire. Cette révolution considérée à la fois comme précieuse et souhaitable amena une forte diminution du personnel. Au lendemain de la mise en service de l'exploitation électrique, le nombre des employés s'élevait environ à 55. En 1983, les deux transporteurs comptaient ensemble 58 employés (50 pour le chemin de fer à crémaillère et l'administration générale, et 8 pour le téléphérique).

1937, enabling a substantial cut in staff. After electrification approximately 55 workers were employed. In 1983 the total number of employees of both railways was 58 (rack railway and general administration 50, LWRK 8).

The rack railway staff was 1983 as follows:

General administration	5 people
Apprentices	2 people
Station staff	9 people
Motor coach drivers	13 people
Ticket collectors	7 people
Depot staff (workshop)	5 people
Maintenance workers	9 people

Both railways also have various skilled craftsmen, i. e. building fitters, electricians, gardeners, track fitters, bodywork plumbers, bricklayers, mechanics, fitters, blacksmiths, joiners, toolmakers and carpenters. Thus all essential repair and revision work can be carried out by the railway's own staff.

The VRB railway maintenance service, which looks after the upkeep and renovation of the track, has to cope with a series of closely related tasks. Among other jobs this includes: cleaning the rocks along the track above Vitznau – carried out every two years –, this essential work contributes towards safe operation; forestry work to utilize the railway's own woods (at the top of the forest between the stations at Freibergen and Romiti over an area of 3,5 ha) and snow-clearing work at the stations and along the line, which can, at times, be tremendously time and effort consuming.

The managing director is assisted by the following members of staff: the head of the technical department, the head of operations, the head of the sales department, the depot manager and the local manager of the LWRK.

It really is a fact that the VRB has been able to pride itself on a splendid tradition for many years. This is, of course, an important component of the excellent reputation enjoyed by the railway. What lies at its core is the way the traveller is treated by the VRB staff. Their courtesy and desire to be of service

Der Direktor wird in der Leitung des Unternehmens unterstützt durch: den Leiter des technischen Dienstes, den Betriebschef, den Verkaufsleiter, den Depotchef der VRB und den örtlichen Betriebsleiter der LWRK.

Es ist eine Tatsache, daß sich seit Jahrzehnten bei der Vitznau–Rigi-Bahn eine gute Tradition erhalten hat. Sie macht denn auch einen nicht unwesentlichen Teil des guten Rufes dieser Bahn in der Öffentlichkeit aus. Es handelt sich dabei um die Art, wie die Mitarbeiter der Rigibahn den Reisenden begegnen. Ihre Höflichkeit und ihre Dienstbereitschaft mit all ihren Aspekten (Anweisen eines Parkplatzes, Auskunft am Schalter, Hilfe beim Gepäcktragen, Erklären der Gegend und des Panoramas u. a. m.) sind bekannt. Das ist ein in dieser so gewandelten, so hektischen Zeit nicht mehr selbstverständliches, überliefertes Verhalten.

Möge diese gute Gepflogenheit bei beiden Bahnen auch weiterhin erhalten bleiben und an jene, die nach uns kommen, weitergegeben werden.

Die Hundertjahrfeier der Vitznau–Rigi-Bahn

Freitag, den 21. Mai 1971

Als am 9. August 1847 die Schweizerische Nordbahn ihren Betrieb auf der Strecke Zürich–Baden (Spanisch-Brötli-Bahn) aufnahm, war auch für die Schweiz ein neues Zeitalter angebrochen. Mit jeder alsdann neu eröffneten Eisenbahnstrecke des allgemeinen Verkehrs entwickelte sich der Personen- und Güteraustausch wie nie zuvor.

Die erste Fahrt der Vitznau–Rigi-Bahn vom 21. Mai 1871 war nicht nur für unser Land, sondern für ganz Europa bedeutungsvoll. Hatten die Talbahnen den Werktätigen, d. h. Gewerbe, Handel, Industrie und Landwirtschaft, und somit hauptsächlich der Arbeit zu dienen, so war an diesem Tag, fast 25 Jahre nach

Le personnel suivant etait 1983 au service du chemin de fer à crémaillère:

Administration générale	5 personnes
Apprentis	2 personnes
Personnel de la station	9 personnes
Conducteurs	13 personnes
Contrôleurs	7 personnes
Personnel du dépôt (ateliers)	5 personnes
Personnel d'entretien	9 personnes

Les deux transporteurs emploient différents corps de métier spécialisés: serruriers de bâtiment, électriciens, jardiniers, monteurs de rail, ferblantiers de carrosserie, maçons, mécaniciens, serruriers, forgerons, menuisiers, outilleurs et charpentiers. Grâce aux représentants de ces différents métiers et au bon équipement des ateliers de Vitznau et de Weggis, tous les travaux d'entretien et de réparation nécessaires peuvent être effectués par le personnel du chemin de fer.

A part l'entretien et la transformation des installations du rail, le service d'entretien du VRB est chargé d'une série d'autres tâches qui lui sont apparentées. Parmi ces travaux, notons: le nettoyage de la paroi rocheuse le long de la voie ferrée, au-dessus de Vitznau, effectué tous les deux ans; les travaux forestiers pour l'utilisation de la forêt appartenant au chemin de fer, soit une surface de 3,5 ha au sommet de la forêt, entre les stations de Freibergen et Romiti; et aussi, occasionnellement, le déblaiement de la neige aux stations et sur la voie.

A la tête de l'exploitation, le directeur est assisté par le chef des données techniques, le chef de l'exploitation, le chef des ventes, le chef du dépôt du VRB et les responsables locaux de l'exploitation du LWRK.

C'est un fait que depuis des décennies le Chemin de fer Vitznau–Rigi a su garder une bonne tradition qui contribue de façon non négligeable à sa renommée au sein du public. La qualité de la rencontre entre les employés du chemin de fer et les voyageurs y est pour quelque chose. Politesse et serviabilité sont légendaires sous tous leurs aspects, que ce soit pour indiquer une place de stationnement, donner une information au guichet, aider

in any possible way (directing a motorist to a parking-space, giving information at the ticket office, helping to carry luggage, explaining the region and pointing out the panoramic views, to mention but a few!) are renowned. This outstanding devotion to service can certainly not be taken for granted in the constantly changing, hectic times we live in today.

May this delightful custom of both railways remain the same and be passed on to those who will follow in our footsteps.

The Centenary of the Rack Railway Vitznau

Wednesday, 21st May 1971

On 9th August 1847, when the Swiss Northern Railway began operation on the section from Zurich to Baden (known as the "Spanischbrötli-Bahn", a new age dawned on Switzerland. With every new railway section that was opened, passenger and goods traffic developed at a pace never imagined before.

The first run on the VRB (21st May 1871) was not only significant for Switzerland, but also for the whole of Europe. If the lowland railways were there to serve business, i. e. commerce, trade, industry and agriculture, this day, almost 25 years after the first adhesion railways in Switzerland, marked the first hopeful sign for the construction of further mountain railways and the rapid development of tourism and pleasure trips in our picturesque country, so rich in the beauties of nature.

On August 9th, 1947, one hundred years after the first trip of the "Spanischbrötli-Bahn", the centenary of Swiss railways was celebrated in Zurich and Baden by both the authorities and large numbers of the public with all due pomp and ceremony.

dem Aufkommen der ersten Adhäsionsbahnen in der Schweiz, das erste hoffnungsvolle Zeichen für den Bau weiterer Bergbahnen und für die sprunghafte Entwicklung des Fremdenverkehrs und der Erholungsfahrten in unserem an Naturschönheiten so reichen Land gesetzt.

Am 9. August 1947, hundert Jahre nach der ersten Fahrt der Spanisch-Brötli-Bahn, wurde in Zürich und Baden unter großer Beteiligung von Behörden und Volk in betont feierlicher Weise das Jubiläum der Schweizer Bahnen begangen.

An die zweieinhalb Jahrzehnte später sollte jetzt in Vitznau am Rigi, auf Bergbahn-historischem Boden, der Pioniertat von Ing. Niklaus Riggenbach gedacht werden.

Bei vorerst nicht eben frühlingshaftem Wetter – die Sonne gesellte sich erst im Verlauf des Tages zu den Feiernden – machten sich die Freunde der jubilierenden Bahn von nah und fern auf, um an der Gedenkfeier teilzunehmen. Auf dem Stationsplatz Vitznau stand neben dem Riggenbach-Denkmal zur Begrüßung der zahlreich erschienenen Gäste die alte Dampflokomotive Nr. 7 mit stehendem Kessel, zugleich die erste der von der Schweizerischen Lokomotiv- und Maschinenfabrik, Winterthur, überhaupt erstellten Dampflokomotiven, als Symbol und Glanzstück einer großartigen technischen Leistung. Reicher Blumen- und Fahnenschmuck an Kirche, Schulhaus, Bahn- und Schiffstation betonten den festlichen Tag.

In der Pfarrkirche besammelten sich am Vormittag die Vertreter der Behörden und Verbände, befreundeter Bahn- und Schiffahrtsunternehmen sowie Repräsentanten aus Tourismus, Verkehr und Industrie.

Das Kammerensemble des Berner Musikkollegiums unter der Leitung von Walter Kropf gab mit dem Solisten Peter Humbel, Flöte, dem Festakt mit Werken von Händel, Haydn und Mozart eine besondere Weihe.

Herzlich begrüßte Emil Pfenniger, Luzern, als Präsident des Verwaltungsrates der Rigibahn-Gesellschaft die festlich gestimmte Versammlung. Den eigentlichen

avec les bagages, renseigner sur la région, le panorama ou autre. Dans nos temps modernes si changeants et si agités, ce n'est pas un comportement inné qui va de soi.

Espérons que ces deux transporteurs, sur rail et aérien, continueront à témoigner cette hospitalité, pour que nos descendants puissent en jouir également.

Le centenaire du Chemin de fer à crémaillère Vitznau

Vendredi, le 21 mai 1971

Lorsque le «Schweizerische Nordbahn» commença l'exploitation de sa ligne Zurich–Baden (Spanisch-Brötli-Bahn) le 9 août 1847, c'est une nouvelle époque qui venait de naître pour la Suisse. Le trafic des voyageurs et des marchandises connut ensuite un essor sans précédent avec chaque nouvelle ouverture de section ferroviaire du transport public.

Le 21 mai 1871, le «Vitznau–Rigi-Bahn» était mis en service pour la première fois. C'était un événement de grande importance non seulement pour notre pays mais aussi pour toute l'Europe. Les chemins de fer à adhésion devaient avant tout servir aux travailleurs c'est-à-dire à la technique, au commerce, à l'industrie et à l'agriculture. Presque 25 ans après leur apparition en Suisse, ce jour représentait un premier présage plein d'espoir pour la construction de futurs chemins de fer en montagne et pour le développement du tourisme et des randonnées de détente, dans notre pays où la nature est si riche.

Le 9 août 1947, cent ans après la première course du «Spanisch-Brötli-Bahn», on fêtait à Zurich et à Baden le jubilé des chemins de fer suisses de façon solennelle, avec une grande participation des autorités et du peuple.

Près de 25 ans plus tard, c'est l'initiative d'un pionnier de chemin de fer de montagne, l'ing. Niklaus Riggenbach, que l'on voudrait commémorer à Vitz-

Approximately twenty-five years later, the pioneering achievement of Niklaus Riggenbach was to be remembered at Vitznau on the Rigi, on ground which is of historical significance for the development of railways in Switzerland.

In what was, at first, not exactly spring weather (the sun did not come out until later on) enthusiasts of the railway set off on their way to take part in the memorial service. On the station square at Vitznau, next to the memorial to Riggenbach, stood an old steam locomotive to welcome the guests who had turned out in force. It was the No. 7 engine with vertical boiler, the first steam locomotive constructed by the Swiss Locomotive and Machine Factory in Winterthur. It was the symbol and the pride of a superb technical achievement. The flags and flowers decorating the church, school, railway and ship station underlined the festive nature of the day.

In the morning, the representatives of authorities and associations, affiliated railway and shipping companies, and delegates from tourism, traffic and industry gathered in the parish church.

The chamber ensemble of the Music College in Berne, led by Walter Kropf, with the soloist Peter Humbel on flute, gave a special mood to the ceremony with works by Händel, Haydn and Mozart.

A warm welcome was given to the assembled company by Emil Pfenniger from Lucerne, as President of the board of directors of the "Rigibahn". The actual ceremonial speech was subsequently made by Dr. Werner Kämpfen, the Director of the Swiss Central Traffic Office in Zurich.

93

Festvortrag hielt anschließend der damalige Direktor der Schweizerischen Verkehrszentrale in Zürich, Dr. Werner Kämpfen. Für den Wortlaut dieser ebenso geistreichen wie gehaltvollen Festrede sei auf die von der Rigibahn-Gesellschaft im Jahre 1972 veröffentlichte Schrift: Ein Jahrhundert Vitznau–Rigi-Bahn 1871–1971 verwiesen.

nau, sur ce terrain historique au pied du Rigi.

C'est tout d'abord par un temps peu printannier que les amis du chemin de fer centenaire se mirent en route de près et de loin pour prendre part à la fête commémorative. Le soleil ne fit son apparition qu'au courant de la journée. Au quai de la station de Vitznau, la vieille locomotive à vapeur No 7 à chaudière verticale se tenait à côté du monument commémoratif à l'intention de l'ing. Riggenbach pour saluer les invités nombreux au rendez-vous. Cette toute première locomotive à vapeur construite par la Fabrique Suisse de Locomotives et de Machines à Winterthour était un prototype splendide et le symbole d'un magnifique exploit technique. Eglise, école, gare et débarcadère avaient encore rehaussé ce jour de fête par de riches décorations de fleurs et de drapeaux.

Le matin, c'est à l'église paroissiale que se rassemblèrent les délégués des autorités et des associations des chemins de fer et des compagnies de navigation, ainsi que les représentants du tourisme, du transport et de l'industrie.

Une note spéciale fut donnée à la fête par la présence de l'orchestre de chambre du Collège de musique de Berne, sous la direction de Walter Kropf, avec le soliste Peter Humbel à la flûte. On y joua des œuvres de Händel, Haydn et Mozart.

L'assemblée réjouie fut cordialement saluée par M. Emil Pfenniger de Lucerne, en tant que président du conseil d'administration de la Société du «Rigibahn». Le véritable discours solennel fut ensuite prononcé par le directeur de la Centrale suisse de tourisme à Zurich, M. Werner Kämpfen.

Nachwort

Die Rigi, der von drei Seen umgebene Berg der Mitte, hingelagert am Wege zum Gotthard, Sonneninsel über dem Nebel und der Unruhe des Alltags, umwittert ein eigenes Geheimnis: die bleibende Freundschaft der vielen, die je ihre Vorzüge erkannt und ihre Schönheiten im Wandel der Jahreszeiten bewundert haben. Sie alle kehren immer wieder gerne zu dieser Aussichtskanzel, diesem Treffpunkt intensiver Gastlichkeit und diesem herrlichen Rundblick zurück.

Diese Tatsache veranlaßt die Rigibahnen, auch in Zukunft ihrer angestammten Aufgabe treu zu bleiben: Vermittler dieser Bergerlebnisse zu sein. Alle, die sich den Rigibahnen als Mitarbeiter verpflichtet fühlen, freuen sich, diesem schönen Auftrag auch weiterhin nachkommen zu können.

Die vorliegende Veröffentlichung kann leider nicht all die vielfältigen Aspekte und den ganzen, breiten Fächer der Ausstrahlungen unserer Bahnen nachzeichnen. Nur die großen Linien können gezeigt, nur das Allgemeine dargestellt werden. Vielfach treten hier das Bild und seine Legende stellvertretend an den Platz vieler Worte.

Mögen sich die Rigibahnen auch weiterhin in der Gunst und Ungunst kommender Zeiten voll bewähren. Möge ein guter Stern auch ferner über ihnen leuchten. In der Vergangenheit vielfach bewährt und so oft bewahrt, sollen sie auch in Zukunft allen, die sie erwartungs- und vertrauensvoll in Anspruch nehmen, in alter Treue dienen.

Hans Staffelbach

Epilogue

Le Rigi, cette montagne entourée de trois lacs et située sur le chemin du Gothard, est un îlot de soleil au-dessus du brouillard et de l'agitation quotidienne. Elle est pourtant enveloppée d'un mystère qui lui est propre: celui de l'amitié loyale que lui portent tous ceux qui ont reconnu ses charmes et qui ont admiré ses beautés selon le changement des saisons. Tous les admirateurs du Rigi reviennent volontiers sur ce promontoire panoramique, rendez-vous d'une hospitalité légendaire où le point de vue circulaire est sans pareil.

Les représentants du transport du Rigi connaissent cette vérité qui les pousse à demeurer fidèles à la tâche qui leur revient, c'est-à-dire d'être les médiateurs de cette expérience de la montagne. Tous leurs employés sont conscients de leur devoir et se réjouissent de pouvoir continuer à remplir leurs fonctions dans le futur.

La présente édition ne peut malheureusement pas représenter tous les nombreux aspects de nos chemins de fer, sans parler de la multitude des sujets annexes. Nous n'avons pu montrer que les grandes lignes en présentant seulement des généralités. Il arrive souvent que l'image et la légende servent de substituts aux mots.

Espérons que les transports du Rigi continueront à faire leurs preuves dans l'avenir, indépendamment des bonnes et des mauvaises grâces, comme si une bonne étoile les éclairait. Ils ont résisté à l'épreuve à maintes reprises et ont souvent été préservés. Puissent-ils aussi dans le futur se dévouer fidèlement pour tous ceux qui, pleins d'espoir et de confiance, ont recours à leurs services.

Hans Staffelbach

Conclusion

The Rigi, the most imposing mountain in Central Switzerland, surrounded by three lakes, standing on the way to the Gotthard, a sunny island above the fog and the stress of everyday life, is shrouded in its own mystery: the enduring faithfulness of the great number of people who have appreciated its merits and admired its changing beauty throughout the four seasons. Time after time they all return to this splendid viewpoint, meeting point of great hospitality and superb panorama.

This fact is the reason why the Rigi railways will, in future, keep to their well-trodden path – as the essential link between passengers and the wonders of the mountain. Every employee of the "Rigibahn" takes great pleasure in being able to fulfill this enjoyable task in the coming years.

Unfortunately this publication is not in a position to deal with the manifold aspects and wide fields of interest concerning our railways. It was only possible to trace the main development and talk in quite general terms. In many cases the illustrations and their captions have taken the place of many words.

May the Rigi railways continue to prove their worth in the ups and downs of the coming years, and may a lucky star continue to shine on them. In the past, they have stood the test of time and been of tremendous service. In the future they will remain the faithful servant of all those who call on their services in a spirit of expectation and trust.

Hans Staffelbach

1 Schiffstation Vitznau und Hotel «Rigibahn» um 1900.

Embarcadère de Vitznau et Hôtel Rigibahn vers 1900.

The SGV station at Vitznau and the Rigibahn Hotel around 1900.

2 Die erste Talstation in Vitznau aus dem Jahre 1871.

La première station de Vitznau datant de 1871.

The first station in Vitznau constructed in 1871.

3 Die erste Depotanlage in Vitznau.

Le premier dépôt à Vitznau.

The first depot at Vitznau.

4 Aus den Anfängen der VRB (Station Vitznau mit dem Hotel «Rigi» und der Reklametafel «Bière de Munich»).

Les débuts du VRB (la station de Vitznau avec l'Hôtel Rigi et la réclame «Bière de Munich»).

The early days of the VRB (the station at Vitznau with the Rigi Hotel and the poster advertising "Bière de Munich").

5 Station Vitznau mit Drehscheibe. Bis 1968 lag der Perron in einer Steigung von 7%. Noch heute, nach über 110 Jahren, sind einzelne Personenwagen mit Stoffstoren versehen.

La station de Vitznau avec plaque tournante. Jusqu'en 1968, le perron était aménagé dans une pente de 7%. Aujourd'hui encore, après plus de 110 ans, certaines voitures sont munies de stores en tissu.

The station at Vitznau with the turntable. Up to 1968 the platform stood on a 1 in 14 gradient. Even today, after more than 110 years, certain passenger cars are fitted with cloth blinds.

6 Das Hotel «Rigi» und der Hauptstraßenübergang der Bahn in Vitznau um die Jahrhundertwende. Die schweren Holzdeckel mußten vor jeder Zugsfahrt zurückgelegt werden. Wie die Aufnahme zeigt, bestanden solche Übergänge auch beim alten Gersauerweg und beim Dorfstraßen-Übergang neben dem Hotel «Kreuz».

L'Hôtel Rigi et le passage à niveau principal de Vitznau vers le début du siècle. Les lourds couvercles de bois devaient être enlevés avant chaque passage de train. Comme l'illustration le montre, de tels passages à niveau existaient aussi à l'ancien chemin de Gersau et à travers la rue du village près de l'Hôtel Kreuz.

The Rigi Hotel and the level crossing over the main road at Vitznau, taken around the turn of the century. The heavy wooden covers had to be pulled back before a train could use the crossing. As the picture shows there were similar crossings over the old Gersau road and the village road next to the Kreuz Hotel.

7 Personenzug nach der Betriebseröffnung auf dem Platten-Damm.

Train de voyageurs après l'inauguration de l'exploitation sur le remblai de Platten.

A passenger train on the Platten embankment, taken after the opening ceremony.

8 Ingenieur Riggenbachs erste Rigibahn-Zahnradlokomotive auf Probefahrt im Frühjahr 1870.

La première locomotive à crémaillère de l'ingénieur Riggenbach lors d'une sortie d'essai au printemps 1870.

Riggenbach's first Rigibahn rack locomotive on a test run in spring 1870.

9 Personenzug auf dem Platten-Damm oberhalb Vitznau. Man beachte den dem Zug vorausgehenden Bahnwärter mit Bergstock und den Bremser auf dem Wagendach.

Train de voyageurs sur le remblai de Platten au-dessus de Vitznau. On aperçoit devant le train le garde-de-voie avec sa canne et le freineur sur le toit de la voiture.

A passenger train on the Platten embankment above Vitznau. Notice the lineman walking in front of the train, carrying a climbing stick, and the brakeman sitting on the roof of the car.

10 Güterzug auf der ersten Schnurtobelbrücke. Die 76 m lange schweißeiserne Brücke hatte in den ersten Jahren nur zwei, später dann fünf Stützen und drei bzw. sechs Öffnungen. Sie war nur seeseitig mit einem Gehsteg ausgerüstet und lag in der maximalen Steigung von 25%. Das Gleis war auf der Brücke in einem durchgehenden Radius von 180 m verlegt.

Train de marchandises sur le premier pont du Schnurtobel. Ce pont de 76 m de longueur en fer soudé, n'avait pendant les premières années que deux piliers et trois ouvertures, plus tard cinq piliers et six ouvertures. Construit dans la pente maximum de 25%, il n'était pourvu d'un passage que du côté du lac. La voie ferrée accusait un rayon de 180 m.

A goods train on the first Schnurtobel viaduct. At the beginning the 76 m long welded iron bridge only had two supports and three openings. At a later date, three more supports were added, making it six openings. It only had a path on the lake side and ran through the maximum gradient of 1 in 4. The track across the viaduct was laid in a continuous radius of 180 m.

11/12 Die erste Brücke im Schnurtobel nach der Betriebseröffnung. Typisch für dieses Bauwerk war das zierliche Geländer.

Le premier pont du Schnurtobel après l'inauguration. Cette construction était caractérisée par un parapet délicat.

The first Schnurtobel viaduct after services had been commenced. A typical feature of this viaduct was its delicate bridge rails.

13 Zugskreuzung in Freibergen. Im Vordergrund die alte, mit Handantrieb ausgerüstete Schiebebühne. Sie ermöglichte durch zwei auf Rollen gelagerte, entsprechend gekurvte Gleisabschnitte den Übergang von der Einspur auf die Doppelspur. Neben den beiden Gleisen an einem Pfahl die Wasserspeisung.

Croisement de trains à Freibergen. Au premier plan, la vieille plate-forme roulante commandée à la main. Par l'intermédiaire de deux tronçons de voies cintrées et fonctionnant sur des rouleaux, elle permettait de passer de la voie simple à la voie double. A côté des rails, le pilier du tuyau amenant l'eau.

Two trains crossing at Freibergen. In the foreground the old, manually operated traverser. By means of two suitably curved track sections on wheels, trains could cross over from single to double track. Beside the tracks the post supporting the water hose is visible.

14 Billettkontrolle in Freibergen.

Contrôle des billets à Freibergen.

Checking tickets at Freibergen.

15 Blick von Rigi Staffel nach Rigi Kulm vor dem Bau der Rigibahn.

Vue de Rigi Staffel vers Rigi Kulm (sommet) avant la construction du Rigibahn.

View from Rigi Staffel to Rigi Kulm before the Rigi railway was built.

16 Personenzug beim Hotel «Felchlin» in Rigi Staffel. Der Bremser wieder auf seinem luftigen Sitz. Neben ihm der Kondukteur. Vor und hinter dem Zug die schon früher erwähnten Streckenwärter.

Train de voyageurs près de l'Hôtel Felchlin à Rigi Staffel. Le freineur est de nouveau installé en plein air. A côté de lui le conducteur. Devant et derrière le train, les employés de la voie déjà mentionnés précédemment.

A passenger train in front of the Felchlin Hotel at Rigi Staffel. Again the brakeman can be seen on his airy perch. The guard is standing next to him. In front of and behind the train the now familiar linemen.

17 Die Lokomotive Nr. 9 (vor dem Umbau) auf der Drehscheibe in Vitznau.

La locomotive No 9 (avant la transformation) sur la plaque tournante à Vitznau.

Locomotive No. 9 (before renovation) on the turntable in Vitznau.

18 Die gleiche Lokomotive nach dem Umbau (mit liegendem Kessel). Man beachte die damals noch als Regenschutz angebrachten Kamindeckel.

La même locomotive après la transformation (avec chaudière horizontale). A remarquer les chapeaux de cheminée encore montés pour protéger de la pluie.

The same locomotive after renovation work (now with a horizontal boiler). Notice the chimney-cover – then used as protection from rain.

19 Die Stehkessel-Lokomotive Nr. 4 mit Wasserbehälter und Kohlenkasten sowie dem Gepäckabteil auf der alten Drehscheibe bei der Talstation Vitznau.

La locomotive à chaudière verticale No 4 avec réservoir à eau, soute à charbon et compartiment à bagages sur la vieille plaque tournante à la station de Vitznau.

Locomotive No. 4 with vertical boiler, water container, coal-box and luggage compartment on the turntable at Vitznau.

20 Ein Teil des Lokomotivparks im Jahr 1937 (Elektrifikation).

Une partie du parc des locomotives en 1937 (année de l'électrification).

Some of the VRB locomotives in 1937 (the year of electrification).

21 Stationsanlagen in Rigi Kaltbad-First (VRB und RSB) mit Güterzug der Rigi-Scheidegg-Bahn. Die Streckenlänge dieser Aussichtsbahn betrug 7 km.

La station de Rigi Kaltbad-First (VRB et RSB) avec un train de marchandises de la ligne Rigi Scheidegg. Ce parcours panoramique avait une longueur de 7 km.

The station at Rigi Kaltbad-First (VRB and RSB) with a Rigi Scheidegg Railway goods train. The length of this panoramic line was 7 km.

22 Die Dampflokomotive Nr. 1 mit stehendem Kessel vor dem Transport zur Schweizerischen Landesausstellung in Zürich (Sommer 1939).

La locomotive à vapeur No 1 avec chaudière verticale avant son transport à l'Exposition Nationale de la Suisse à Zurich (été 1939).

Steam locomotive No. 1 with vertical boiler before being taken to the Swiss National Exhibition in Zurich (summer 1939).

23 Zug der Rigi-Scheidegg-Bahn bei Firstegg (Strecke Kaltbad–First).

Train de la ligne Rigi Scheidegg près de Firstegg (tronçon Kaltbad–First).

RSB train at Firstegg (section Kaltbad–First).

24 Das Hotel «Rigi-First» (200 Betten) und die Rigi-Scheidegg-Bahn.

L'Hôtel Rigi-First (200 lits) et le Chemin de fer Rigi Scheidegg.

The Rigi-First Hotel (200 beds) and the Rigi Scheidegg Railway (RSB).

25 Die Rigi-Scheidegg-Bahn bei der Station Rigi First.

Le Chemin de fer Rigi Scheidegg près de la station Rigi First.

The Rigi Scheidegg Railway at Rigi First.

26 Güterzug der RSB auf der Brücke von Unterstetten.

Train de marchandises du RSB sur le pont d'Unterstetten.

An RSB goods train on the viaduct at Unterstetten.

27 Die Station Rigi Scheidegg um die Jahrhundertwende.

La station de Rigi Scheidegg au tournant du siècle.

Rigi Scheidegg station at the turn of the century.

28 Das attraktive Plakat von Martin Peikert, Zug, aus dem Jahr 1949.

L'attrayante affiche de Martin Peikert de Zoug datant de 1949.

The attractive poster designed by Martin Peikert from Zug in 1949.

28

SCHWEIZ-SUISSE-SWITZERLAND
RIGI-BAHN
VITZNAU-RIGI-BAHN
VIERWALDSTÄTTERSEE • LAC DES QUATRE-CANTONS • LAKE OF LUCERNE

29 Das ist nicht der Fujiyama in Japan! Die Rigi, «hingelagert wie eine Vorburg am Wege zum Gotthard» (Prof. Max Huber-Escher).

Ce n'est pas le Fujiyama du Japon! C'est le Rigi, «comme un premier château fort sur le chemin du Gothard» (Prof. Max Huber-Escher).

Not Mt. Fujiyama in Japan! It is the Rigi, "standing like a preliminary fortress on the way to the Gotthard" (Prof. Max Huber-Escher).

30 Linienentwicklung der Vitznau–Rigi-Bahn am Südhang der Rigi zwischen Vitznau und Rigi Kaltbad. In der ersten Geländefalte von rechts Schwandentunnel und Schnurtobelbrücke.

Le développement de la ligne Vitznau–Rigi du côté sud du Rigi, entre Vitznau et Rigi Kaltbad. Dans le premier pli du terrain, à droite, le tunnel de Schwanden et le pont du Schnurtobel.

Development of the VRB (south side of the Rigi massif) between Vitznau and Rigi Kaltbad. Behind the first hill on the right are the Schwanden tunnel and the Schnurtobel viaduct.

31 Ein Motorschiff der SGV ist eingetroffen.

Un bateau à moteur de la Compagnie de navigation (SGV) est arrivé.

A motor vessel belonging to the Lake of Lucerne Shipping Company (SGV) has arrived.

32 Sommerlicher Hochbetrieb.

Affluence estivale.

Summer is the busiest time of the year.

33 Die Schiffahrt auf dem Vierwaldstättersee ist nach wie vor die Hauptzubringerin der Vitznau–Rigi-Bahn. Die Schiffstation Vitznau ist nach Luzern die meistfrequentierte Station der zahlreichen Seeuferorte.

Depuis toujours c'est la Compagnie de navigation du lac des Quatre-Cantons qui amène le plus de voyageurs au VRB. Vitznau est, après Lucerne, la station la plus fréquentée parmi les villages du bord du lac.

The main suppliers of the VRB are still the ships on the Lake of Lucerne. After Lucerne, the station at Vitznau has the highest traffic of all the lakeside stations.

34 Zwei Zeitalter begegnen sich: Dampftraktion (1871–1937) und elektrischer Betrieb (seit 1937).

Deux âges se côtoient: la traction à vapeur (1871–1937) et la traction électrique (depuis 1937).

Two ages meet: steam traction (1871–1937) and electric traction (since 1937).

35 Lebhafte Nachfrage nach Fahrausweisen am Billettschalter in Vitznau.

On se presse au guichet de Vitznau pour prendre les billets.

A long queue for tickets in Vitznau.

36 Zugsabfertigung (Stellpult) in Vitznau. Im Vordergrund rechts das Funkgerät für die Verbindung mit den Zügen.

Poste à tableau de contrôle optique à Vitznau. A l'avant-plan, à droite, la radio pour le contact avec les trains.

Traffic control (control panel) in Vitznau. In the foreground on the right the two-way radio for communication with trains.

37 Stationsneubau in Vitznau (1968) mit der Kantonsstraßenüberführung (Straße A 127).

La station neuve de Vitznau (1968) avec la route cantonale (route No A 127) passant au-dessus de la voie.

The new station building at Vitznau (1968) with the Cantonal road crossing (road A 127).

38 Die drei Triebfahrzeugtypen der VRB im Wandel der Jahrzehnte (1871–1984).

Les trois types de locomotives et d'automotrices du VRB au cours des décennies (1871–1984).

The three locomotive types used by the VRB in the course of time (1871–1984).

39 Neue Drehscheibe in Vitznau (von Roll, Bern, 1982), von 2 Elektromotoren angetrieben, mit den 10 Depotgleisen.

La nouvelle plaque tournante à Vitznau (von Roll, Berne, 1982), commandé par 2 moteurs électriques, avec les 10 voies de dépôt.

New turnable at Vitznau (made by von Roll in Berne 1982), powered by two electric motors, with the 10 depot tracks.

40 Front der Depotanlage Vitznau mit der Drehscheibe der Jahre 1871–1982.

Vue frontale du dépôt de Vitznau avec la plaque tournante des années 1871–1982.

The front of the depot at Vitznau with the turntable used from 1871–1982.

41 Bedienungsstand der neuen Drehscheibe in Vitznau (Last 45 t). Im Hintergrund Buochserhorn und Stanserhorn.

Pupitre de commande de la nouvelle plaque tournante à Vitznau (charge maximum 45 t). A l'arrière-plan, le Buochserhorn et le Stanserhorn.

Control panel of the new turnable at Vitznau (load 45 tons). In the background two mountains, the Buochserhorn and the Stanserhorn.

42 Dampfzug mit fröhlicher Jugend – hoch über dem See der vier Waldstätte – unterwegs zur Gipfelschau.

Jeunes gens à bord d'un train à vapeur en route vers le sommet. Tout au-dessous, le lac des Quatre-Cantons.

A steam train full of happy youngsters on their way to the summit, taken high above the Lake of Lucerne.

43 Der bewährte Lokomotivführer pflegt seine Maschine.

Un conducteur consciencieux soigne bien sa locomotive.

The experienced driver looks after his locomotive.

44 Drehscheibe im Zentrum der Depotanlage vor den Standplätzen der Dampflokomotiven.

Plaque tournante au centre du dépôt devant les places de stationnement des locomotives à vapeur.

The turntable in the centre of the depot in front of the locomotive stands.

45 Faszination des Dampfbetriebs.

Fascination de la traction à vapeur.

The fascination of steam.

46 Standplatz der Dampflokomotiven Nrn. 16 und 17. Über den Kaminen der Rauchabzug.

Places de stationnement des locomotives à vapeur Nos 16 et 17. Au-dessus des cheminées, le dégagement pour la fumée.

Stands for locomotives Nos. 16 and 17. Above the chimneys the smoke funnel.

47 Arbeit am Kohlenlager in Vitznau. Die je 10 kg schweren Briketts werden mit Schubkarren zu den Lokomotiven gebracht.

Travail au dépôt de charbon à Vitznau. Les briquettes pesant chacune 10 kg sont apportées aux locomotives à l'aide de brouettes.

Working on the coal store at Vitznau. The 10 kg blocks are taken to the locomotives in wheelbarrows.

48 Fahrgestell und Kessel einer Dampflokomotive bereit zur Kontrolle und Revision.

Châssis et chaudière d'une locomotive à vapeur prête au contrôle et à la révision.

Undercarriage and boiler of a locomotive ready for testing and overhauling.

49 Die stete Überwachung des Feuers sichert die normale Dampfentwicklung und damit den ruhigen Gang der Lokomotive. An der Kesselfront oben der vierarmige Dampfregulator.

La surveillance continuelle du foyer assure le développement normal de vapeur, donc la marche régulière de la locomotive. A l'avant de la chaudière, en haut, le régulateur de vapeur à quatre bras.

Constant supervision of the fire ensures a normal development of steam and thus smooth running of the locomotive. On the front of the boiler at the top the four-arm steam regulator.

50

51

53

52

50 Selbst im Winter stehen die Dampflokomotiven gelegentlich im Einsatz.

Même en hiver, les locomotives à vapeur sont occasionnellement en fonction.

Steam locomotives are even occasionally used in winter.

51 Personalinstruktion.

Instruction du personnel.

Staff training.

52 Reinigung der Dampflokomotiven nach dem Einsatz. Der Rauchkammer werden nach der Fahrt die sich auch dort ansammelnden Schlacken entnommen.

Nettoyage des locomotives à vapeur après le service. La boîte à fumée est débarrassée des scories qui s'y forment après chaque course.

After service the steam locomotives have to be cleaned. After every run the cinders are removed from the smoke box.

53 Am Wasserkran in Freibergen.

A la grue d'alimentation à Freibergen.

At the water crane in Freibergen.

54 Ausfahrt eines Dreiwagenzuges an einem strahlenden Sommertag. Buochserhorn, Stanserhorn und Bürgenstock (von links) bilden einen eindrucksvollen Rahmen.

Sortie d'un train composé de trois waggons par un jour d'été radieux. Le panorama majestueux est formé des monts Buochserhorn, Stanserhorn et Bürgenstock (à partir de la gauche).

A train consisting of three cars on a brilliant summer day. The Buochserhorn, Stanserhorn and Bürgenstock (from left to right) form an impressive background.

55 Zahnstangenweichen in Vitznau.

Aiguillage à crémaillère à Vitznau.

Rack rail points at Vitznau.

56 Einer der zahlreichen Gleisfixpunkte. Sie dienen zur Sicherung des Gleises gegen den Hangabtrieb. Vier auf zwei Schwellen verteilte, etwa 1,5 bis 2,5 m lange, wenn möglich im anstehenden Fels verankerte Schienenstücke sind senkrecht im Trasse unter dem Gleis einbetoniert. Abstand von Fixpunkt zu Fixpunkt je nach Terrainverhältnissen ungefähr 80 m.

L'un des nombreux points fixes de la voie. Ils servent à protéger les rails contre la dérivation du terrain en pente. Quatre secteurs de rail d'environ 1,5 à 2,5 m de longueur, répartis sur deux traverses, sont bétonnés sous la voie, perpendiculairement au tracé, et si possible ancrés dans le rocher. La distance de point fixe à point fixe est d'environ 80 m, selon le terrain.

One of the many track checkpoints protecting the tracks against the drift of the slope. Four pieces of rail, about 1.5 to 2.5 m long, wherever possible fixed into the rock between two sleepers, are concreted into the track under the rails. The distance from checkpoint to checkpoint is approximately 80 m, depending on topographical conditions.

57 Gleichrichterstation II in Vitznau aus dem Jahr 1954.

Station de redressement de courant II à Vitznau datant de 1954.

Rectifier station No II. at Vitznau dating back to 1954.

58 Die Brücke im abgelegenen Schnurtobel (Baujahr 1957/58). ▶

Le pont du Schnurtobel (construit en 1957/58).

The Schnurtobel viaduct (constructed in 1957/58).

59 Die erste Schnurtobelbrücke aus der Werkstätte von Ing. Riggenbach in Olten.

Le premier pont du Schnurtobel provenant des usines de l'ingénieur Riggenbach à Olten.

The first Schnurtobel viaduct designed in Riggenbach's workshop in Olten.

60 Die neue Spannbetonbrücke (System DIWIDAG) an der Eröffnungsfeier im Dezember 1958.

Le nouveau pont en béton précontraint (système DIWIDAG) lors de l'inauguration en décembre 1958.

The new prestressed concrete viaduct (DIWIDAG

system) taken at the opening ceremony in December 1958.

61 Brückenuntersicht: Erfolg der modernen Technik. Die 80 m lange, in der maximalen Steigung von 25% und mit einem Radius von 153 m (unteres Feld) konstruierte Vorspannbetonbrücke im Schnurtobel kommt heute mit einer einzigen Stütze aus (ehemals waren es fünf).

Vue du pont d'en dessous: succès de la technique moderne. Le pont du Schnurtobel d'une longueur de 80 m est construit dans la déclivité maximale de 25% et a un rayon de 153 m (partie inférieure de l'arc). Ce

pont en béton précontraint ne nécessite aujourd'hui qu'un seul pilier au lieu des cinq d'autrefois.

View from under the viaduct. Modern technology has been put to highly successful use here. The 80 m long prestressed concrete bridge in the maximum gradient of 1 in 4 has a radius of 153 m (lower field) and today only one support (it used to have five).

62 Brückenneubau im Schnurtobel (1957/58). Die neue Brücke wurde – ohne jegliche Betriebsunterbrechung – an den alten Brückenbogen «angelehnt».

Nouvelle construction du pont du Schnurtobel

69

(1957/58). Le nouveau pont fut relié à l'ancien pont arqué sans aucune interruption du service.

Construction work on the new Schnurtobel viaduct (1957/58). The new bridge was built "into" the arch of the old viaduct without interrupting services.

63 Zugskreuzung auf der 1,9 km langen Doppelspurstrecke Freibergen–Rigi Kaltbad-First, unterhalb von Romiti Felsentor, mit Blick auf die Voralpen.

Croisement de trains sur le tronçon à voie double de 1,9 km entre Freibergen, Rigi Kaltbad et First, en aval de Romiti Felsentor, avec vue sur les Préalpes.

Two trains meet on the 1,9 km long double track section Freibergen–Rigi Kaltbad-First, below Romiti Felsentor, with a view of the Lower Alps.

64 Neigungstafel am Übergang zur maximalen Steigung von 25%, unterhalb Freibergen.

Tableau indiquant le passage à la déclivité maximale de 25%, en dessous de Freibergen.

Sign indicating the maximum gradient of 1 in 4 below Freibergen.

65 Talseitiger Führerstand des Motorwagens Nr. 5 (1964). Im Vordergrund links die Kurbel zur Betätigung der Klinkenbremse.

Cabine de contrôle de la voiture motrice No 5 (1964), du côté aval. A l'avant-plan, à gauche, la manivelle pour le fonctionnement du frein à cliquet.

The valley-side driver's cab of motor coach No. 5 (constructed in 1964). In the foreground on the left the operating handle for the ratchet brake.

66 Gefällsbruch von 25%. Motorwagen Nr. 5 auf der Talfahrt bei Freibergen.

Voiture motrice No 5 pendant la descente vers une pente de 25%, près de Freibergen.

Motor coach No. 5 descending towards a gradient of 1 in 4, near Freibergen.

67 Der Wagenführer am Funkgerät.

Le conducteur à la radio.

The driver with two-way radio.

68 Der 1200-PS-Motorwagen Nr. 5 auf der Steilrampe an der Schwanden-Fluh.

La voiture motrice No 5 de 1200 CV dans la côte raide de la Schwanden-Fluh.

The 1200 hp motor coach No. 5 on the steep ramp at Schwanden-Fluh.

69 Ferienland – Wanderberg: Bei Rigi Kaltbad-First mit Blick auf die Voralpen und Vitznau.

Le Rigi à la fois paysage vacancier et montagne d'excursion. Vue panoramique à Rigi Kaltbad-First avec au loin les Préalpes et Vitznau.

This "hiking" mountain is real holiday country! Taken at Rigi Kaltbad-First looking towards the Lower Alps and Vitznau.

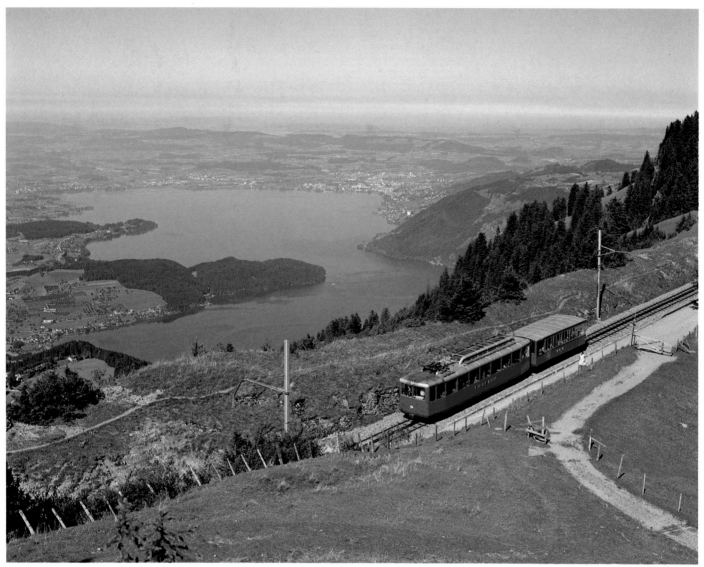

70 Der Vorstand und sein Mitarbeiter.

Le chef de gare et son collègue.

The station master and his assistant.

71 Einfahrt in die Station Rigi Kaltbad-First.

Arrivée à la station de Rigi Kaltbad-First.

Entering Rigi Kaltbad-First station.

72 Abfahrtsbefehl auf Rigi Kaltbad-First.

Ordre de départ à Rigi Kaltbad-First.

The train is given the signal to depart at Rigi Kalt-bad-First.

73 Die alte Schiebebühne auf Rigi Kaltbad-First.

Le vieux pont roulant à Rigi Kaltbad-First.

The old traverser at Rigi Kaltbad-First.

74 Rigi Kaltbad-First: Der Übergang von der Ein- in die Doppelspur bzw. auf das Stumpengleis für Güterzüge nach dem Einbau der Weichenanlage im Frühjahr 1961.

Rigi Kaltbad-First. Le changement de la voie simple à la voie double, ou à la voie de garage pour les trains de marchandises, après l'installation de l'aiguillage au printemps 1961.

Rigi Kaltbad-First. The crossover from single to double track, respectively to the siding for goods trains, taken after fitting the points in spring 1961.

75 Blick von Rigi Staffel auf den Zugersee, den Zugerberg und die Ortschaften (von links) Cham, Zug und Baar.

Vue de Rigi Staffel en direction du lac et de la montagne de Zoug, avec les municipalités de Cham, Zoug et Baar (en partant de la gauche).

View of the Lake of Zug, the Zugerberg and, from left to right, Cham, Zug and Baar, taken from Rigi Staffel.

76

77

78

79

80

76 Einst: Bis 1873 wurden viele Rigi-Gäste mit Tragsesseln oder zu Pferd auf den bekannten Berg getragen.

Autrefois: Jusqu'en 1873, de nombreux visiteurs du Rigi étaient transportés sur la fameuse montagne en chaises à porteurs ou à cheval.

The way it used to be: Up to 1873 many guests were carried up the famous mountain in sedan chairs or on horseback.

77 Billettkontrolle «mit frohen Gesichtern».

Contrôle des billets parmi des visages radieux.

Checking tickets "with happy faces".

78 Blick auf die Küßnachter Bucht des Vierwaldstättersees (Strecke Staffelhöhe – Staffel).

Le regard des passagers se porte sur la baie de Küssnacht au bord du lac des Quatre-Cantons (tronçon Staffelhöhe – Staffel).

Passengers catching a glimps of the Küssnacht bay on the Lake of Lucerne (section Staffelhöhe – Staffel).

79 Die Hostellerie Rigi Kaltbad mit Hallenschwimmbad (links), an Stelle des ehemaligen Grand Hotels im Jahr 1966 eröffnet.

L'Hôtellerie Rigi Kaltbad avec sa piscine intérieure (à gauche) qui remplaça l'ancien Grand Hôtel en 1966.

In 1966 the Rigi Kaltbad hotel centre with its own indoor swimming pool (on the left) was opened replacing the old Grand Hotel.

80 Jetzt: Wo früher zwei Träger einen Gast zur Höhe brachten, können heute mit einem Personenzug mit vier Mann Personal 220 Reisende gleichzeitig nach Rigi Kulm geführt werden. Hier die Gipfelstation mit Blick auf die Alpen.

Aujourd'hui: Alors que deux porteurs étaient nécessaires pour transporter une personne sur les hauteurs, un train desservi par quatre employés peut actuellement amener 220 personnes au Rigi Kulm. Ici, la station du sommet avec vue sur les Alpes.

The way it is now: Two men used to be needed to carry one guest up the mountain; now a train staffed by four men can transport 220 visitors up to Rigi Kulm at the same time. Here you can see the summit station with a view of the Alps.

81 Der Kurort Rigi Kaltbad-First mit Streckenführung Staffelhöhe – Staffel – Rigi Kulm.

La station d'altitude Rigi Kaltbad-First avec le tracé de voie ferrée Staffelhöhe – Staffel – Rigi Kulm.

The resort of Rigi Kaltbad-First with the track leading from Staffelhöhe to Staffel and Rigi Kulm.

82 «Das Ergreifendste aber an dieser geschichtsge-
tränkten Voralpenlandschaft ist der Teil des Sees, wo
dieser zwischen Rigi und Pilatus das mächtige Kreuz
bildet, das mit seinen vier Armen sich nach jeder der
vier Waldstätte ausstreckt. Das ist eine seltene, hier
vielleicht einzigartige Einzeichnung in der Erdober-
fläche; dieses Kreuz wirkt aber besonders eindrucksvoll, wenn wir uns seines Sinnes bewußt sind und sehen, daß es gleichzeitig das Wappenbild des Volkes
geworden ist, dessen Staat von diesem Mittelpunkt
aus seinen Anfang genommen hat» (Prof. Max
Huber).

«Le plus saisissant de ce paysage préalpin imprégné
d'histoire, c'est la partie du lac formant une grande
croix entre le Rigi et le Pilatus, croix dont les quatre
bras s'étendent vers les quatre «Waldstätte». Cette
configuration rare est peut-être unique en son genre
sur le globe entier. Cette croix est particulièrement
impressionnante lorsque nous sommes conscients de
sa signification et constatons qu'elle est devenue simultanément l'emblème du peuple dont l'existence
en tant qu'Etat a précisément commencé au centre
de cette croix» (Prof. Max Huber).

"The most fascinating part of this alpine landscape
of such great historical significance, is between the
Rigi and the Pilatus, where the lake forms a large
cross, which reaches out its arms to the four Cantons
on the lakeside. This is a seldom encountered, here
even perhaps a unique engraving into the surface of
the earth. Nevertheless, this cross takes on a special
significance when we become aware of its deeper
meaning and notice that it has also become the arms
of that nation, whose state was founded at this very
point" (Prof. Max Huber).

83 Neue Gastlichkeit – eröffnet 1954 – auf der Rigi,
Treffpunkt nach dem Genuß des Sonnenaufgangs.

Nouvelle hospitalité sur le Rigi. L'hôtel ouvert en
1954 est un lieu de rendez-vous après avoir apprécié
le lever du soleil.

The new hotel on the Rigi, which was opened in
1954, is the perfect meeting place after enjoying the
sunrise.

84 Rigi Kulm, 1797 m über Meer. Triangulations-
punkt I. Ordnung der Landesvermessung mit dem
50 m hohen Sendeturm der PTT-Mehrzweckanlage.

Rigi Kulm à 1797 m d'altitude. Point de triangulation
de première classe de la topographie nationale et
tour émettrice de 50 m de l'installation à usages multiples des PTT.

Rigi Kulm lies at an altitude of 1797 m above sea level. First class triangulation point and the 50 m high
broadcasting tower of the multi-purpose PTT installation.

85 Ein Blick zurück: Der Hotelpalast auf Rigi
Kulm von damals, der mit seinen Nebengebäuden
500 Personen aufnehmen konnte. Zu dieser «Gipfel-
pracht» führen von Norden die Arth–Rigi- und von
Süden die Vitznau–Rigi-Bahn.

Une perspective du passé: l'ancien «palais» du Rigi
Kulm qui pouvait abriter 500 personnes, avec ses dé-

pendances. On rejoignait ce somptueux sommet avec l'«Arth–Rigi-Bahn» du côté nord et avec le «Vitznau–Rigi-Bahn» du côté sud.

Looking back: The grand old hotel at Rigi Kulm, which, together with its other buildings, could accommodate 500 guests. The "Arth–Rigi-Bahn" leads up to this magnificent pinnacle from the north, the "Vitznau–Rigi-Bahn" from the south.

86   Ein frohes Kommen und Gehen auf Rigi Kulm. Im Hintergrund der bizarre Pilatus, der nahe Hausberg der Luzerner.

Un va-et-vient joyeux à Rigi Kulm. A l'arrière-plan, le Pilatus à l'aspect bizarre, la montagne familière voisine des Lucernois.

Good-natured hustle and bustle at Rigi Kulm. In the background the rather bizarre shaped Pilatus – the "local" mountain for people of Lucerne.

87 Ausfahrt aus dem Schwandentunnel auf die Schnurtobelbrücke im Winter.

Sortie du tunnel de Schwanden vers le pont du Schnurtobel pendant l'hiver.

Leaving the Schwanden tunnel and approaching the Schnurtobel viaduct in winter.

88 Winter im Schnurtobel. Dampfzug auf der Fahrt an die Sonne.

L'hiver dans le Schnurtobel. Un train à vapeur monte vers le soleil.

Winter in the Schnurtobel. A steam train on its way up to the sun.

89 Dampfzug beim Wasserfassen in Freibergen.

Train à vapeur au ravitaillement en eau à Freibergen.

A steam train filling up with water at Freibergen.

90 Auf dem offenen Skiwagen des Sportpendelzuges Kaltbad–Staffelhöhe.

Sur le wagon ouvert du train-navette de sport Kaltbad–Staffelhöhe.

On the open-air ski-car of the shuttle train running between Kaltbad and Staffelhöhe.

91 Winterpracht auf Rigi Staffelhöhe mit Nebelmeer und Blick auf den Kranz der Voralpen (Glarner, Urner und Nidwaldner Berge).

Somptuosité hivernale à Rigi Staffelhöhe au-dessus de la mer de brouillard. Dans le lointain, la couronne des Préalpes (montagnes de Glaris, d'Uri et de Nidwalden).

The beauty of winter at Rigi Staffelhöhe with a sea of fog and a view onto the ring of the Lower Alps (mountains in the Cantons of Glarus, Uri and Nidwalden).

92

93

94

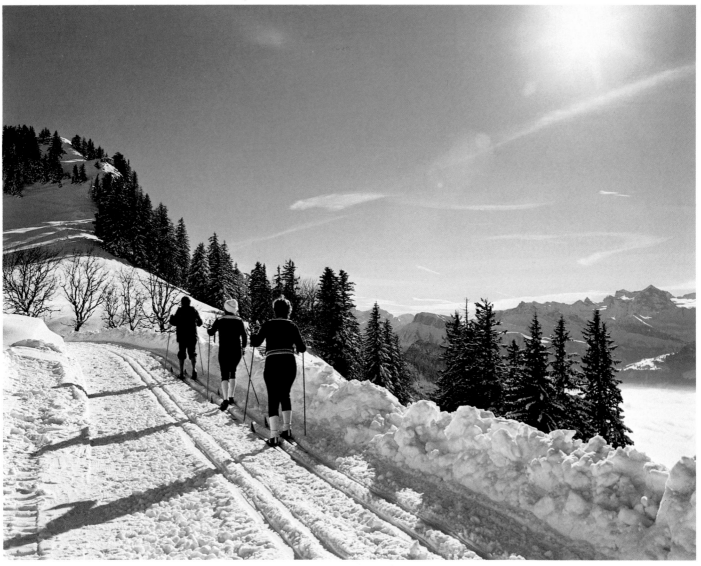

92 Harte Männerarbeit. Schneeräumen im Frühling nach einem schneereichen Winter bei Rigi Staffel.

Autrefois dur labeur: déblaiement de la neige au printemps après un hiver spécialement rigoureux, près de Rigi Staffel.

Formerly tough work. Snow clearing near Rigi Staffel after a hard winter with lots of snow.

93 Der sogenannte «Hundsschopf», bekannter Teil der Pachtstrecke Staffelhöhe – Staffel – Rigi Kulm (hier im Sommer).

Le tronçon appelé «Hundsschopf», partie connue de la section affermé Staffelhöhe – Staffel – Rigi Kulm (en été).

The so-called "Hundsschopf", a famous part of the leased section Staffelhöhe – Staffel – Rigi Kulm (seen here in summer).

94 Der «Hundsschopf» im Hochwinter.

Le même tronçon en plein hiver.

The "Hundsschopf" in midwinter.

95 Eindrucksvolle Fahrt auf der 7 km langen Langlaufloipe Kaltbad – Rigi Scheidegg.

Randonnée impressionnante sur la piste de ski de fond de 7 km (Kaltbad – Rigi Scheidegg).

The 7 km long cross-country ski run Kaltbad – Rigi Scheidegg affords an impressive view.

96 Der Schneepflug im Einsatz oberhalb von Freibergen.

Le chasse-neige en service au-dessus de Freibergen.

The snow plough hard at work above Freibergen.

97 Schneeräumung mit «Dampf» bei Rigi Staffel.

Déblaiement de la neige «à la vapeur» près de Rigi Staffel.

Snow clearing under steam at Rigi Staffel.

98 Auf dem Führerstand der Schneeschleuder.

A l'intérieur de la cabine de contrôle du chasse-neige rotatif.

In the driver's cab of the rotary snow plough.

99 Schneeschleuder in Aktion. Blick über das Nebelmeer nach dem Buochserhorn und den Obwaldner Bergen.

Le chasse-neige rotatif en action. Derrière, la mer de brouillard, le Buochserhorn et les montagnes de l'Obwalden.

The rotary snow plough in action. Jutting up over the sea of fog the Buochserhorn and the Obwalden mountains.

100 Für Güter die Bahn.

Le train, aussi pour les marchandises!

The railway looks after goods, too!

101 Güterverlad mit Gabelhubstapler.

Chargement des marchandises à l'aide de l'élévateur à fourche.

Loading goods with the fork-lift truck.

102 Rangierdienst 1871–1982 von Hand.

Travail de manœuvre effectué à la main (1871–1982).

From 1871–1982 shunting work was carried out "by hand".

103 Rangierdienst mit dem neuen Traktor.

Travail de manœuvre avec le nouveau tracteur.

Shunting with the new station tractor.

104 Zementumschlag Straße/Bahn.

Transbordement du ciment de la route à la voie ferrée.

Transferring cement from road to rail.

105 Auch umfangreiche Lasten werden «spielend» bewältigt.

On vient aussi très facilement à bout d'énormes charges.

Even heavy loads are handled without any problem.

106 Stammholz aus den Rigi-Waldungen «reist» auch mit der Bahn.

Le bois en tiges des forêts «voyage» aussi en train.

Timber from the woods on the mountain also "travels" by train.

107 Nicht besonders schwer, aber sperrig.

Pas vraiment lourd, mais encombrant.

Not particularly heavy, but bulky.

108 Die Vitznau–Rigi-Bahn eignet sich auch für Schwertransporte.

Le «Vitznau–Rigi-Bahn» est aussi désigné pour le transport des marchandises lourdes.

The "Vitznau–Rigi-Bahn" is also suitable for heavy transport.

109 Wassertransport im Winter 1963/64.

Transport de l'eau pendant l'hiver 1963/64.

Water transport in winter 1963/64.

110 Heizölumschlag auf Rigi Kaltbad. Ein Tankwagen von 11 000 l Inhalt (ehemaliger Tank der US-Army) versorgt die zahlreichen Öltanks des Bergkurortes Rigi Kaltbad.

Déversement de l'huile à chauffage à Rigi Kaltbad. Un wagon-citerne d'une capacité de 11 000 l (autrefois wagon de l'armée américaine) alimente les nombreux réservoirs à huile du petit village de Rigi Kaltbad.

A delivery of heating oil at Rigi Kaltbad. A tank car of 11,000 litre capacity (formerly owned by the US-Army) supplies the numerous oil tanks of the mountain resort of Rigi Kaltbad.

111 Kiesnauen «Reuß» aus Flüelen mit Förderband.

Bateau de transport «Reuss» venant de Flüelen, déversant du gravier au moyen d'un tapis roulant.

The motor "Reuss" from Flüelen, unloading gravel onto a conveyor belt.

112 Kiessilo mit 120 m³ Inhalt.

Silo contenant 120 m³ de gravier.

Gravel silo with a capacity of 120 m³.

113 Die neue Uferpromenade in Vitznau mit dem Flaggschiff «Stadt Luzern» der SGV und dem Seegleis der VRB.

La nouvelle promenade riveraine à Vitznau avec le bateau «Ville de Lucerne» de la compagnie de navigation SGV et la nouvelle voie du VRB le long du lac.

The new lakeside promenade at Vitznau with the flagship "City of Lucerne" of the SGV and the VRB lakeside track.

114 Ein Bild der Kraft und Sicherheit zugleich. Riggenbachs technischer Gedanke: das Eingreifen des Zahnrades in die Zahnstange. Zu beiden Seiten des Triebzahnrades die kräftigen Bremsbänder (Unterbau der Dampflokomotive).

La puissance alliée à la sécurité. L'idée technique de Riggenbach: l'engagement de la roue dentée dans la crémaillère. Des deux côtés du rouage moteur, les solides bandes de freinage (châssis de la locomotive à vapeur).

A picture of strength and safety at the same time. Riggenbach's idea was the locking of the toothed wheel into the rack rail. On both sides of the toothed driving wheel the powerful brake bands are visible (undercarriage of the steam locomotive).

115 Motorenkontrolle.

Contrôle des moteurs.

Checking the engines.

116 Arbeit an einem Triebdrehgestell.

Travaux de révision sur le bogie d'une voiture motrice.

Work on a motor coach bogie.

117 Der Wagenführer an der Drehbank.

Le conducteur travaillant au tour.

Driver at the lathe.

118 Der Elektriker, zugleich Wagenführer, in der Signal- und Sicherungsanlage Vitznau.

L'électricien, en même temps conducteur, en train de travailler dans l'installation de signalisation et de sécurité à Vitznau.

The electrician, who is at the same time a driver, in the signal and safety relay room at Vitznau.

119 Die beiden Maler (Vater und Sohn) an der gemeinsamen Arbeit.

Les deux peintres (père et fils) travaillent ensemble.

The two painters (father and son) at work together.

120 Der Kondukteur (Schreiner) und der Wagenführer (Maschinenschlosser).

Le billeteur (menuisier) et le conducteur (ajusteur-mécanicien).

The guard (joiner) and the driver (mechanic).

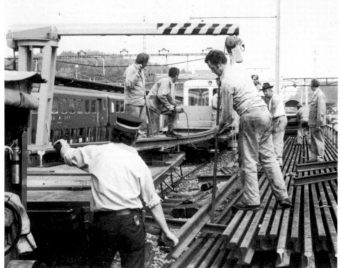

121 Gleisumbau: Schotterkippwagen im Einsatz.

Entretien de la voie: un wagon à bascule déverse le ballast.

Track renovation work using a ballast tip wagon.

122 Schienenverlad für die VRB in Arth-Goldau.

Transbordement de rails pour le VRB à Arth-Goldau.

Loading rails for the VRB in Arth-Goldau.

123 Abladen der 24 m langen Schienen (SBB V – 36 kg/lfm) mit Elektrokran beim Schienenlager Grubisbalm.

Déchargement des rails d'une longueur de 24 m (SBB V – 36 kg/m) à l'aide d'une grue électrique, au dépôt de rails de Grubisbalm.

Unloading the 24 m long rails (SBB V – 36 kg/m) with an electric crane at the rail store Grubisbalm.

124 Schienenzug in Vitznau.

Train transportant des rails à Vitznau.

Train loaded with rails at Vitznau.

125 Zahnstangenverlad (3-m-Stück) auf der Strecke.

Déchargement de crémaillères (mesurant chacune 3 m) sur le tronçon.

Unloading rack rails (3 m long sections) on the track.

126 Oberbauwerkstätte ad hoc in Romiti Felsentor.

Atelier provisoire à Romiti Felsentor.

Temporary workshop at Romiti Felsentor.

127 Zahnstangenbearbeitung bei Winterwetter.

Deux ouvriers travaillant sur une crémaillère pendant l'hiver.

Work on a rack rail in winter.

128

129

128 Schweißarbeiten am Gleis (Rigi Kaltbad).

Travaux de soudure sur la voie (Rigi Kaltbad).

Welding on the track (Rigi Kaltbad).

129 Kramparbeiten mit elektrisch betriebenen Krampmaschinen.

Travaux d'entretien du ballastage à l'aide de machines électriques.

Tamping work with electric machines.

130 Bahnmeister und Stellvertreter bei einer Gleiskontrolle.

L'inspecteur de la voie ferrée et son aide lors d'un contrôle.

The railway inspector and his deputy checking the track.

131 Teamarbeit auf der Strecke. Ein guter Gleisunterhalt sichert den ruhigen Lauf der Fahrzeuge. Die meisten Mitarbeiter der Bahn sind zugleich ausgebildete Facharbeiter.

Travail d'équipe sur le tronçon. Un bon entretien des rails assure la bonne marche des véhicules. La plupart des employés du chemin de fer sont en même temps des hommes de métier qualifiés.

Teamwork on the line. Good maintenance ensures safe and smooth running of the cars. Most of the railway staff are also skilled craftsmen.

132 Gleisregulierung oberhalb Rigi Kaltbad.

Réglage des rails au-dessus de Rigi Kaltbad.

Adjusting the track above Rigi Kaltbad.

133

134

133 Die Fahrleitungswagen der beiden Zahnradbahnen auf Rigi Staffel im Einsatz. Gegenseitige Stromaushilfe.

Wagons spéciaux pour monter et entretenir le système électrique des deux chemins de fer à crémaillère à Rigi Staffel. L'échange de courant est réciproque.

Two special cars used for maintenance work on the overhead system, seen at Rigi Staffel. The two rack railway companies help each other out with the power supply.

134 Die Talstation Weggis der Luftseilbahn mit dem oberen Parkplatz.

Weggis: la station du téléphérique et un des deux terrains de stationnement.

The LWRK station at Weggis with one of its carparks.

135 Ein Hochsommertag. Die Luftseilbahn unterwegs zwischen Stütze I (Müserenalp) und Stütze II (vor Rigi Kaltbad). Tiefblick auf Vitznau und den Vierwaldstättersee. Am Horizont die Glarner, Urner und Nidwaldner Berge.

Une journée en plein été. Le téléphérique en route entre le pilier I (Müserenalp) et le pilier II (avant Rigi Kaltbad). Vue plongeante sur Vitznau et le lac des Quatre-Cantons. A l'horizon, les montagnes de Glaris, d'Uri et de Nidwald.

The height of summer. A car of the aerial cableway between support No. 1 (Müserenalp) and support No. 2 (before Rigi Kaltbad). A long view down onto Vitznau and the Lake of Lucerne. On the horizon the mountains in the Cantons of Glarus, Uri and Nidwalden.

136 Kommandopult der Antriebsstation Weggis mit Kabinenstandanzeiger (oben).

Pupitre de contrôle de la station motrice à Weggis avec indicateur de la position des cabines (en haut).

The control panel of the motor station at Weggis with the display showing the position of the two cars (at the top).

137 Billettausgabe der Talstation Weggis.

Guichet de la station de Weggis.

Selling tickets at Weggis.

138 Vor der Bergfahrt mit dem hilfsbereiten Kondukteur.

Avant la montée, le conducteur est toujours prêt à rendre service.

Before the ascent the guard is always willing to lend a hand.

139 Nach einem erlebnisreichen Tag. Ankunft in der Talstation.

Retour à la station de Weggis après un jour riche en aventure.

Arrival at Weggis after an eventful day.

140 Hebebühne für Rollstuhlfahrer in der Talstation Weggis.

Table élévatoire pour les handicapés en chaise roulante à la station de Weggis.

Platform lift for the disabled at Weggis.

138

139

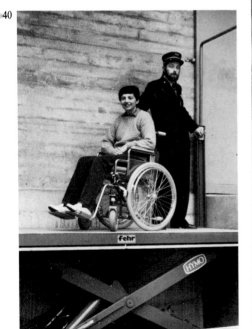

140

143

141 Ward-Leonard-Gruppe (Wechselstrom-Motor mit Gleichstromgenerator) zur Erzeugung des bahnkonformen Gleichstroms. Ganz rechts der Anwurfmotor.

Le groupe Ward-Leonard (moteur à courant alternatif avec génératrice de courant continu) pour la production du courant continu dont le chemin de fer a besoin. Tout à fait à droite, le moteur de lancement.

The Ward-Leonard group (alternating current engine with direct current generator) used for the production of direct current used by the railway. On the far right the pony motor.

142 Der Gleichstrom-Antriebsmotor mit Kissling-Getriebe und Bremsen (Spitzenleistung ca. 1000 PS, Dauerleistung ca. 560 PS).

Le moteur de commande à courant continu avec la transmission Kissling et les freins (capacité maximale d'environ 1000 CV, puissance continue d'environ 560 CV).

The direct current main motor with Kissling transmission and brakes (maximum performance approx. 1000 hp, constant performance approx. 560 hp).

143 Zugseilumlenkräder in der Talstation Weggis. Im Vordergrund rechts der Notantrieb (Deutz-Dieselmotor 170 PS).

Roues de renvoi du câble tracteur à la station de Weggis. A l'avant-plan à droite, la commande de secours (moteur diesel Deutz, 170 CV).

The hauling cable repeater wheels at the station in Weggis. In the foreground on the right, the emergency motor (Deutz Diesel engine, 170 hp).

144 Die Luftseilbahn Weggis–Rigi Kaltbad bei Stütze II (29 m, auf Grütalp). Blick auf den Bürgenstock, das Buochser- und das Stanserhorn sowie auf den Pilatus.

Le téléphérique Weggis–Rigi Kaltbad près du pilier II (29 m, à Grütalp). Vue sur le Bürgenstock, le Buochserhorn, le Stanserhorn ainsi que le Pilatus.

A LWRK car at support No 2 (29 m, at Grütalp). View onto the Bürgenstock, the Buochserhorn, Stanserhorn and the Pilatus.

145

145 Die Station Vitznau (1953) mit dem «Billettverkauf ins Freie».

La station de Vitznau (1953) avec le guichet de billets donnant directement sur la rue.

The station at Vitznau (1953) with an "open-air ticket counter".

146 Kantonsstraßenübergang bei der Talstation vor Aufhebung des Niveau-Überganges. Perron: 7% Steigung.

Le passage à niveau traversant la route cantonale à la station de Weggis, avant sa suppression. La pente de la voie ferrée est de 7%.

The crossing over the Cantonal road at Vitznau before the removal of the level crossing. At this point the railway is on a gradient of 1 in 14.

147 Kantonsstraßenübergang nach Aufhebung des Niveau-Übergangs (1968).

La route cantonale après la suppression du passage à niveau (en 1968).

The Cantonal road after the removal of the level crossing in 1968.

148 Vitznau: «Bahnhofbuffet» und «Wartsaal» zugleich.

Vitznau: le buffet de la gare qui sert en même temps de salle d'attente.

Vitznau: it serves as both the station restaurant and waiting room.

149 Die Station Rigi Staffelhöhe (1871–1975).

La station Rigi Staffelhöhe (1871–1975).

The station at Rigi Staffelhöhe (1871–1975).

150 Die neue Station Rigi Staffelhöhe aus dem Jahr 1975.

La nouvelle station Rigi Staffelhöhe datant de 1975.

The new station at Rigi Staffelhöhe built in 1975.

151

152

153

151 Die ehemalige Station Rigi Staffel der Arth–Rigi-Bahn.

L'ancienne station Rigi Staffel de l'«Arth–Rigi-Bahn».

The former "Arth–Rigi-Bahn" station at Rigi Staffel.

152 Die heutige Station Rigi Staffel (1955).

La nouvelle station Rigi Staffel (1955).

The new station at Rigi Staffel (built in 1955).

153 Neues und ehemaliges Stationsgebäude auf Rigi Kulm.

Bâtiments nouveau et ancien de la station de Rigi Kulm.

The new and old station buildings at Rigi Kulm.

154 Jubiläum der Zahnradbahn vom 21. Mai 1971.

Centenaire du Chemin de fer à crémaillère le 21 mai 1971.

Centenary of the rack railway on 21st May 1971.

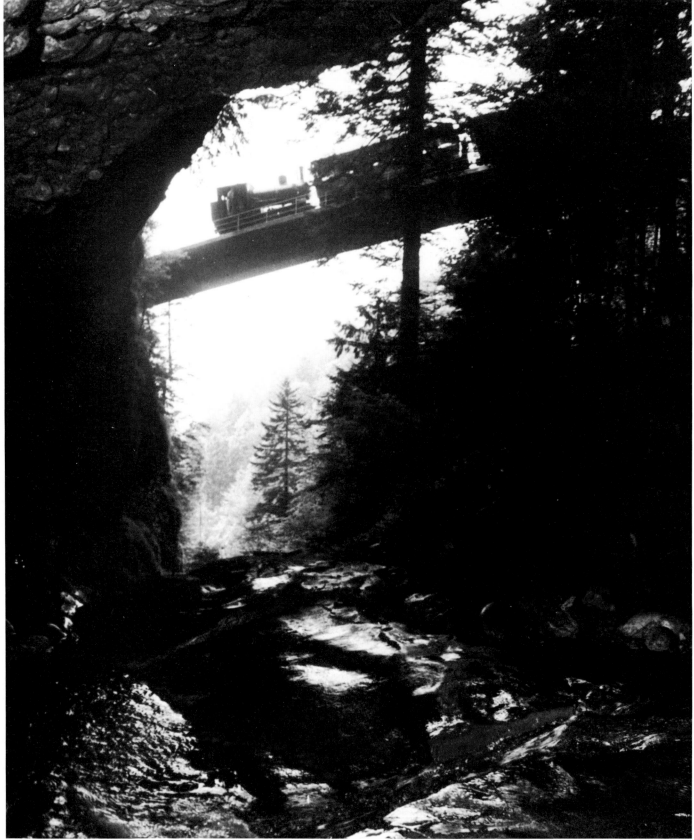

Anhang

Annexe

Appendix

155 Die Schnurtobelbrücke, «die wie ein loser Spinnenfaden über dem Abgrund schwebt» (Mark Twain).

Le pont du Schnurtobel «qui se balance au-dessus du goufre comme le fil d'une toile d'araignée» (Mark Twain).

The Schnurtobel viaduct, "which seems to float over the abyss like a loose piece of spider thread" (Mark Twain).

Zeittafel der Zahnradbahn

9.6.1869
Konzessionsakt des Standes Luzern über den Bau und Betrieb einer Eisenbahn von Vitznau über Kaltbad bis an die Kantonsgrenze gegen Rigi Staffel, gültig bis 21.5.1970

23.5.1871
Eröffnung der Linie Vitznau–Kaltbad–Staffelhöhe

27.6.1873
Eröffnung der Pachtstrecke Staffelhöhe–Rigi Kulm

1.6.1874
Eröffnung der Doppelspur zwischen Freibergen und Rigi Kaltbad

4.6.1875
Eröffnung der Linie Arth-Goldau–Rigi Kulm

1885/1886
Schnurtobelbrücke: Einbau von drei weiteren Stützen

1899/1900
Schnurtobelbrücke: Verstärkung der Querträger

3.10.1937
Aufnahme des elektrischen Betriebes

1953
Inbetriebnahme von Motorwagen Nr. 4

1954
Inbetriebnahme der Gleichrichteranlage II in Vitznau (Leistung 900 kW)
Parkplatz für 30 Motorfahrzeuge bei der Station Vitznau eröffnet

1957/58
Bau der neuen Schnurtobelbrücke (Gleisanschluß 6./7. Oktober 1958)

1960
Einsatz eines Reservetriebdrehgestelles für die Motorwagen Nrn. 1–4

1959/61
Schiebebühnen in Freibergen und Rigi Kaltbad durch Weichen ersetzt

1962
Bau einer Verladerampe für Schüttgüter in Vitznau
Beschaffung einer Kleinschneeschleuder für die Schneeräumung auf Bahngebiet

1963
Elektrifikation des Talgleises der Doppelspur

1964
Verkauf des Hotels «Terminus»
Ablieferung des Motorwagens Nr. 5 (Leistung 1200 PS)
Krananlagen in Vitznau und Rigi Kaltbad für 6 t Lastgewicht
Ankauf eines SIG-Gabelhubstaplers

1965
Beschaffung eines Kippgüterwagens
Bau eines Parkplatzes für 80 Automobile beim Hotel «Vitznauerhof»

Tableau chronologique du chemin de fer à crémaillère

9.6.1869
Acte de concession de l'Etat de Lucerne concernant la construction et l'exploitation d'un chemin de fer de Vitznau jusqu'à la frontière cantonale vers Rigi Staffel, en passant par Kaltbad, valable jusqu'au 21.5.1970

23.5.1871
Inauguration de la ligne Vitznau–Kaltbad–Staffelhöhe

27.6.1873
Inauguration de la section affermée Staffelhöhe–Rigi Kulm

1.6.1874
Inauguration de la double voie entre Freibergen et Rigi Kaltbad

4.6.1875
Inauguration de la ligne Arth-Goldau–Rigi Kulm

1885/1886
Pont du Schnurtobel: construction de trois nouveaux piliers

1899/1900
Pont du Schnurtobel: renforcement des poutres transversales

3.10.1937
Commencement de l'exploitation électrique

1953
Mise en service de la voiture motrice No 4

1954
Mise en service de la station de redressement II à Vitznau (puissance 900 kW)
Ouverture du parking pour 30 véhicules près de la station de Vitznau

1957/58
Construction du nouveau pont du Schnurtobel (raccordement des voies les 6/7 octobre 1958)

1960
Mise en service d'un bogie de réserve pour les voitures motrices nos 1–4

1959/61
Remplacement des plates-formes mobiles à Freibergen et Rigi Kaltbad par des postes d'aiguillage

1962
Construction d'une rampe de chargement pour marchandises en vrac à Vitznau
Acquisition d'un petit chasse-neige pour déblayer la neige sur la ligne

1963
Electrification de la voie descendante sur la double voie

1964
Vente de l'Hôtel Terminus
Livraison de la voiture motrice No 5 (puissance 1200 CV)
Grues à Vitznau et Rigi Kaltbad pour charge de 6 t
Achat d'un transporteur-élévateur à fourche SIG

Chronology of the Rack Railway

9.6.1869
Concession awarded by Canton of Lucerne for the construction and operation of a railway from Vitznau via Kaltbad up to the Cantonal border near Rigi Staffel valid to 21.5.1970

23.5.1871
Opening of the line from Vitznau via Kaltbad to Staffelhöhe

27.6.1873
Opening of the leased section from Staffelhöhe to Rigi Kulm (summit)

1.6.1874
Opening of second track between Freibergen and Rigi Kaltbad

4.6.1875
Opening of the railway from Arth-Goldau to Rigi Kulm

1885/1886
Schnurtobel viaduct: three further supports installed

1899/1900
Schnurtobel viaduct: Cross-girders strengthened

3.10.1937
Electric service started

1953
Power Car No. 4 placed in service

1954
Second rectifying station (output 900 kW) put into use at Vitznau
Car park for 30 cars opened at Vitznau Station

1957/58
Construction of new Schnurtobel viaduct (tracks connected October 6/7, 1958)

1960
Acquisition of a reserve bogie for power cars Nos. 1–4

1959/61
Traversers at Freibergen and Rigi Kaltbad replaced by points

1962
Provision of a loading ramp for bulk freight at Vitznau
Acquisition of a small rotary snow plough for clearing snow from railway tracks

1963
Electrification of down track of double-track section

1964
Hotel Terminus sold
Motor coach No. 5 (output 1200 hp) delivered
Cranes erected at Vitznau and Rigi Kaltbad with a capacity of 6 tons
Purchase of a SIG fork-lift truck

1965
Acquisition of a side-tipping wagon
Construction of car park for 80 cars at Hotel Vitznauerhof

1967/68
Neubau der Station Vitznau

15.7.1968
Eröffnung der Luftseilbahn Weggis – Rigi Kaltbad

1968/69
Aufhebung des Niveauübergangs über die Kantonsstraße A 127 in Vitznau und Anlage eines zweiten Stationsgleises mit Zwischenperron

15.12.1969
Konzession der Bundesversammlung, gültig vom 21.5.1970 bis 21.5.2020

1969
Vitznau: Aussichtsterrasse am See bei der Schiffstation, Seite Weggis

1970
Mittlerschwanden: neues Haltestellengebäude

1971
Zahnradbahn: Hundertjahrfeier vom 21.5.1971

1972
Dienstwagen X 104 für Schottertransporte

1973
Ersatz des Quecksilberdampf-Gleichrichters I (600 kW) in Romiti Felsentor durch einen Siliziumdioden-Gleichrichter von 1000 kW

1974
Rigi Kulm: Gemeinsame Endstation ARB/VRB (Neubau) in Betrieb genommen
Vitznau: Dieselöltankanlage
Bahnschneeschleuder 420 PS (Aebi/Beilhack/VRB)
Romiti Felsentor (Gleichrichter): Einbau eines Siliziumdioden-Gleichrichters von 1500 kW (Austausch mit dem für Rigi Staffelhöhe bestimmten Gleichrichter von 1000 kW)

1975
Rigi Staffelhöhe: Stationsneubau in Betrieb
Rigi Kaltbad: Anschaffung eines Kässbohrer-Pistenfahrzeugs für die Panorama-Langlaufloipe Kaltbad – First – Rigi Scheidegg (7 km)

1976
Rigi Staffelhöhe: Gleichrichterstation von 1000 kW (Siliziumdioden) dem Betrieb übergeben

1978
Triebwagen Nr. 5 mit neuen Laufrädern versehen

17.12.1981
Neue gedeckte Drehscheibe von 16 m Durchmesser in Vitznau in Betrieb genommen

8.7.1982
Neuer Stationstraktor (Ta 2/2) in Vitznau in Betrieb gesetzt. Neues, 10. Depotgleis (Seeaufschüttung)

1.2.1983
Zahnradbahn: Betriebsfunk eingesetzt. Einführung des teilweisen Einmannbetriebes

1983
Frühjahr: Gabelhubstapler STILL (1,5 t Hubkraft) in Betrieb

1965
Acquisition d'un wagon à benne basculante
Aménagement d'un parking pour 80 voitures à côté de l'Hôtel Vitznauerhof

1967/1968
Nouvel immeuble de la station de Vitznau

15.7.1968
Mise en exploitation du téléphérique Weggis–Rigi Kaltbad

1968/69
Suppression du passage à niveau sur la route cantonale A 127 à Vitznau et installation d'une deuxième voie avec quai intermédiaire à la station

15.12.1969
Concession de l'Assemblée fédérale allant du 21.5.1970 au 21.5.2020

1969
Terrasse panoramique de Vitznau au bord du lac, près du débarcadère, du côté de Weggis

1970
Nouveau bâtiment à l'arrêt de Mittlerschwanden

1971
Centenaire du chemin de fer à crémaillère le 21 mai 1971

1972
Véhicule de service X 104 pour le transport en vrac

1973
Remplacement du redresseur à vapeur de mercure I (600 kW) à Romiti Felsentor par un redresseur à diode de silicium de 1000 kW

1974
Rigi Kulm: mise en service de la station terminale commune pour le ARB et le VRB (nouvelle construction de l'architecte G. Helber de Lucerne)
Vitznau: installation du réservoir à huile Diesel
Chasse-neige rotatif pour la voie ferrée de 420 CV (Aebi/Beilhack/VRB)
Romiti Felsentor (redresseur): installation d'un redresseur à diode de silicium de 1500 kW (remplacement par le redresseur de 1000 kW destiné à Rigi Staffelhöhe)

1975
Rigi Staffelhöhe: mise en service des nouveaux bâtiments
Rigi Kaltbad: achat d'un véhicule de piste Kässbohrer pour la piste panoramique de ski de fond de Kaltbad–First–Rigi Scheidegg (7 km)

1976
Rigi Staffelhöhe: mise en service de la station de redressement de 1000 kW (diode de silicium)

1978
Voiture motrice No 5: installation de nouvelles roues porteuses

17.12.1981
Vitznau: mise en service de la nouvelle plaque tournante couverte de 16 m de diamètre

8.7.1982
Vitznau: mise en service du nouveau tracteur de station (Ta 2/2). Mise en service de la dixième voie

---

1967/68
Vitznau Station re-built

15.7.1968
Opening of aerial cableway from Weggis to Rigi Kaltbad

1968/69
Replacement of the level crossing at the Cantonal road in Vitznau (A 127) and installation of a second station track with intermediate platform

15.12.1969
Federal government concession, valid from 21st May 1970 until 21st May 2020

1969
Vitznau: terrace by the lake on the Weggis side of the ship station

1970
Mittlerschwanden: new station building

1971
Centenary of the rack railway on 21st May 1971

1972
Acquisition of service wagon X 104 for the transportation of ballast

1973
Replacement of the mercury vapour rectifier I (600 kW) at Romiti Felsentor by a silicone-diode rectifier of 1,000 kW

1974
Opening of the common terminal of the ARB/VRB at Rigi Kulm. The new building was designed by G. Helber, an architect from Lucerne
Vitznau: Diesel oil tank plant constructed
Acquisition of rotary snow plough for the railway with 420 hp (Aebi/Beilhack/VRB)
Romiti Felsentor (rectifier): Installation of a silicone diode rectifier of 1,500 kW (exchanged with the rectifier meant for Rigi Staffelhöhe of 1,000 kW)

1975
Rigi Staffelhöhe: Opening of new station
Rigi Kaltbad: Purchase of a Kässbohrer track vehicle for use on the panoramic cross-country skiing route Kaltbad–First–Rigi Scheidegg (7 km)

1976
Rigi Staffelhöhe: Rectifier of 1,000 kW (silicone diode) put into service

1978
Motor coach No. 5 equipped with new bogie wheels

17.12.1981
New covered turntable of 16 m diameter in use at Vitznau

8.7.1982
New station tractor (Ta 2/2) put into operation at Vitznau. The 10th depot track (constructed by building up the bank of the lake) ready for use

1.2.1983
Rack railway: Service radio in action

1983
Spring; Fork-lift truck STILL (1.5 tons lifting power) put into service

Zeittafel der Luftseilbahn

31.8.1964
Vertrag zwischen Initiativ-Komitee Weggis und Rigibahn-Gesellschaft, Vitznau

24.9.1964
Konzession des Eidg. Verkehrs- und Energiewirtschafts-Departementes, Bern, an die Rigibahn-Gesellschaft, Vitznau, für den Bau und Betrieb einer Pendel-Luftseilbahn Weggis–Rigi Kaltbad mit Kabinen für 50+1 Personen

10.6.1966
Vereinbarung zum Vertrag vom 31.8.1964

19.12.1966
Außerordentliche Generalversammlung der Rigibahn-Gesellschaft: Beschluß betreffend Erhöhung des Aktienkapitals von 1,3 auf 4 Millionen Franken und Verlegung des Gesellschafts-Sitzes von Luzern nach Vitznau (Statuten-Änderung)

1966
Dezember: Auftrag an die Firma K. Garaventa's Söhne, Goldau, zum Bau der Luftseilbahn

14.7.1967
Sicherstellung des letzten Überfahrtsrechts

11.8.1967
Talstation Weggis: Erster Spatenstich

21.8.1967
Talstation Weggis: Beginn der Bauarbeiten

1968
27.6.–3.7.: Abnahmeversuche durch die Ingenieure des Bundesamtes für Verkehr

4.7.1968
Kollaudation durch das Bundesamt für Verkehr

15.7.1968
Betriebseröffnung der Luftseilbahn

1972
Sommer: Die Betonstützen I und II erhalten – den Wünschen des Natur- und Heimatschutzes Rechnung tragend – einen Tarnanstrich

20.6.1975
Verfügung des Eidg. Verkehrs- und Energiewirtschafts-Departementes, Bern, betreffend die Erhöhung des Fassungsvermögens der beiden Kabinen von 50+1 auf 80+1 Personen. Erhöhte Zahl der Reisenden ab 6. Dezember 1975

19.12.1976
Seit der Betriebseröffnung am 15. Juli 1968 wurden 2 Millionen Reisende befördert

1977
Bergstation: Neue Zugseil-Spanngewichtsbremse

1982
April: Talstation: Hebebühne (Scherenhubtisch) für Rollstuhlfahrer (Behinderte und Verletzte) in Betrieb genommen

1984
Ersatz des unteren Zugseils

---

de dépôt (sur le terrain de terrassement au bord de l'eau)

1.2.1983
Chemin de fer à crémaillère: mise en service de la radio

1983
Printemps: mise en service de l'élévateur à fourche STILL (poids de levage de 1,5 t)

Tableau chronologique du téléphérique

31.8.1964
Contrat entre le comité d'initiative de Weggis et la Société du «Rigibahn» de Vitznau

24.9.1964
Octroi d'une concession par le Département des transports, des communications et de l'énergie de Berne pour la construction et l'exploitation d'un téléphérique entre Weggis et Rigi Kaltbad au moyen de cabines d'une capacité de 50+1 personnes

10.6.1966
Accord concernant le contrat du 31.8.1964

19.12.1966
Assemblée générale extraordinaire de la Société du «Rigibahn»: décision concernant l'augmentation du capital en actions de 1,3 à 4 millions de francs et le déplacement du siège social de la société de Lucerne à Vitznau (changement des statuts)

1966
Décembre: contrat octroyé à la maison K. Garaventa's Söhne de Goldau pour la construction du téléphérique

14.7.1967
Garantie du dernier droit de passage

11.8.1967
Station en aval de Weggis: premier coup de bêche

21.8.1967 Station en aval de Weggis: commencement des travaux

1968 27.6.–3.7.: Essais officiels effectués par les ingénieurs du Département fédéral des transports

4.7.1968 Approbation par le Département fédéral des transports

15.7.1968 Inauguration du téléphérique

1972 Eté: Camouflage des piliers de béton I et II sous une couleur écologique en signe de contribution à la protection de la nature et de l'environnement

20.6.1975 Décret du Département des transports, des communications et de l'énergie de Berne concernant l'augmentation de capacité des deux cabines de 50+1 à 80+1 personnes. Augmentation de la capacité des voyageurs à partir du 6 décembre 1975

19.12.1976 Depuis l'inauguration de l'exploitation le 15 juillet 1968, 2 millions de voyageurs ont été transportés

1977 Station en amont: nouveau frein à contre-poids du câble de traction

1982 Avril: Station en aval: mise en service d'un plancher mobile (table élévatoire) pour les handicapés en chaise roulante ou les blessés

---

Chronology of the Aerial Cableway

31.8.1964
Contract between the initiating committee from Weggis and the Rigi Railway Company at Vitznau

24.9.1964
Concession of the Federal Traffic and Energy Department in Berne for the construction and operation of an aerial cableway from Weggis to Rigi Kaltbad with cabins capable of carrying 50+1 passengers

10.6.1966
Agreement to the contract of 31st August 1964

19.12.1966
Special General Meeting of the Rigi Railway Society: decision concerning the raising of the share capital from 1,300,000 francs to 4 million francs, and transfer of the company's seat from Lucerne to Vitznau (amendment of the statutes)

1966
December: K. Garaventa's Sons, from Goldau, are given the job of building the aerial cableway

14.9.1967
The last right of passage is guaranteed

11.8.1967
Work on the station at Weggis is officially opened

21.8.1967
Weggis: actual construction work begins

1968
June 26–July 3: Test runs carried out by engineers of the Federal Traffic Office

4.7.1968
Permission for operations to commence is given by the Federal Traffic Office

15.7.1968
The aerial cableway is opened

1972
Summer: The concrete supports I and II are painted to blend in with the landscape according to the wishes of different groups for the conservation of nature and environment

20.6.1975
The Federal Traffic and Energy Department allows cabin capacity to be raised from 50+1 to 80+1 from 6th December 1975

19.12.1976
Since the LWRK was opened on 15th July 1968, 2 million passengers have been served

1977
Summit station: installation of a new hauling cable counterweight brake

1982
April: Weggis station: platform lift (scissor-type elevating platform) for disabled people in wheelchairs is brought into service

Technisch-betriebliche Daten der Zahnradbahn

Betriebseröffnung:	
Vitznau–Rigi Staffelhöhe	21. Mai 1871
Rigi Staffelhöhe–Rigi Kulm	3. Juli 1873
Einführung des elektrischen Betriebs	3. Oktober 1937
Gleise Normalspur	1,435 m
Betriebslänge	6854 m
Doppelspur Freibergen–Rigi Kaltbad (1874)	1883 m
Zahnstangen-System	Ing. N. Riggenbach
Größte Neigung	250‰
Mittlere Neigung	190‰
Kleinster Radius	120 m
Brücken	
Schnurtobelbrücke, Länge (schweißeiserne Brücke)	80 m
Stützen	5 (1871–1958)
(Spannbetonbrücke [7. Oktober 1958]) Stützen	1 (1958 ff.)
Tunnel (Schwandentunnel)	1 (66,5 m)
Höhenlage der Stationen	
Vitznau	435 m ü. M.
Grubisbalm	900 m ü. M.
Freibergen	1025 m ü. M.
Romiti Felsentor	1198 m ü. M.
Rigi Kaltbad-First	1440 m ü. M.
Rigi Staffelhöhe	1552 m ü. M.
Rigi Staffel	1604 m ü. M.
Rigi Kulm	1750 m ü. M.
Anlagen für den elektrischen Betrieb	
Energie durch das Elektrizitätswerk Schwytz (CKW) Dreiphasenwechselstrom 15 000 Volt/50 Hz	
Gleichrichterstationen (VRB)	3
Gleichstrom 1500 Volt	
Unterwerk I in Romiti Felsentor	1500 kW (1974)
Unterwerk II in Vitznau	900 kW (1954)
Unterwerk III in Rigi Staffelhöhe	1000 kW (1976)
Fahrzeuge	
a) Triebfahrzeuge:	
Dampflokomotiven	2
Elektrische Lokomotiven	1
Elektrische Motorwagen (4 à 450 PS, 1 à 1200 PS)	5
b) Rangiertraktor (Batterie)	1
c) Personenwagen	10
d) Güterwagen	9
e) Dienstfahrzeuge	4

Données techniques du chemin de fer à crémaillère

Ouverture de l'exploitation:		
Vitznau–Rigi Staffelhöhe		21 mai 1871
Rigi Staffelhöhe–Rigi Kulm		3 juillet 1873
Electrification		3 octobre 1937
Voies Voie normale		1,435 m
Longueur de l'exploitation		6854 m
Voie double Freibergen–Rigi Kaltbad (1874)		1883 m
Système à crémaillère		ing. N. Riggenbach
Déclivité maximum		250‰
Déclivité moyenne		190‰
Rayon minimum		120 m
Ponts		7
Pont du Schnurtobel, longueur		80 m
(pont en fer soudé) piliers		5 (1871–1958)
(pont en béton précontraint [7 octobre 1958]) piliers		1 (depuis 1958)
Tunnel (tunnel de Schwanden)		1 (66,5 m)
Altitude des stations		
Vitznau		435 m
Grubisbalm		900 m
Freibergen		1025 m
Romiti Felsentor		1198 m
Rigi Kaltbad-First		1440 m
Rigi Staffelhöhe		1552 m
Rigi Staffel		1604 m
Rigi Kulm		1750 m
Installations pour l'exploitation électrique		
Energie produite par la centrale électrique de Schwytz (CKW) Courant alternatif triphasé 15 000 Volts/50 Hz		
Stations de redressement (VRB)		3
Courant continu 1500 Volts		
Sous-station I à Romiti Felsentor		1500 kW (1974)
Sous-station II à Vitznau		900 kW (1954)
Sous-station III à Rigi Staffelhöhe		1000 kW (1976)
Matériel roulant		
a) Locomotives		
Locomotives à vapeur		2
Locomotives électriques		1
Automotrices électriques (4 à 450 CV, 1 à 1200 CV)		5
b) Tracteur de manœuvre (batterie)		1
c) Wagons de voyageurs		10
d) Wagons à marchandises		9
e) Véhicules de service		4

Technical-operational Data of the Rack Railway

Opened:		
Vitznau–Rigi Staffelhöhe		21st May 1871
Rigi Staffelhöhe–Rigi Kulm		3rd July 1873
Electrification		3rd October 1937
Tracks Standard Gauge		1.435 m
Total length		6,854 m
Double track Freibergen–Rigi Kaltbad (1874)		1,883 m
Rack system		N. Riggenbach
Maximum gradient		1 in 4
Average gradient		1 in 5.2
Minimum radius		120 m
Viaducts		7
Schnurtobel viaduct, length (welded iron viaduct)		80 m
supports		5 (1871–1958)
(prestressed concrete viaduct [7th October 1958]) supports		1 (since 1958)
Tunnel (Schwandentunnel)		1 (66.5 m)
Altitude of the stations		
Vitznau		435 m a.s.l.
Grubisbalm		900 m a.s.l.
Freibergen		1,025 m a.s.l.
Romiti Felsentor		1,198 m a.s.l.
Rigi Kaltbad-First		1,440 m a.s.l.
Rigi Staffelhöhe		1,552 m a.s.l.
Rigi Staffel		1,604 m a.s.l.
Rigi Kulm		1,750 m a.s.l.
Electricity plants		
Energy supplied by the power station at Schwyz (CKW) Three-phase alternating current 15,000 Volts/50 Hz		
Rectifying stations (VRB)		3
Direct current 1,500 Volts		
Substation I at Romiti Felsentor		1,500 kW (1974)
Substation II at Vitznau		900 kW (1954)
Substation III at Rigi Staffelhöhe		1,000 kW (1976)
Rolling stock		
(a) Motive power:		
Steam locomotives		2
Electric locomotives		1
Electric motor coaches (4 with 450 hp, 1 with 1,200 hp)		5
(b) Shunting tractor (battery operated)		1
(c) Passenger cars		10
(d) Goods wagons		9
(e) Service vehicles		4

Geschwindigkeit	
Dampflokomotiven	9 km/h
Elektrische Triebfahrzeuge	
Bergfahrt	18 km/h
Talfahrt	12 km/h

Fahrzeiten	
Vitznau–Rigi Kaltbad-First	20 Min.
Vitznau–Rigi Kulm	35 Min.

Technisch-betriebliche Daten der Luftseilbahn

Betriebseröffnung	15. Juli 1968
System	Pendelbahn mit 2 Kabinen
Höhenlagen	
Talstation Weggis, Perronkote	499 m ü. M.
Bergstation Rigi Kaltbad	1423 m ü. M.
Länge	
Horizontale Länge	2087 m
Schräge Länge	2310 m
Höhenunterschied	924 m
Neigung	
Mittlere Neigung	44,3 %
Größte Neigung	79,0 %
Größte Spannweite	1083 m
Laufwerke	
Anzahl Rollen je Laufwerk	24
Bremskraft der Fangbremsen	15,5 t pro Laufwerk
Kabinen	
Fassungsvermögen	80 + 1 Personen
Nutzlast	6 t
Fahrgeschwindigkeiten	
in den Feldern	9 m/s
bei Stützenüberfahrten	6 m/s
Fahrtdauer	ca. 7 Min.
Förderleistung	ca. 640 Personen/h
Antrieb	Talstation
Antriebsmotor (Gleichstrom)	ca. 955 PS
Tragseile	2×48 mm
Bruchlast	264 t
Zug- und Gegenseile	1×34 mm
Bruchlast	83 t
Stützen (Stahl-Beton)	3
Höhe der Stützen	44, 28, 27 m
Spanngewichte	
Tragseilbahnspanngewicht pro Fahrbahn	100 t (Talstation)
Zugseilspanngewicht	63 t (Bergstation)

Vitesse	
Locomotives à vapeur	9 km/h
Locomotive électrique et automotrices, montée	18 km/h
descente	12 km/h

Durée de la course	
Vitznau–Rigi Kaltbad-First	20 min
Vitznau–Rigi Kulm	35 min

Données techniques du téléphérique

Ouverture de l'exploitation	15 juillet 1968
Système	Navette à 2 cabines
Altitudes	
Station en aval de Weggis, altitude du quai	499 m
Station en amont de Rigi Kaltbad	1423 m
Longueur	
Longueur horizontale totale	2087 m
Longueur inclinée totale	2310 m
Différence de niveau	924 m
Déclivité	
Déclivité moyenne	44,3 %
Déclivité maximale	79,0 %
Portée maximale	1083 m
Mécanismes de roulement	
Galets par mécanisme de roulement	24
Puissance des freins d'arrêt par mécanisme de roulement	15,5 t
Cabines	
Capacité	80+1 personnes
Poids utile	6 t
Vitesse de course	
entre les piliers	9 m/s
au passement des piliers	6 m/s
Durée de la course	7 min environ
Capacité de transport	640 personnes/h environ
Commande	Station en aval
Commande motrice (courant continu)	955 CV environ
Câbles porteurs	2× 48 mm
Charge de rupture	264 t
Câbles tracteurs	1× 34 mm
Charge de rupture	83 t
Piliers (acier-béton)	3
Hauteur des piliers	44, 28, 27 m
Contrepoids	
Contrepoids des câbles porteurs	100 t (station en aval)
Contrepoids du câble tracteur	63 t (Station en amont)

Speed	
Steam locomotives	9 kph
Electric locomotive and motor coaches, uphill	18 kph
downhill	12 kph

Times of journey	
Vitznau–Rigi Kaltbad-First	20 mins
Vitznau–Rigi Kulm	30 mins

Technical-operational Data of the Aerial Cableway

Opened	15th July 1968
System	Shuttle with 2 cabins
Altitude	
Weggis (valley), platform elevation	499 m a.s.l.
Rigi Kaltbad (summit)	1,423 m a.s.l.
Length	
Horizontal length	2,087 m
Slope length	2,310 m
Difference in altitude	924 m
Gradient	
Average gradient	1 in 2.2 (44.3%)
Maximum gradient	1 in 1.2 (79.0%)
Maximum span	1,083 m
Carrier wheels	
Number of rolls per carrier	24
Braking capacity of the safety brakes	15.5 tons per carrier
Cabins	
Capacity	80 + 1
Payload	6 tons
Travelling speeds	
between supports	9 m/s
crossing supports	6 m/s
Travelling time	approx 7 mins
Passenger transport capacity	approx 640 passengers/h
Drive	at the station at Weggis
Driving motor (direct current)	approx 995 hp
Carrying cables	2 × 48 mm
Breaking load	264 tons
Hauling cable	1 × 34 mm
Breaking load	83 tons
Supports (ferro-concrete)	3
Height of supports	44, 28, 27 m
Counterweights	
Carrying cable counter weight per cableway	100 tons (Weggis)
Hauling cable counterweight	63 tons (Rigi Kaltbad)

Die Fahrzeuge der Zahnradbahn
Le matériel roulant du chemin de fer à crémaillère
Rolling stock of the rack railway

Die Triebfahrzeuge / Les voitures motrices / Motive power
Dampfbetrieb / Exploitation à la vapeur / Steam traction
Lokomotiven / Locomotives / Locomotives

Typ	Nr.	Inbetriebnahme, Jahr	Stundenleistung	V max	Dienstgewicht	Achsstand	Länge über Puffer	Hersteller
Type	No	Mise en service, année	Rendement à l'heure	Vitesse maximale	Poids en ordre de service	Empattement	Longueur totale	Fabrique
Type	No.	Put into service, year	Performance per hour	Maximum speed	Service weight	Axle base	Length over buffers	Manufacturer
			PS/CV/hp	km/h	t	m	m	

1 Dampfbetrieb / Exploitation à la vapeur / Steam traction

H 2/3	16	1923	500	9	23,4	2,65	7,2	SLM
H 2/3	17	1925	500	9	23,4	2,65	7,2	SLM

2 Elektrischer Betrieb / Exploitation électrique / Electric traction
Lokomotive / Locomotive / Locomotive

He 2/2	18	1938	2×165 kW	Berg 18 Tal 12	13,4	3,15	6,13	SLM/BBC

3, 4 Triebwagen / Automotrices / Motor coaches

Bhe 2/4	1–3	1937	2×165 kW	Berg 18 Tal 12	17	2,85	15,4	SLM/BBC
Bhe 2/4	4	1953	2×165 kW	Berg 18 Tal 12	17,8	2,85	15,4	SLM/BBC

Sitzplätze / Places / Seats: 64

Bhe 4/4	5	1965	4×220 kW	Berg 20 Tal 12	35	2,55	16,375	SLM/SIG BBC

Sitzplätze / Places / Seats: 62

Typ	Nr.	Inbetrieb-nahme	Ladegewicht	Achsstand	Länge über Puffer	Hersteller	Bemerkungen
Type	No	Mise en service	Poids de charge	Empattement	Longueur totale	Fabrique	Remarques
Type	No.	Put into service	Loading capacity	Axle base	Length over buffers	Manufacturer	Additional information
			t	m	m		

X	101	1871/1938	5,0	4,2	9,1	Centralbahn Olten	Fahrleitungs-, Reparatur- und Aufgleisungswagen Wagon pour fil de contact, réparations et remise sur rail Overhead system/repair and rerailing wagon

X	102	1931	1,0	2,25	5,4	VRB	Schneepflug Chasse-neige Snow plough

X	104	1972	14,5	3,3	5,3	Waggons-fabrik Fribourg VRB, Vitznau	Frontkipper für Bahnschotter mit hydraulischer Hebevorrichtung (Benzinmotor), Gleisbau Benne basculante frontale pour ballast avec élévateur hydraulique (moteur à essence), construction de la voie ferrée Front tipper for ballast with hydraulic lift (petrol motor), used for track layout

Xm	1	1974	Total 17	3,2	7,65	SBB-Drehge-stell (VRB), R. Aebi AG, M. Beilhack, Klöckner-Diesel, VRB	Schneeschleuder 420 PS Chasse-neige rotatif, 420 CV Rotary snow plough 420 hp

Der Stationstraktor / Le tracteur de station / The station tractor
(Akkumulatoren-Adhäsionsfahrzeug) (Véhicule d'adhésion à accumulateurs) (Accumulator/adhesion vehicle)

| Typ | Nr. | Inbetrieb-nahme | Triebmotor | Batterie | Länge über Puffer | Achsstand | Dienst-gewicht | Geschwin-digkeit | Hersteller |
| Type | No | Mise en service | Moteur | Batterie | Longueur totale | Empattement | Poids de service | Vitesse | Fabrique |
Type	No.	Put into service	Driving Motor	Battery	Length over buffers	Axle base	Service weight	Speed	Manufacturer
Ta 2/2	1	1982	9 PS/ CV/HP	2×40 V 300 Ah	3,03 m	1,6 m	7,5 t	8 km/h	Stadler: Fahrzeug Véhicule Vehicle Oerlikon: Batterie Batterie Battery

Der Gabelhubstapler / L'élévateur à fourche / The fork-lift truck
(Strassenfahrzeug / Véhicule routier / Road vehicle)

| Typ | Nr. | Inbetrieb-nahme | Dienst-gewicht | Achsstand | Antrieb | Batterie | Hubgewicht | Hubhöhe | Hersteller |
| Type | No | Mise en service | Poids de service | Empattement | Commande | Batterie | Poids de levage | Hauteur de levage | Fabrique |
Type	No.	Put into service	Service weight	Axle base	Drive	Battery	Lifting weight	Lifting height	Manufacturer
R 60	–	1.12.1983	3,435 t	1,3 m	Elektromotor Moteur électrique Electric motor	80 V 300 Ah	1,5 t	3,2 m	STILL

Die Güterwagen / Les wagons de marchandises / Goods wagons

Typ / Type / Type	Nr. / No / No.	Inbetrieb- nahme / Mise en service / Put into service	Ladegewicht / Poids de charge / Loading capacity t	Achsstand / Empattement / Axle base m	Länge über Puffer / Longueur totale / Length over buffers m	Hersteller / Fabrique / Manufacturer	Bemerkungen / Remarques / Additional information
Kk	21	1871	12,0	4,0	7,55	Centralbahn Olten	Drehschemel und Kran für Schienentransport / Traverse mobile et grue pour voie ferrée / Bogie and crane for railway transport
Kk	22	1871	10,0	4,0	7,60	Centralbahn Olten	Leitung für Signal und Notauslösung / Commande pour signalisation et déclenchement de l'alarme / Wired for release of signal and emergency system
Kk	23	1872	7,5	2,8	4,10	Centralbahn Olten	
Kk	25	1873	10,0	3,7	7,00	Waggonfabrik Fribourg	Leitung für Signal und Notauslösung / Commande pour signalisation et déclenchement de l'alarme / Wired for release of signal and emergency system
Kk	26	1871	10,0	4,2	8,35	Centralbahn Olten	Leitung für Signal und Notauslösung (auch als Skiwagen ausrüstbar) / Commande pour signalisation et déclenchement de l'alarme (pouvant aussi être équipé comme wagon à skis) / Wired for release of signal and emergency system (can also be fitted out as ski transport wagon)
Kk	27	1963	10,0	4,2	9,57	VRB	Öltankwagen, abmontierbar / Wagon-citerne pour l'huile, démontable / Detachable oil tank wagon
Kk	28	1963	10,0	5,0	8,45	VRB	Kann als Skiwagen und Kranwagen mit Drehschemel ausgerüstet werden / Peut aussi être utilisé comme wagon à skis ou wagon à grue avec traverse mobile / Can be fitted out with a crane and bogie or be used as ski transport wagon
Gk	30	1938	3,5	2,4	5,55	Centralbahn Olten	Geschlossener Kastenwagen / Wagon à caisse, fermé / Covered box-type wagons
Fu	1	1965	16,0	4,6	8,33	SIG/Nencki	Benzinmotor für hydraulischen Kipper, 2 Kippmulden, beidseitig kippbar / Moteur à essence pour benne basculante hydraulique, 2 bennes basculant de deux côtés / Petrol engine for hydraulic tipper, 2 tipping buckets, which can be tilted on either side

Die Personenwagen / Les voitures de voyageurs / Passenger cars

Typ / Type / Type	Nr. / No / No.	Inbetrieb-nahme / Mise en service / Put into service	Plätze / Places / Seats	Achsstand / Empattement / Axle base m	Länge über Puffer / Longueur totale / Length over buffers m	Höhe / Hauteur / Height m	Breite / Largeur / Width m	Hersteller / Fabrique / Manufacturer
BD	1, 2	1871	60	4,2	9,87/9,37	3,32/3,0	3,01	Centralbahn Olten
BD	6	1872	60	4,2	9,37	3,17	3,03	Centralbahn Olten
BD	7	1872	54	4,83	10,13	3,38	3,01	Centralbahn Olten
BD	8	1873	60	4,2	9,87	3,30	3,04	Waggonfabrik Fribourg
BD	10	1873	60	4,2	9,37	3,00	3,00	Waggonfabrik Fribourg
BD	11	1873	60	4,2	9,37	3,01	3,05	Waggonfabrik Fribourg
BD	14	1902	64	4,2	9,84	3,05	3,04	VRB
BD	15	1899	66	4,2	9,86	3,23	3,04	ARB
B	16	1925	72	4,5	10,22	3,33	3,03	Waggonfabrik Schlieren

Die Triebwagenzüge der Jahre 1986 ff.

Typ	Nr.	Inbetrieb-nahme	Gewichte Tara kg	Nutzlast kg	Total kg	Sitz-plätze	Steh-plätze	Plätze total	Stunden-leistung kWh
Triebwagen Bhe 4/4	21	1986	30 500	10 100	40 600	74	60	134	824
Steuerwagen BT	31	1986	11 000	9 000	20 000	81	39	120	–
Triebwagen Bhe 4/4	22	1986	30 500	10 100	40 600	74	60	134	824
Steuerwagen BT	32	1986	11 000	9 000	20 000	81	39	120 / 508	–

Die Kabinen der Luftseilbahn
Les cabines du téléphérique
The vehicles of the aerial cableway

Inbetriebnahme Jahr / Mise en service année / Put into service year	Anzahl / Nombre / Number	Plätze / Places / Seats	Tara / Tare / Tare	Nutzlast / Poids utile / Payload	Anzahl Rollen pro Laufwerk / Galets par mécanisme de roulement / Number of rolls per carrier	Bremskraft der Fangbremsen pro Laufwerk / Puissance des freins d'arrêt par mécanisme de roulement / Braking capacity of the safety brakes per carrier	Fahrgeschwindigkeit / Vitesse de course / Speed — in den Feldern entre les piliers between supports	über die Stützen au passement des piliers crossing supports	Fahrtdauer / Durée de la course / Travelling time Minuten Minutes Minutes
1968	2	80+1	ca. env. approx. 5,6 t	6 t	24	15,5 t	9 m/s	6,4 m/s	ca. env. approx. 7

Personenverkehr und Verkehrseinnahmen 1871–1983
Transport des voyageurs et revenus provenant du transport 1871–1983
Passenger traffic and traffic income 1871–1983

Zahnradbahn
Chemin de fer à crémaillère
Rack railway

Jahr Année Year	Anzahl Reisende Nombre de passagers Number of passengers	Verkehrseinnahmen Revenus provenant du transport Traffic income		
		Personenverkehr Transport des voyageurs Passenger traffic	Güterverkehr Transport des marchandises Goods traffic	Total Total Total
1871	60 263	222 478.–	34 904.–	257 382.–
1875	107 166	422 460.–	76 619.–	499 079.–
1880	78 452	339 372.–	21 976.–	361 348.–
1885	98 911	402 018.–	24 030.–	426 048.–
1890	101 132	422 128.–	30 657.–	452 785.–
1895	112 913	445 290.–	38 014.–	483 304.–
1900	128 534	495 434.–	30 451.–	525 885.–
1905	133 917	508 552.–	33 001.–	541 553.–
1910	142 213	524 924.–	29 837.–	554 761.–
1915	17 727	53 125.–	10 985.–	64 110.–
1920	53 687	211 125.–	35 098.–	246 223.–
1925	166 125	738 656.–	43 455.–	782 111.–
1930	156 085	608 675.–	69 333.–	678 008.–
1935	117 463	265 381.–	37 473.–	302 854.–
1940	111 154	182 634.–	40 779.–	223 412.–
1945	204 080	420 940.–	45 201.–	466 141.–
1950	273 847	652 716.–	41 003.–	693 718.–
1955	359 214	865 632.–	48 958.–	914 590.–
1960	428 118	1 078 201.–	62 572.–	1 140 774.–
1965	437 744	1 469 165.–	207 380.–	1 676 545.–
1970	529 611	1 852 060.–	123 632.–	1 975 692.–
1975	443 808	2 438 182.–	196 147.–	2 634 329.–
1980	477 765	2 725 390.–	310 326.–	3 035 716.–
1982	522 510	3 478 725.–	212 000.–	3 690 725.–
1983	471 353	3 664 366.–	253 745.–	3 918 111.–

Luftseilbahn
Téléphérique
Aerial cableway

Jahr Année Year	Anzahl Reisende Nombre de passagers Number of passengers	Verkehrseinnahmen Revenus provenant du transport Traffic income		
		Personenverkehr Transport des voyageurs Passenger traffic	Gepäckverkehr Transport des bagages Transportation of luggage	Total Total Total
1968	109 538*	287 119.–	869.–	287 988.–
1970	250 671	744 723.–	1 884.–	746 607.–
1975	251 526	1 068 549.–	2 727.–	1 071 276.–
1980	261 018	1 307 393.–	3 705.–	1 311 098.–
1982	273 708	1 399 099.–	5 879.–	1 404 978.–
1983	257 868	1 416 335.–	5 166.–	1 421 501.–

* Betriebseröffnung am 15. Juli 1968.
  Ouverture de l'exploitation le 15 juillet 1968.
  Services commenced on 15th July 1968.

Betriebsrechnungen 1871–1983
Bilan de l'exploitation 1871–1983
Balance sheet 1871–1983

Zahnradbahn
Chemin de fer à crémaillère
Rack railway

Jahr Année Year	Betriebseinnahmen Recettes d'exploitation Income	Betriebsausgaben Frais d'exploitation Running costs	Betriebsüberschuß Bénéfices d'exploitation Profit
1871	258 222.–	81 189.–	177 033.–
1875	502 915.–	196 085.–	306 830.–
1880	385 011.–	196 874.–	188 137.–
1885	435 852.–	249 054.–	186 798.–
1890	462 063.–	296 980.–	165 083.–
1895	493 160.–	343 821.–	149 339.–
1900	541 419.–	336 208.–	205 211.–
1905	545 952.–	360 522.–	185 430.–
1910	560 018.–	370 523.–	189 495.–
1915	71 889.–	149 489.–	77 600.–
1920	256 081.–	246 227.–	10 454.–
1925	790 509.–	545 758.–	192 751.–
1930	689 823.–	500 982.–	188 841.–
1935	318 550.–	281 430.–	37 120.–
1940	237 598.–	185 742.–	51 856.–
1945	481 079.–	327 472.–	153 607.–
1950	725 134.–	543 469.–	181 665.–
1955	951 670.–	686 781.–	264 889.–
1960	1 198 331.–	926 956.–	271 375.–
1965	1 738 944.–	1 347 326.–	391 618.–
1970	2 084 234.–	1 807 582.–	276 652.–
1975	2 763 272.–	2 552 896.–	210 376.–
1980	3 189 756.–	2 998 389.–	191 367.–
1982	3 870 356.–	3 459 712.–	410 644.–
1983	4 211 726.–	3 768 381.–	443 345.–

Luftseilbahn
Téléphérique
Aerial cableway

Jahr Année Year	Betriebseinnahmen Recettes d'exploitation Income	Betriebsausgaben Frais d'exploitation Running costs	Betriebsüberschuß Bénéfices d'exploitation Profit
1968*	290 031.–	169 146.–	120 855.–
1970	763 598.–	573 906.–	189 692.–
1975	1 094 485.–	793 577.–	300 908.–
1980	1 327 331.–	1 198 359.–	128 972.–
1982	1 479 994.–	1 425 224.–	54 770.–
1983	1 500 720.–	1 413 959.–	86 761.–

* Betriebseröffung am 15. Juli 1968.
Ouverture de l'exploitation le 15 juillet 1968.
Services commenced on 15th July 1968.

Dividendenzahlungen der Rigibahn-Gesellschaft 1871–1983
Paiement des dividendes de la Société du «Rigibahn» 1871–1983
Dividends paid by the Rigi Railway Society 1871–1983

Jahr / Année / Year	%	Jahr / Année / Year	% PrA %	StA Fr.
1871	10	1925	5	
1872	15	1930	5	
1873	17	1935	0	
1874	20	1940	0	
1875	15	1945	0	
1880	8	1950	5	5.–
1885	8	1955	5	10.–
1890	9	1960	5	10.–
1895	8	1965	7	12.–
1900	10	1970	4,5	0
1905	10	1975	0	0
1910	10	1980	0	0
1915	0	1982	0	0
1920	0	1983	0	0

Literaturverzeichnis

ABT R.: *Die drei Rigibahnen und das Zahnradsystem*, Zürich 1877.

BAEDEKER K.: *Die Schweiz nebst den angrenzenden Teilen von Oberitalien, Savoyen und Tirol, Handbuch für Reisende*, 26. Aufl., Leipzig 1895.

BECKER R., SCHWEIZER R., STAFFELBACH H.: *Die neue Schnurtobelbrücke der Vitznau–Rigi-Bahn 1957–1958*, Luzern 1958.

BORN E.: *Pioniere des Eisenbahnwesens* (u.a. über Ing. N. Riggenbach), Darmstadt 1962.

BÜHLMANN K. und SCHNIEPER X.: *Der Vierwaldstättersee 1870–1910*, Photogalerie Bucher, Luzern 1980.

DIETLER H.: *«Rigibahn» (Vitznau–Rigi, Schweiz)* in *Enzyklopädie des Eisenbahnwesens* von Dr. von Röll, Band 8, S. 218ff., Berlin/Wien 1917.

EICHHORN K.: *Rigi – Königin der Berge; Die Rigi und ihre nächste Umgebung, Führer für Kurgäste und Touristen mit Karte des Vierwaldstättersees und Umgebung*, Luzern, o.D.

ELEKTRIFIKATION der Rigibahn: *Die Elektrifikation der Rigibahn (Vitznau) und ihr Einfluß auf die Betriebsergebnisse*. Bull. Arbeitgeberverband schweizerischer Transportanstalten, 10, Nr. 93, Seiten 1828f., Aarau 1939.

FELLMANN P.: *Die Rigibahn, ihre Entstehung und Entwicklung*, Diss. Bern, St. Gallen 1937.

FILIPOVIĆ Z.: *100 Jahre Vitznau–Rigi-Bahn, Der Triebwagen BDhe 4/4 Nr. 5*, in Technische Rundschau, Bern, Nr. 21 vom 14. Mai 1971.

Fünfzig Jahre Rigibahn 1871–1921. Denkschrift, Luzern 1921.

HEFTI W.: *Zahnradbahnen der Welt*, Basel 1971.

HEFTI W.: *Zahnradbahnen der Welt, Nachtrag, Korrekturen, Register*, Basel 1976.

HENNIG R.: *Buch berühmter Ingenieure, ihr Lebensgang und ihr Lebenswerk, Nikolaus Riggenbach, der Vater der Bergbahnen*, S. 228ff., Leipzig 1911.

HUBER M.: *Zum ersten August*, Rede gehalten auf Rigi Kaltbad am 1. August 1952, Zürich.

HUGENTOBLER E.: *Zur Elektrifikation der Rigibahn*, in Mitteilungen BBC 24, Nr. 3, S. 95f., Baden 1937.

HUGENTOBLER E.: *Die elektrischen Zahnrad-Triebwagen der Rigibahn*, in «Elektrische Bahnen», Heft 12, S. 302ff., Berlin 1938.

INEICHEN F.: *Rigi, der weltbekannte Berg, das internationale Ausflugsziel*, herausgegeben zum 100jährigen Jubiläum der Arth–Rigi-Bahn, Luzern 1975.

KOCH H.: *RIGI, Einheimische und fremde Rigibesucher berichten aus fünf Jahrhunderten*, Zug 1971.

MARGADANT B.: *Das Schweizer Plakat 1900–1983*, Basel 1983.

MATHYS E.: *Männer der Schiene 1847–1947* (u.a. über Ing. N. Riggenbach), Bern 1947.

MATSCHOSS C.: *Beiträge zur Geschichte der Technik und Industrie*, Band 7, Berlin 1917. *Nikolaus Riggenbach zu seinem hundertjährigen Geburtstag*, von K. Keller, München.

MITTLER M.: *Rigi – Berg mit vielen Gesichtern*, Zürich 1982.

MOESCHLIN F.: *Nikolaus Riggenbach, Silvester Marsh und das Rigi-Zahnradbahnsystem*, Schweiz. Bau-Zeitung, Band 126, Nr. 18, S. 203f., Zürich 1945.

MOSER A.: *Der Dampfbetrieb der schweizerischen Eisenbahnen 1847–1947*, Basel 1947.

RIGGENBACH N.: *Erinnerungen eines alten Mechanikers*, Zürich 1967.

RIGI – *Exkursionskarte mit Panorama, Vogelschaukarte Rigi-Nord und Rigi-Süd*.

RIGI – *Königin der Berge*, Jubiläumsschrift zur Hundertjahrfeier der Vitznau–Rigi-Bahn vom 21. Mai 1971. Unter Mitwirkung verschiedener Fachleute herausgegeben von der Rigibahn-Gesellschaft, Vitznau.

RIGI – *Panorama (Rigi Kulm)* von A. Ringier, herausgegeben vom Kurverein Rigi, Rigi Staffel, Luzern 1981.

RIGI – *Topographische Wanderkarte mit Skitouren 1:25 000*, beide Rigi-Karten herausgegeben von der Arth–Rigi-Bahn, Vitznau-Rigi-Bahn, Luftseilbahn Weggis–Rigi Kaltbad, Verkehrsverband Rigi.

RIGIBAHN-GESELLSCHAFT, VITZNAU: *Die Vitznau–Rigi-Bahn und die Luftseilbahn Weggis–Rigi Kaltbad*, Luzern/Vitznau 1966.

RIGIBAHN-GESELLSCHAFT, VITZNAU: *Ein Jahrhundert Vitznau–Rigi-Bahn 1871–1971*. Den Aktionären und Freunden der Bahn zum Eintritt in das zweite Jahrhundert der Vitznau–Rigi-Bahn gewidmet von der Rigibahn-Gesellschaft, Vitznau, im Mai 1972.

RIGIBAHN-GESELLSCHAFT, VITZNAU: *Die neue Luftseilbahn Weggis–Rigi Kaltbad. Zur Betriebseröffnung vom 15. Juli 1968*, Vitznau 1968.

RUSSELL J. und WILTON A.: *Turner in der Schweiz*, herausgegeben von W. Amstutz, Zürich 1976.

SACHS K.: *Elektrische Triebfahrzeuge*, 3 Bände, 2. Aufl., herausgegeben vom Schweizerischen Elektrotechnischen Verein, Wien 1973.

Schweizer Pioniere der Technik: Acht Lebensbilder großer Männer der Tat (u.a. über *Ing. N. Riggenbach*), Band 2, Zürich 1944.

SOLAR S.: *Das Panorama und seine Vorentwicklung bis zu Hans Conrad Escher von der Linth*, Zürich 1979.

SPITTELER C.: *Der olympische Frühling*, Jena 1922.

STAFFELBACH H.: *Ein halbes Jahrhundert Winterbetrieb der Vitznau–Rigi-Bahn*, in «Der öffentliche Verkehr», Heft 2, S. 8f., Zürich 1956.

STAFFELBACH H.: *Die Vitznau–Rigi-Bahn baut eine neue Schnurtobelbrücke*, in «Der öffentliche Verkehr», Heft 12, S. 4f., Zürich 1957.

STAFFELBACH H.: *Die neue Schnurtobelbrücke der Vitznau–Rigi-Bahn 1957–1958*, in «Der öffentliche Verkehr», Heft 2, S. 8ff., Zürich 1959.

STAFFELBACH H.: *Der Umbau der Stationsanlage Rigi Kaltbad*, in «Der öffentliche Verkehr», Nr. 1, S. 10ff., Zürich 1962.

STAFFELBACH H.: *Die Tarife der Bergbahnen*, in «Ein Jahrhundert Schweizer Bahnen», Jubiläumswerk des Eidg. Post- und Eisenbahndepartements, Band V, Die Bergbahnen und die Nahverkehrsmittel, S. 411ff., Frauenfeld 1964.

STAFFELBACH H.: *Der neue elektrische 1200-PS-Zahnrad-Triebwagen der Vitznau–Rigi-Bahn*, in «Der öffentliche Verkehr», Heft 5, S. 11ff., Zürich 1965.

STORSAND B.: *Die Gleichrichteranlage der Vitznau–Rigi-Bahn*, Bulletin Oerlikon 199/200, S. 1249–1252, Zürich 1938.

STRUB E.: *Die Vitznau-Rigi-Bahn-Lokomotiven. Bisherige Erfahrungen und Resultate. Oberbau der Vitznau–Rigi-Bahn. Bisherige Erfahrungen und Verbesserungen*. Separatdruck aus der Schweiz. Bau-Zeitung. Band XVI, Nrn. 21 und 22, und Band XVII, Nr. 12, Zürich 1886.

STRUB E.: *Zum 25jährigen Jubiläum der Rigibahn*, Separatabzug aus der Schweiz. Bau-Zeitung, Band XXVII, Nrn. 22, 23 und 26, Zürich 1896.

TSCHUDI F./KENNEL M.: *Die Bergbahn* (Rigi-Scheidegg-Bahn), Zürich 1962.

TÜRLER E. A.: *Le Rigi et le Chemin de fer Vitznau–Rigi*, Zürich.

TWAIN M.: *A Tramp abroad* (Conn.), 1880 (Rigi-Besteigung).

WAEGLI H. G., Jacobi S., Probst R.: *Schienennetz Schweiz, ein technisch-historischer Atlas*, Bern 1980.

WALDBURGER H.: *Die Rigi-Scheidegg-Bahn*, in Schweizer Eisenbahn-Revue, Heft I, S. 9ff., Luzern 1978.

Wanderbuch Rigigebiet 25: Wanderbuch Zentralschweiz, Bern 1983.

WOBMANN K./ROTZLER W.: *Touristikplakate der Schweiz 1880–1940*, Aarau 1980.

WOLFF HCH.: *Rigi-Flora*, Bern 1979.

ZAHNRADBAHNEN: *Die Vitznau–Rigi-Bahn*, in Festschrift der Sektion Vierwaldstätte des Schweizerischen Ingenieur- und Architekten-Vereins, Luzern 1893.

ZAHNRAD-TRIEBWAGEN: *«Die elektrischen Zahnrad-Triebwagen der Rigibahn, mechanischer und wagenbaulicher Teil»*. Nach Mitteilungen der Schweizerischen Lokomotiv- und Maschinenfabrik, Winterthur, Schweiz. Bau-Zeitung, Band 112, Nr. 15, S. 186–189, Zürich 1938.

ZELLER W.: *Rigi, Die Geschichte des meistbesuchten Schweizer Berges*, Schweizer Heimatbücher, Heft 154, Bern 1971.

ZIMMERMANN B.: *Das Rigigebiet und seine durch Verkehrsveränderung bedingte Umgestaltung in Siedlung und Wirtschaft*, Diss. Freiburg, Luzern 1955.